afgeschreven

Vervlochten grenzen

Marion Bloem

Vervlochten grenzen

Roman

Uitgeverij De Arbeiderspers
Amsterdam · Antwerpen

Uitgeverij De Arbeiderspers stelt alles in het werk om op milieuvriendelijke en duurzame wijze met natuurlijke bronnen om te gaan. Bij de productie van dit boek is gebruikgemaakt van papier dat het keurmerk van de Forest Stewardship Council (FSC) mag dragen. Bij dit papier is het zeker dat de productie niet tot bosvernietiging heeft geleid.

De auteur ontving voor het schrijven van dit boek een werkbeurs en een reisbeurs van de Stichting Fonds voor de Letteren.

Omslagontwerp: Nico Richter, naar een idee van Marion Bloem
Omslagfoto: Liesbeth Keulemans

ISBN 978 90 295 7158 6 / NUR 301

www.arbeiderspers.nl

Opgedragen aan Eugène Alexander Bloem

Senne

As tot as

Mijn naam is SENNE PORTIER. Ik ben bijna achttien. Eigenlijk precies zesduizendvijfhonderd en vierendertig dagen oud, en van het vrouwelijk geslacht. Maar dat laatste doet er niet toe als je moeder heeft besloten dat je hele hebben en houwen vanaf nu door drie deelbaar is.

Gisteren. Morgen. Vandaag.

Wat je weggooit. Wat je bewaart voor later. Wat je meeneemt.

Ik ben het beste af met zo min mogelijk bagage, zegt ze. En hoewel ze mijn werkelijke eindbestemming niet kent, heeft ze gelijk.

Oneindig veel vuilniszakken. Eén hutkoffer. Drie verhuisdozen met als bonus twintig kilo kleren in een kunststofkoffer op stroeve wieltjes, een grote vloeistofloze Nepcalvinklein met noodzakelijk kwaad en een lullige honderd milliliter onmisbare makeupmonsters bijeen in een klein doorzichtig plastic zakje opdat ik niet voor een terroriste zal worden aangezien.

Ze had wel eerder mogen vertellen dat ze na mijn vertrek de huur opzegt en dat mijn thuis vanaf nu verdeeld zal zijn over dozen en koffers. Geen plek op de kaart, geen voordeur waarachter ik me, of ik wil of niet, alles vanzelf weer herinner. Geen bed dat onvoorwaardelijk op me wacht.

9

Zou ze dit vannacht, starend naar het plafond, bedacht hebben? Ze zeggen dat ik op haar lijk. Haar gezicht, haar korte lijf met de lange benen, haar blonde niet steile en evenmin krullende, evenwel uiterst springerige manen, haar Hollandse borsten en haar kuikentjeskont. Die kenmerken vallen meer in het oog dan mijn Aziatische te gespierde kuiten en amandelvormige donkere ogen.

'Eindig niet zoals je vader, die de helft van zijn maandinkomen spendeerde aan huur voor het eeuwig opslaan van spullen die hij tot aan zijn dood nooit meer heeft bekeken en die iemand anders voor geen goud ooit zou willen zien.'

Ze grijpt naar KROKODIL. Mijn Indonesisch minirolkussen ofwel mijn *Dutch Dwarf Wife*. De zwijgende getuige van grenzeloze hartstocht op mijn slordig opengeslagen bed. Ze stopt hem (of haar) in de verder nog lege vuilniszak en speurt de kamer rond, onhandig zwaaiend met de zak, alsof ze op zoek is naar een plek waar ze een veel te vroeg geboren baby in een iets te ruime *bodybag* kan deponeren. 'Dat je in die chaos kan leven...' mompelt ze. Dan laat ze de zak met het belangrijkste wat ik uit mijn jeugd behouden wil, op de grond vallen.

Ik buk. Terwijl ik de batikkrokodil, een inmiddels versleten handwerkje van OMA, dat herinnert aan een van haar langgeledenlogeerpartijen, er weer uithaal, hoor ik haar achter mij mopperen dat je geestelijk niet groeit als je te veel vasthoudt aan spulletjes die niets anders zijn dan relikwieën van een tijdperk dat godzijdank voorbij is.

Plots een vloek. Ze schreeuwt. Mijn Ikea-bureaulade die ze, zonder mijn toestemming, ondanks de onder- en neerwaartse druk met een ruk opende, valt in drie delen op de grond. Pas als je alles op een stenen vloer ziet liggen besef je hoeveel er in zo'n 50x50x20-lade van een tienerbureautje schuil kan gaan. Haar hysterisch gegil overstemt bescheiden glasgerinkel.

'Gatverdegrgrrrrgatverdegrrrrrr... jij... grote idioot! Hoe kom je aan die spinnen?'

Gewoon gevangen in glas. Cadeautjes van hem die ik wil vergeten.

'Stel je niet zo aan,' zeg ik, 'ze zijn dood. Ik had ze niet voor niets allemaal in die la weggestopt die jij opeens zo nodig moest openen terwijl je in mijn kamer niks te zoeken hebt.'

'Weet je zeker dat ze niet meer leven? Gatverdegatver... dat is een vogelspin, verdomme! Je lijkt wel niet goed wijs... Dat gaat stinken!'

'Op sterk water,' zucht ik. Maar ik gooi ze in een van de vuilniszakken. Met glas en al. Niet omdat zij er bang voor is, maar omdat ze van hem zijn. Gisteren nog gekoesterd. 'Eigenhandig gevangen op vakantie in mijn geboorteland,' zei hij met een gezicht dat verried dat hij wist dat ik wist dat hij jokte. Na elke vakantie een andere spin. Ik zou ze nu allemaal op deze stenen vloer kapotsmijten als een dergelijk desperaat gedrag niet nog meer vragen op zou roepen.

Ik veeg de glasscherven op met het panterslipje dat ik vannacht in de hoek van de kamer achterliet toen ik voor de derde maal onder de koude douche ging staan om het verhitte bal masqué in mijn gewoonlijk tamelijk koele brein te beëindigen.

'Waarom pak je geen dweil?'

Laat me alsjeblieft alleen, wil ik zeggen. Maar ik doe het niet. Ze verdwijnt trouwens uit zichzelf. Eerst mijn privébadkamer in. Twee stappen. Daar schrikt ze van de bende die onze TITI nog niet heeft kunnen opruimen, haalt overdreven diep adem en verlaat eindelijk met braaf pseudogevloek mijn terrein.

Een paar minuten later staat ze opnieuw in mijn kamer met nog meer lege vuilniszakken en een gezicht of ze hier nooit een spin heeft gezien.

Haar grijsgroene ogen houdt ze achter haar lokken verborgen terwijl ze een van de drie 'prefab' verhuisdozen voor me openvouwt en begint te ratelen. 'Aan drie heb je genoeg. Als student heb je in een week straks meer troep verzameld dan in een enkele doos past. Je zult aan mijn woorden denken als je op de campus ruzie krijgt met je kamergenoot vanwege die ziekelijke verzamelwoede waarmee jij en je broer erfelijk zijn belast.'

Ze ratelt door terwijl ik het ene na het andere schoolschrift kapottrek. Treiterend traag scheur ik een van mijn vele awards door tot aan: *Jakarta International School*. Geen reactie. Haar opruimwoede maakt haar stekeblind. Wat is overigens het belang van al die awards en rapporten als je je einddiploma al hebt gescoord? De scheur, dwars door *International* en daarna precies tussen mijn met zwarte inkt geschreven voornaam en familienaam door, is mijn symbolisch afscheid van de school, die ik weken geleden formeel vaarwel zei. Dag JIS.

Ook mijn jaarboeken vernietig ik. Het laatste boek met een brandende pijn in mijn borst die wegebt, als ik de allerlaatste bladzijden lostrek van het omslag en ze met alle kracht die ik in mijn vingers heb, halveer.

Jean-Jacques staat er meer dan drie keer in. Voor iedereen jarenlang KNIFE. Zijn familienaam was te moeilijk voor JIS-leerlingen. Zelfs docenten noemden hem KNIFE vanwege zijn messcherpe meedogenloze redenaarskwaliteit. Maar sinds ons eerste gesprek is hij door mij omgedoopt tot HIQ. Die koosnaam, uit respect voor zijn IQ dat hoger is dan dat van mij, werd door iedereen snel overgenomen. Zelfs door docenten. HIQ bleef echter ondertekenen met J-J. KNIFE. Een handtekening in de vorm van een mes. Daar had hij ongetwijfeld stevig op geoefend. Toch vloeide de beweging met een imposante nonchalance uit zijn pols.

De populairste op JIS vanwege aanstootgevende lef en een humoristische grote mond. Een bruine Apollo... Een gezicht waar elke vrouwelijke leerling van JIS haar benen gretig voor spreidt, zelfs als ze nog niet weet van het bestaan van orgasmen. Noem een talent en hij heeft het... De beste in voetbal, de beste in base-ball, de beste in cricket, en al sinds zijn eerste jaar op JIS de on-overwinnelijke tenniskampioen. Koning op het skateboard. De leukste *guy on stage*. De beste *tango dancer*. Daarmee beland ik bij het enige minpuntje. Ik oordeel, ondanks mijn verre Indonesi-sche voorvaderen, vanuit Nederlands perspectief: KNIFE is geen sushi-mes, geen broodmes, maar gelukkig evenmin een aardap-pelmesje. Voor een Frans-Aziatische adolescent is zijn lengte niet onaardig, maar hij en ik zijn precies even groot. Wanneer ik met hem *on a date* was droeg ik gympies. Ook op het JIS-slotfeest was ik de enige die de stilettohakken thuis in de kast had laten staan.

Als ik de laatste foto in mijn jaarboek, waarop wij samen als twee weirdo's de tango dansen, in hele kleine stukjes scheur, ver-geet ik de aanwezigheid van mijn moeder in deze kamer. Ik voel zijn warme adem in mijn nek, zijn volle sterke lippen bij mijn oor. Zijn vingers die zich voorzichtig een weg banen door mijn haren als door een doolhof zonder uitgang.

De snippers worden te klein om nog te kunnen scheuren. Het papier verzet zich, nu HIQ er niet meer in te herkennen is. Mijn vingertoppen zijn groter dan de restjes die ik vervolgens met mijn zwartgelakte nagels verpulver, zodat deze rituele handeling alle agressie verliest en teder wordt. Alsof ik hem streel. Dat wat van hem over is. De gemillimeterde fotosnippers stop ik in mijn mond. Ik kauw erop. Een bittere smaak. Goedkope Indonesische drukinkt. Ik slik HIQ door.

Zij praat en praat en praat. Het maakt haar niet uit of ik luister. Dat is altijd zo geweest. De Dove en de Blinde. Ik heb geleerd een zeef te zijn met hele kleine gaatjes. Na twintig jaar met mijn moeder op mijn huid ken ik de ware betekenis achter elke ogen-schijnlijk onbelangrijke zin en schijnbaar onschuldige handeling. Ze zwijgt als ze zich vals beschuldigd voelt, ze praat te veel als ze schuld draagt en ze kijkt je niet aan als ze meent dat je haar van iets beticht.

De hutkoffer is voor wat ik wil behouden. Voordat mijn vader hem vol had zitten met zijn reisfoto's, behoorde hij aan mijn opa en oma die hem van mijn oma's moeder hadden gekregen. Ik zeurde na elke verhuizing tevergeefs of ik hem op mijn kamer mocht om er, als ik heimwee naar mijn grootouders had, mijn neus in te steken en diep adem te halen. De kist rook van binnen precies zoals op mijn opa's zolderkamer, waar ik mijn logeerbed had staan als we met verlof in Nederland waren.

Ik ben de enige van de familie die tussen OMA's vooroorlogse voorwerpen en OPA's tropische landschappen en de honderden tubes verf en opgedroogde penselen wil slapen. Eigenlijk mag het niet vanwege de verwarmingsketel. Gebrek aan zuurstof of ontsnappende giftige dampen. Iets van dien aard. Maar mijn oma zet het zolderraam op een kier en zo kan het geen kwaad. Het regent dan wel in via de zijkanten. Bij zware buien zet ze er een zinken teiltje neer en lig ik wakker van het getik. OPA's rijstvelden veranderen van kleur en stemming naarmate de nacht ochtend wordt. Bij motregen drupt het gewoon op zijn vulkanen. Olieverf op linnen. Dat kan er wel tegen, zegt OMA.

Op de bovenzijde van mijn vaders hutkoffer was door OPA een kaaiman geschilderd voordat ze met de boot van Indonesië naar Nederland vertrokken. Dat had hij gedaan opdat zijn koffer makkelijker te herkennen zou zijn tussen de duizenden andere, zei hij. Maar mijn oma vertelde dat OPA in zijn jonge jaren overal op schilderde. Op wat er maar voorhanden was.

Mijn vaders oude kist stond dan weer hier, dan weer daar. We hebben in ontelbaar veel huizen gewoond in verschillende landen in Azië, maar het langst hier, in het geboorteland van mijn vaders ouders. Hij was zo blij toen hij hier een baan kreeg dat hij nooit meer naar ander werk wilde solliciteren, tot ergernis van mijn moeder, die liever ergens in een mooie stad aan het strand woonde en een hekel aan Jakarta had. Sinds ze voor de Nederlandse ambassade werkt, klaagt ze nog net zo veel als vroeger over het verkeer, de files, en de vervuiling in deze stad, maar nu wil zij hier zelf niet meer weg.

Ze zegt dat ze haar hier niet kunnen missen. Die mensen van de ambassade begroeten haar alsof ze naaste familie zijn. Van mijn vader mocht mijn moeder ze nooit te eten vragen. Die zei altijd: 'Als ik graag Hollanders over de vloer had, was ik in Nederland gebleven.'

Mijn moeder maakte bij de visite wel graag mooie sier met mijn vaders hutkoffer. Telkens weer in een ander huis met telkens weer ander bezoek werd de kist van mijn vader het dankbare gespreksonderwerp. Bij het ontbijt zei mijn moeder dan: 'Nou, jouw kist brak het ijs weer mooi, gisteravond!'

Na alle complimenten over de antieke hutkoffer en de indringende blik van de kaaiman, ging hij open. En als de kist eenmaal open was, kwam mijn meestal zwijgende vader ook vanzelf een beetje los. Van de kist ging het gesprek geleidelijk over op mijn vaders reisfoto's, die hij op hun verzoek trots toonde. De avond was om voordat ze alle snacks van TITI aan de gasten hadden kunnen slijten.

Ik had nooit zin om me voor te stellen, sloot me meestal op in mijn kamer. Waarom antwoord geven op altijd dezelfde vragen van mensen die je daarna toch nooit meer zult zien? Alleen als er bezoek uit Nederland kwam, wilde ik ze wel even de hand komen schudden. Je weet nooit wie je in Nederland weer tegen het lijf loopt en of je daar opeens afhankelijk van ze bent, omdat zij die auto besturen waarmee je naar het strand zou willen...

Was de visite aardig, dan nam ik plaats aan tafel. Maar zo niet, dan liet ik TITI bami goreng en een fles cola light op de kamer brengen.

'Te veel huiswerk' werkt altijd. Op mijn kamer heb ik airco, televisie, mijn computer, internet, webcam, mobiele telefoon, iPod, boeken, dvd's, en TITI roep ik via de huistelefoon als ik dorst of trek heb. Ik kan een hele week in mijn eentje op mijn kamer doorbrengen zonder alleen te zijn.

Als er familie van mijn vader logeerde ging ik als laatste naar bed. Van mijn moeder kwam nooit een hond over. Op één keer na. Al weer een tijd terug. Dat begon vrolijk maar dat werd zo'n herrie... Daarna zei niemand er ooit nog een woord over.

De hutkoffer is door een hardhandige metamorfose niet meer uitnodigend. Hij lijkt groter en niets herinnert nog aan hoe mooi hij is geweest. Aan de binnenkant kleefden flarden krant uit 1949, toen dit land nog van OPA en OMA was. Op de buitenkant stond onder de kaaiman PORTIER geschilderd in grote zwarte hoofdletters. Maar nu is hij wit. Van binnen en van buiten spierwit. Hij ruikt alleen nog naar verf, naar terpentine, naar leegte. Ze heeft niet eens de moeite genomen om milieuvriendelijke verf te gebruiken. Direct na de crematie heeft ze hem zelf wit gekalkt en al zijn reisfoto's samen met zijn as in de container van de buurvrouw gesmeten.

Alles mag weg. Op de keper beschouwd is mijn onthechtingproces al begonnen toen HIQ van het dak sprong. Hij en ik konden na het vertrek van mijn broer DIAN geleidelijk de frequentie en intensiteit van onze ontmoetingen optimaliseren. Ik regeer al drie jaar over de hele tweede verdieping met de luxe van een trap naar het dak. Het dak was voorheen mijn broers terrein. Daar had hij zijn romantische momenten met elke week een andere vriendin. Ik betrapte hem er al op zijn twaalfde, toen hij zat te tongen met een Deens-Filipijns meisje dat twee jaar ouder was.

De nachtwakers, die toch al liever een oogje dichtdoen dan dat ze een dief op heterdaad betrappen, bezetten hun post pas om elf uur. Ze horen wel eerder te beginnen, maar hun horloges staan niet zoals die van mijn moeder ingesteld. En tegen de ochtend, na het gebrul dat uit de luidsprekers van de moskee komt, zijn ze in diepe slaap.

HIQ klom elke avond, net voordat de wacht zijn positie bij de garage innam, als een bergbeklimmer tegen de muur omhoog, kroop door mijn raam, en schoof tussen KROKODIL en mij in zonder dat iemand in huis daar iets van merkte. Die bewuste avond gingen we, zoals vaak, samen het dak op om ongestoord te praten. Hij verliet die keer niet pas bij het licht van de opgaande zon mijn kamer. Ook spon hij niet als een kat tegen mij aan totdat de gebeden van de moskee begonnen. Maar midden in onze serieuze, steeds heftiger discussie sprong hij van het dak op de garage, en vandaar op ons erf, zonder zich erom te bekommeren dat onze bewaker nog wakker was.

Wanneer je zover bent dat je met je vriend in dezelfde ruimte, terwijl hij zijn blaas en darmen leegt, je tanden poetst, is er eigenlijk geen weg meer terug. Maak je er, zoals wij, toch een eind aan, dan kun je net zo goed alles, ook jezelf, in de vuilniszakken proppen.

Mijn gelezen boeken, op een paar titels na, gaan mijn vaders koffer in. Mijn favoriete mogen in een verhuisdoos. Soms heb ik een boek wel drie keer gelezen. Maar de boeken die nu nog ongelezen zijn, zal ik later evenmin openslaan. Die vullen een vuilniszak.

De brief met daarin de toekenning van mijn beurs had ik vannacht ritueel verbrand in het fonteintje in mijn badkamer. De as hoopte zich op, bleef kleven en verstopte de afvoer, zodat het troebele water over de rand liep toen ik mijn tanden poetste. Met de tandenstoker prikte ik in de gaatjes totdat bleek dat nog niet de gehele brief as geworden was. Dat stak. Ik heb de boosdoeners eruit gepeuterd. Drie piepkleine puzzelstukjes pasten precies in elkaar: HARVARD.

Met behulp van mijn moeders eau de toilette, een fles van Issey Miyake die ik voor een habbekrats op het strand van

17

BALI voor haar verjaardag had gekocht, en een flesje arak dat ik in de koelkast vond, heb ik HARVARD in de wc-pot in de fik gestoken.

Nota Bene

Er is, naast mijn nieuwe bestemming die mij nog onbekend is
omdat ik het denken erover uitstel tot de allerlaatste minuut, nog
een lijst van dingen waar ik liever niet aan denk:
– terroristen
– een carrière als advocaat mensenrechten
– toekomst
– mijn vaders dood
– HIQ

In den beginne was het woord

Ze heeft me al een tijdje met rust gelaten. Sinds ze er zeker van kon zijn dat ik mijn puinhoopkamer vandaag nog wel leeg zou hebben, is ze naar de keuken gegaan om toe te zien hoe TITI daar een verhuisdoos vult met pannen en bestek. Ik hoor haar aan de telefoon met een van de expats met wie ze tennist, golft, rent of weetikwat. Ze heeft, in de diverse wijken van deze stad, een hoop vrienden voor wie ze de tijdrovende onvermijdelijke files trotseert, maar ik ken ze niet. Ze spreken alle talen.

Mijn moeder heeft een talenknobbel. Dat heb ik helaas niet van haar geërfd. Ze spreekt beter Indonesisch dan mijn vader deed, terwijl hij met de straatversie ervan was opgegroeid. Zijn ouders gebruikten die taal als ze wilden praten over wat hij en zijn broer en zus niet mochten horen. Dan krijg je een negatief gevoel bij een taal, beweerde hij. En die negatieve lading is nooit positief geworden.

Hij leerde het echte Bahasa Indonesia hier spreken bij een gepensioneerde generaal. OOM TOM. Eigenlijk van Javaanse adel, maar tijdens de revolutie is iedereen gelijk, zei hij. Hij had zijn erfdeel ingeleverd om wapens van te kopen voor het bevrijdingsleger. Als oud-guerrillastrijder was hij, in tegenstelling tot zijn kameraden uit de revolutietijd, nooit corrupt geworden en daarom kon hij als generaal, maar nog minder na zijn pensioen, zonder bijbaantjes niet rondkomen.

OOM TOM had een talencursus op cassettebandjes die aan

Amerikaanse geheim agenten werd gegeven. De cursus die nog dateerde van ver vóór mijn geboorte, was erop afgestemd dat de cursisten de Indonesische intelligentsia zo adequaat mogelijk konden bijbrengen hoe ze communisten moesten ontmaskeren. Daardoor had mijn vader zich een opmerkelijk idioom, inclusief interessant vocabulaire eigen gemaakt dat in het gewone leven niet altijd even toepasbaar was. Als mijn moeder hem weer eens plaagde dat zijn Indonesisch beperkt was, keek hij haar doordringend aan met een ondeugende blik in zijn ogen, en zei in keurig Indonesisch: 'Hoe lang moet ik je martelen totdat je de waarheid spreekt?'

Berapa lama saya harus Anda penyiksaan sebelum Anda berbicara kebenaran?

Mijn vader deed geen kip kwaad. Ik heb hem zelfs geen mug dood zien slaan. Mijn moeder zou op een slagveld meer slachtoffers maken dan mijn vader, die waarschijnlijk aan de frontlinie nog zou proberen een vredesgesprek te beginnen, oog in oog met een paniekerige soldaat, die in de waan daarmee zijn eigen vege lijf te redden, zonder enige wroeging zelfs een passerende kleuter overhoop zou schieten.

Mijn vader heette RAY. Ik hoefde hem geen pa te noemen. 'Zeg maar Ray,' zei hij, als ik de zin met 'papa' begon. Mijn oma en zijn zussen noemden hem MOND. Zijn broer zei RAY. Vrienden en vreemden noemden hem bij zijn volledige naam.

RAY zei niet veel en had zijn vaste zinnen.
– Zonder papiertje ben je nergens.
– Als er twee vechten zijn er twee fout.
– Met een bruin velletje moet je je dubbel bewijzen.
– Waar een wil is is een weg.
– Als die anderen in de sloot springen, volg jij dan ook?

– Om gelukkig te zijn moet je je talenten gebruiken.
– Materieel verlies is geen verlies.
– *Exercise* is een voorwaarde voor een *peace of mind.*
– Kijk uit voor de balk in je eigen oog.
– Scheidsrechters staan altijd langs de kant.
– De enige zekerheid die een mens heeft is zijn twijfel.
– Niks staat los, alles heeft met elkaar te maken.
– De wereld is klein, letterlijk en figuurlijk.
– Wij leven als kolonialen, weet je dat?
– De mens is zwak.
– Spijt komt altijd te laat.

Een aantal van die zinnen komt precies zo uit OMA's mond. Die heeft ze er bij hem ingeramd. Een van die gesprekken met mijn ouders uit mijn prille jeugd die ik op mijn tachtigste nog kan navertellen, ging hierover. Ik had ruzie met mijn moeder en zij haalde RAY erbij.

'Zeg jij eens wat over die brutale mond van haar.'

RAY keek niet op van zijn krant toen hij zei: 'Als ik vroeger zo brutaal was tegen mijn moeder kreeg ik een pak rammel van d'r met de pollepel.'

Een *pak rammel* en een *pollepel.* Chinees voor mij. Ik zag RAY, zoals op zijn jeugdfoto's. Ouder dan ik op dat moment. Een braaf gezicht, ernstige ogen, netjes gekamde glimmende haren, poserend, wit overhemd, slip-overtje en korte broek. Naast hem OMA, met in haar linkerhand een pak koekjes en een theelepeltje.

Rammelkoekjes waren hard, anders zouden ze niet rammelen. Gebroken verkruimelde koekjes die je met een theelepeltje moet eten. Bitter, met gember, of in elk geval vies, anders zou hij ze niet van haar krijgen wanneer hij brutaal was geweest.

Als ik brutaal tegen OMA was, dreigde ze dat ze mijn mond met sambal zou insmeren. Maar aan haar ogen kon ik zien dat ze niet van plan was haar dreigement ooit uit te voeren. RAY mocht blij zijn dat ze hem geen sambal maar rammelkoekjes voerde.

'Lekker?' vroeg ik.

'Wat lekker? Ze sloeg ermee op mijn blote benen! Ik kreeg er rode striemen door.'

Ik zag OMA met een theelepel slaan op de magere beentjes van die brave jongen op die foto. En die koekjes dan?

'Wat een drukte om een lepeltje tegen je benen,' zei ik. Mijn moeder liep met driftige stappen naar de keuken van de bedienden en kwam terug met een van TITI's grote houten lepels. Daarmee gaf ze mij een felle tik op mijn bovenarm.

'Au, wat doe je?' riep ik uit.

'Dit was zachtjes,' zei mijn moeder. 'Je vader kreeg met deze pollepel harde klappen op zijn kuiten als hij net zo onaardig tegen zijn moeder deed als jij zo-even tegen mij.'

Mijn vader stond uiterst kalm op van zijn stoel, pakte gedecideerd de houten lepel uit haar handen en liep ermee terug naar TITI, die achter mijn moeder aan was gelopen omdat mijn moeder haar keukengereedschap nog nooit had aangeraakt. Nadat TITI weer terug naar haar keuken was, zei RAY: 'Zoiets noem je een pak slaag. En dat laat striemen op je benen achter. Tegenwoordig heet dat kindermishandeling.'

Zo leerde ik altijd weer nieuwe woorden van ze.

In het begin mochten mijn broer en ik van RAY in huis geen Engels praten, maar op den duur legden mijn ouders zich erbij neer dat DIAN en ik overgingen op het Engels zodra we het woord tot elkaar richtten. Ook als ik in mijn eentje bij DIAN in Amsterdam logeerde spraken we Engels. Het is de taal waarin ik, sinds ik leerde lezen en schrijven, met bijna iedereen praat.

My mother tongue is not my first language. I'm no native speaker for any language.

Alhoewel het Nederlands mijn moedertaal is, is dat niet mijn eerste taal. Dat was het totdat ik op mijn derde naar de internationale crèche ging, of misschien al eerder. Zo'n dagverblijf waar twintig verschillende moedertalen elkaar trachten te overstemmen. De enige met wie ik theoretisch Nederlands kon spreken was een autistisch jochie. Het deed geen kip kwaad, maar van hem leerde ik alleen schreeuwen. Waarschijnlijk ben ik gemiddeld twee weken per jaar in Nederland geweest. En in die periode sprak ik mijn moerstaal wat vaker dan alleen bij het ontbijt en avondeten. Met de logeerpartijen van familie uit Nederland kom ik op een gemiddelde van drie maanden per jaar. Misschien dat ik gemiddeld per dag drie echte gesprekken van elk tien minuten in het Nederlands had.

17x{(30d +31d+30d)x(3x10 min}=17 x 2730= 46410 minuten= 773,5 uren.

De tijd die een mens verslaapt buiten beschouwing gelaten, heb ik nog geen 65 dagen van mijn leven in mijn moedertaal gesproken. Ongetwijfeld pikte ik onbewust nog het een en ander op van gesprekken waar ikzelf geen deel aan nam. Maar latente kennis is niet anders dan de iPod die je thuis vergeten bent terwijl je vriendinnen in de schoolbus wel lekker naar hun eigen muziek kunnen luisteren.

'In welke taal denk je?' vragen de TANTES in Holland me bij elk weerzien, met van die gretige ogen die verraden dat ze mijn gedachten het liefst als vampiers opzuigen. Daar heb ik nooit een antwoord op. Als ze me dat voor de zoveelste keer vragen, staar ik enkele tellen zwijgend naar het plafond, naar de lucht, of naar iets vaags ver weg, alsof ik het antwoord ergens hoop te lezen. Terwijl zij menen dat ik over hun lastige vraag nadenk, is het denken in mijn hoofd nu juist gestopt, omdat een Jakartaanse *macet kata kata* de gedachtegang stagneert.

Het is onmiddellijk alsof er nooit een gedachte in woorden is geweest. Wel ontstaan er beelden. Filmpjes die door elkaar afspelen. Een kakofonie van YouTube-clips.

Het is een onnatuurlijke daad om alles wat in je hoofd omgaat te vertragen en te proppen in het korset van de taal van je ouders.

Met mijn grootouders spreken we Nederlands en Indonesisch en dat laatste op een ouderwetse manier. Niet zoals de Indonesische collega's van mijn vader, maar het taaltje van de straat, wat ze 'Maleis' noemen. Dat beschaafde Indonesisch is voor die oudjes te moeilijk. Zij spraken vroeger alleen Maleis met de bedienden, net als ik. Dus over huishoudelijke zaken kan ik redelijk goed met mijn grootouders communiceren. Ze stralen van trots als ik 'Saya lapar, mau makan' zeg, en niet gewoon: 'Ik heb honger, ik wil eten.'

OPA spreekt alleen in de tegenwoordige tijd. Dat ergert OMA, die hem telkens verbetert. Met haar in de buurt vertelt hij liever niks dan dat hij zijn verhalen in de voltooid en onvoltooid verleden tijd laat persen. En omdat ik worstel met de vervoegingen van de onregelmatige werkwoorden, hebben OPA en ik aan een half woord genoeg.

Sinds DIAN in Amsterdam studeert maakt hij van de taal ook een heel punt. 'Praat alleen Engels, geen Nederlands, als je tenminste niet voor dom versleten wilt worden,' waarschuwde hij mij voordat ik zijn Nederlandse vrienden ontmoette.

Volgens hem heb ik een achterhaald vocabulaire dat enkel en alleen gebaseerd is op het taalgebruik van onze ouders, die nog steeds praten als in de sixties.

'Ze hebben zich in hun taal niet ontwikkeld. De ons vertrouwde zinnen klinken in de eenentwintigste eeuw oubollig. Mensen van onze leeftijd in Nederland kennen die uitdrukkingen niet meer.'

Over mijn moeder, die de polyglot van ons gezin is, zegt DIAN meedogenloos dat ze een dinosaurussenwoordenschat heeft die in Nederland niet meer zou functioneren en dat het maar goed is dat ze zo weinig in Holland is en haar incompetentie niet hoeft te merken. Ook zegt hij dat ik stopwoorden van onze ouders heb overgenomen die niemand in Nederland nog bezigt. Allerlei woorden die zij, en dus wij, veelvuldig in de mond nemen, hebben volgens DIAN voor onze generatie hun betekenis verloren, of zijn zelfs het tegengestelde gaan betekenen. Daarnaast heeft hij kritiek op mijn accent. En mijn grammatica klopt niet, want ik houd bij het spreken te vaak de volgorde van het Engels aan. Hijzelf heeft in het eerste jaar dat hij studeerde speciaal een cursus gevolgd om vlekkeloos Nederlands te schrijven en spreken.

Hij beweert dat zijn medestudenten neerkijken op mensen die het Nederlands niet perfect spreken. Dat groepsvorming bepaald wordt door de wijze waarop je spreekt. Dat je in de hiërarchie enkele treden keldert als je niet het ABN van de eenentwintigste eeuw spreekt, terwijl je enorm stijgt als je Engels spreekt zoals hun helden uit films als STARWARS, BATMAN en RAMBO. Wanneer je babbelt zoals de hoofdrolspelers van HEROES, WIRE, 24, PRISON BREAK, MADMEN, SONS OF ANARCHY, DESPERATE HOUSE WIVES, LOST, TRUEBLOOD of een van de oudbakken televisieseries zoals FRIENDS en SEX IN THE CITY, waar ze verslaafd aan zijn geweest, hebben ze bewondering voor je. Ze zijn het sneller met je eens, en spreken je minder tegen dan wanneer je ze in hun eigen taal jouw afwijkende mening geeft.

'Jouw Nederlandse woordenschat is zo groot als van een Hollandse kleuter,' zegt DIAN. 'Doordat je vaak de verkeerde lidwoorden gebruikt, schatten ze je lager in. Die eerste indruk kun je niet meer herstellen. Dat vooroordeel zeul je met je mee als een tatoeage op je voorhoofd. Pas wanneer je eenmaal je plek in de groep hebt veroverd, kun je met een zinnetje in het Nederlands een keer de show stelen. Alles is een kwestie van timing.'

DIAN dreigde dat ik niet mee mocht stappen als mij ook maar één Nederlands woord zou ontglippen. Zijn vrienden denken nu dat ik alleen maar Engels spreek. In de trein, tram of bus, zonder zijn vrienden, praat hij met mij juist alleen in het Nederlands, omdat hij niet wil dat we door medepassagiers voor Amerikaanse toeristen worden aangezien. Hij had beter letteren kunnen gaan studeren dan biologie en chemie, met zijn obsessies ten aanzien van de expliciete en impliciete betekenis van taal. Maar nee, door biologie en chemie tegelijk te doen, denkt hij de negatieve ontwikkelingen van ons milieu op tijd te kunnen keren.

DIAN is een idealist, zoals RAY was. Maar anders dan mijn vader is hij een prediker. Hij praat te veel, net als mijn moeder. Met zijn argumenteren zet hij mij klem, terwijl ik ook best mijn woordje kan doen, als ik de kans krijg. HIQ en ik hadden urenlang gesprekken op het dak. Met hem kon ik praten als geen ander. Maar DIAN dendert over je heen. HIQ liet mij tenminste altijd uitspreken. Behalve die laatste keer.

Misschien dat wij over het onderwerp, dat alle kans op een gezamenlijke toekomst vernietigde door de onenigheid die daarover tussen ons ontstond, het met elkaar eens waren als wij beiden onze gedachten niet door de beperkingen van de taal hadden hoeven laten ringeloren. Als mijn woordenschat maar groter was... Als ik de kokende woordensoep in mijn hoofd had kunnen afkoelen en de gaargekookte ingrediënten had weten te ontdoen van hun bezoedelde betekenissen.

Had hij maar gewoon een kijkje kunnen nemen in mijn hoofd, mijn woordeloze gedachtewereld, of mijn zogenaamde ziel, of op zijn minst in dat wat mijn *zijn* dicteert. Dan had hij gezien dat we eigenlijk hetzelfde voorhebben met de wereld die we, op het dak van mijn ouderlijk huis, in tweeën hebben gescheurd. Een kloof die met geen liefde meer te overbruggen is.

Mijn zeven flesjes nagellak hoef ik niet meer in te pakken. Op het behang staat in vijf kleuren rood, in paars en in glanzend zwart:

Die Grenzen meiner Sprache bedeuten die Grenzen
meiner Welt.
The limits of your language are the limits of
your world.

Kruis aan wat juist is:

o De grenzen van de taal zijn de grenzen van
  onze wereld.
o De beperkingen van taal beperken onze wereld.
o Onze wereld wordt begrensd door de grenzen
  van de taal.
o De beperkingen van taal vormen de begrenzing
  van onze wereld.

De juiste vertaling kan ik door de beperktheid van mijn beschikbare vocabulaire niet bepalen. Ik baal dat die zin van die dode filosoof waar DIAN mij per e-mail mee bekogelt, mij toen op het dak niet te binnen schoot.

Gij zult uw naasten liefhebben en uw vijanden haten

Er zal geen thuis zijn om me te herinneren aan de momenten waarop die twee oudjes op blote voeten door het huis schuifelden. Het gastenverblijf is al leeggeruimd. De eettafel, die alleen als mijn grootouders er waren voor het ontbijt werd gebruikt, ligt in vijf delen in de container. De bank waarop OMA zich na het ontbijt nestelde komt straks in het appartement van mijn moeder te staan. Maar ze zullen niet meer willen komen logeren nu RAY er niet meer is. Ook voor hen is er een tijdperk afgesloten.

OPA had tranen in zijn ogen, de laatste keer op het vliegveld, toen mijn vader de dag tevoren alweer naar een of ander eiland in nood gevlogen was.

'Waarom huil je, opa?' vroeg ik.

'Ik moet weer terug naar dat koude land,' zei hij.

'Kom dan bij ons wonen,' zei ik.

'En onze dochters dan?' antwoordde OMA. 'En onze kleinkinderen daar? Zij hebben toch ook recht op hun grootouders?'

OPA omhelsde mij lang en innig. Alsof het de laatste keer zou zijn.

Als OMA naast mij op onze huiskamerbank met batiklapjes KROKODIL in elkaar flanste, probeerde ik me voor te stellen dat ze mijn vader met een pollepel te lijf ging. Ik kon niet geloven dat mijn non-stop babbelende grootmoeder haar kinderen mishandelde. Haar daar vragen over stellen durfde ik niet, omdat ik bang was dat het voor haar een reden zou zijn om mij met TITI's keukengerei door ons huis achterna te gaan.

RAY had gezegd: 'Zo ging dat vroeger. Zij was dat zo gewend en dacht misschien dat het zo hoorde.'

OMA's handen lagen nooit stil op haar schoot als ze hier bij ons in Jakarta logeerde. Breien, haken, borduren en nog meer van dat gepruts met naalden en zo.

'Kom hier, meis,' zei ze, en ze stopte mij dat middeleeuwse gereedschap in de hand en leerde me al die vrouwenkul. Ze heeft me zelfs wollen sokken leren stoppen, ook al draag ik alleen sportsokken die worden weggegooid als een van mijn tenen door het katoen gluurt. Op de *pasar* heb je voor een paar duizend roepia nieuwe.

Hoe ze het doet weet ik niet... Ze heeft geen gewone handen. Haar rechter is verminkt in de oorlog. Straf van de JAP toen ze nog een meisje was, zegt ze, en meer informatie over dit pijnlijk incident krijg je niet los. Ze was eigenlijk rechts, dus ze moest daarna haar linker voor alles leren gebruiken, maar de twee vingers die nog wel functioneren, bewegen voor tien.

Toen KROKODIL af was en mijn moeder haar ervan overtuigd had dat in de eenentwintigste eeuw niemand nog blij wordt van kanten kleedjes, haakte OMA gekleurde pannenlapjes voor mijn moeder, al stak mijn moeder in de keuken nooit een vinger uit.

TITI zag de pannenlapjes aan voor schilderijtjes. OMA leefde in de waan dat haar ijver lonend was. Die zette nooit een voet in de keuken.

'Mam, leer Titi eens hoe jij pastei maakt,' vroeg mijn vader.

OMA riep uit: 'Ik kijk wel uit! Ik sta in Holland al genoeg in de keuken!'

Maar OPA vertoefde urenlang bij TITI in de keuken om haar meer recepten te leren. Ze spraken Indonesisch, met het accent van de straat. Ik kon ze niet altijd verstaan.

TITI is dol op OPA, net als de rest van ons personeel. Als OPA bij ons logeerde, praatte hij met de tuinman, de bewakers, en met de straatverkopers met datzelfde accent. OPA zocht de plekken op waar we geen AC hebben, dus daar waar het personeel verblijft en waar wij vermijden te komen. Hij had klaarblijkelijk geen last van de hitte en de hoge vochtigheidsgraad. De garage, de tuin, en TITI's keuken, daar zwierf hij rond als hij niet op bed lag. Vaak zat hij in de schaduw van de tuin met de mannen in een kring om hem heen. Allemaal op hun hurken. In zijn hand een plastic bordje met *kue putu*, dat hij van een of andere straatverkoper had gekocht. Hij kon nog altijd zo zitten als een orang-oetan zonder om te vallen. Maar van de tuinman kreeg hij het houten krukje onder hem geschoven. Ze zetten de fan voor hem aan, of waaierden hem met een bananenblad koelte toe.

De dagbewaker vergat naar huis te gaan, de straatverkoper bleef hangen en mijn moeder werd te laat bij de ambassade opgehaald door de chauffeur, die net als de rest van het personeel aan OPA's lippen hing. Ik weet niet wat hij ze op de mouw speldde, want ik bleef er nooit lang bij. Zolang ik in de buurt was werd er niet veel gezegd. Ik denk dat zij hem pas vragen durfden stellen als ik voor de Jakartaanse hitte op de vlucht ging en bij een temperatuur van 17 graden Celsius met mijn koptelefoon op, naar U2 zat te luisteren.

OPA kan goed vertellen. Anders dan OMA, die praat saai en zij herhaalt zich vaak.

Terwijl OMA aan het haken, breien, naaien of borduren was, prees ze haar moeder die haar dat allemaal heeft geleerd. Dat was vaste prik.

'Wij mochten nooit stilzitten. In het vrouwenkamp ook niet. Wat we maakten werd verkocht, en zo hadden wij altijd te eten.'

Ze vertelde vaak over die tijd. Dat ze als elfjarige met haar zussen de *bilik*-omheining moest vlechten. Zwaar werk in de hete zon.

Wat bilik was wist ik wel. Onze TITI woont in een huis van bilik. En de tuinman misschien ook, maar bij hem ben ik nooit op visite geweest.

OMA mocht mij elke dag opnieuw datzelfde verhaal over de bilik-omheining vertellen. Ik luisterde aandachtig en stelde veel vragen, in de hoop dat ze iets losliet over de oorzaak van haar gehandicapte hand.

'Waarom liet de vijand kleine meisjes een hekwerk van bilik maken? Waarom maakte de vijand het hekwerk zelf niet?'

Wat ik als meisje van negen niet begreep, snap ik ook nu nog niet. Gevlochten gespleten bamboe bewaakte de grens tussen vrijheid en gevangenschap?

'Je weet toch wat bilik is? Een bilikschutting maak je van de slechtste kwaliteit bamboe. Alleen kinderhandjes kunnen dat doen.'

Het had geen zin om door te vragen. Ze negeerde mijn stem alsof ze niet meer naast me op de bank zat. Toch bleef ik mijn vragen herhalen. Ik stelde ze telkens op een andere manier. OMA hoorde ze niet. Ze had haar eigen verhaal, over hoe ze expres een opening maakte om 's nachts door dat gat zeep te ruilen voor suiker.

Waren die Japanners nou zo dom? Als je het gevlochten hekwerk aan de gevangenen zelf overlaat, nog wel aan kleine kinderen, dan kan iedereen toch gewoon weglopen? Dat vlechtwerk snij je zo kapot... Dan hadden mijn OMA en haar moeder en zusjes met gemak kunnen ontsnappen... Wat stelt een gevangenismuur van bilik voor?

Dat heeft ze me nooit goed uit kunnen leggen.

'Je kreeg straf als je betrapt werd, wanneer je door de mazen van het vlechtwerk handel dreef met de mensen buiten het kamp. En de jap was streng. Mijn moeder deed de was voor de jap en dan was ze zuinig met de zeep. Ik probeerde met de Indonesiërs

die langsliepen een stukje zeep te ruilen voor een beetje suiker...
Mijn zusjes waren bang om gesnapt te worden.'
'Maar waarom ruilde je dat? Met wie?'
De vragen die ik haar in de loop der jaren heb gesteld zou ik allemaal opnieuw moeten stellen. Haar antwoorden waren alsof ze nog steeds dat elfjarige meisje was dat zelf het antwoord op mijn vragen ook niet wist.

Wel duizend maal heeft ze me verteld dat ze moest buigen voor de vijand. Ze klaagde over de JAP die haar en de andere mensen in het kamp onderdrukte. In het bijzijn van de JAP mocht ze alleen Japans of Indonesisch spreken. Tellen in het Japans kan ze nog steeds. Ze had een nummer, zei ze. Haar naam gold voor de JAP niet. Je moest elke ochtend in het gelid staan en je nummer roepen. In het Japans.

Haar haat van toen is nog niet voorbij. Dat zag ik voor het eerst toen ze mee was naar een schoolmusical waarin ik, twaalf jaar oud, de hoofdrol speelde. Ze schrok van de aanwezigheid van mijn Japanse klasgenoot, de andere protagonist op het podium. Haar blik was boos en angstig tegelijk. Een bleek gezicht en een strakke mond, met de ogen die bijna uit hun kassen vielen. Dat chagrijnige gezicht betrok ik op mijzelf en op niets of niemand anders dan mijzelf.

Van de weeromstuit vergat ik mijn tekst. Ik wist niet meer waar ik moest staan. Ik kon alleen nog naar de verbeten trek om haar mond kijken. Die verried dat RAY en zijn broer en zussen als kind ongetwijfeld stevig door OMA waren aangepakt. Zo had ze nooit naar mij gekeken. Was ik aan het stuntelen? Zong ik vals? Waarom keek ze zo ontevreden?

Ik werd de Kleine Zenuwachtige Zeemeermin. Mijn vader zat gelukkig op een van de andere eilanden hongerige kinderen van voedsel te voorzien en hoefde deze blamage niet te ondergaan. Maar mijn moeder, die meteen doorhad dat ik mijn tekst kwijt was, probeerde vanuit het publiek te souffleren. In al die jaren dat ik altijd wel een belangrijke bijrol had mogen spelen, had ik nog nooit eerder iets als plankenkoorts getoond. Ik keek alleen nog de zaal in. Naar mijn moeders wanhoop. Ze leek er erger aan toe te zijn dan ik. Ik ontweek de blik van mijn oma, die door mij heen keek. Alsof ik er niet meer stond. DIAN, met zijn hoofd tussen zijn knieën, piekerde hoe hij ongezien het pand zou kunnen verlaten. Hij is na die keer nooit meer naar mijn schooloptredens geweest.

Een schrale troost was, dat hoe weerzinwekkend je ook hebt gespeeld in de schoolaula, er altijd een denderend applaus volgt zodra de gordijnen vallen. Dat is het fijne van een familievoorstelling.

Mijn moeder omarmde mij, liegend: 'Wat was je goed. Ik ben trots op je.'

Mijn oma fluisterde, met een schuine blik naar de vader van de jongen die de Prins had gespeeld: 'Wat doet die jap hier? De jap wilde ons altijd vernederen, weet je dat?'

Niet alleen de Tweede Wereldoorlog, haar ervaring met de Japanners, ook de revolutie had sporen achtergelaten in OMA's zenuwstelsel. Daarover sprak ze minder vaak. Heel soms ontglipte het haar. Hoe bang ze was geweest. Dat ze na de bevrijding van de JAP met haar moeder en haar zusjes blij naar hun vroegere huis waren gegaan, maar terug het kamp in zijn gevlucht omdat ze haar tante en oom in mootjes gehakt in hun put aantroffen. De JAP bewaakte het kamp tegen hun nieuwe vijand. Hoe dat zat is me nog steeds een raadsel, terwijl OMA het blijkbaar allemaal heel gewoon gevonden had.

'Waarom gingen jullie terug naar de vijand?'

'Omdat het veiliger in het kamp was dan daarbuiten.'

'Waren jullie dan niet bang voor de jap?'

'Dat was een andere jap,' zei ze geërgerd. 'Er waren nog niet genoeg Amerikanen en Canadezen om ons te beschermen, dus deed de jap dat.'

'Was dat een goeie jap?'

'Gewoon een jap. Maar ze gedroegen zich correct, want ze hadden de oorlog verloren. En die Japanse bewaker had ons al gewaarschuwd toen we het kamp verlieten. Hij zei: "Waar willen jullie naartoe? Het is er niet veilig, je kunt beter hier blijven." Maar wij wilden naar huis. En mijn moeder wilde mijn broertje ophalen in het jongenskamp. Zij ging verder zoeken en wij keerden terug naar het kamp. Daar heb ik je opa toen leren kennen, want hij deed exercitie op het veldje daar vlakbij.'

'Wat is exercitie?'

'Oefening. Hij zat in het KNIL. Hij was korporaal en ik zag hem daar exerceren. Hij moest de inlandse soldaten leren marcheren.'

'Je oma wilde naar Nederland,' zei OPA, 'dus ik ging met haar mee, maar ik was liever hier gebleven.'

De eerste keer dat ze bij ons in Jakarta logeerden was OMA bang voor onze nachtwaker omdat hij haar aan de *ploppors* deed denken die haar ooit omsingeld hadden. Ze wilde nooit alleen met onze chauffeur op pad. Ze was diep in haar hart nog altijd bang dat hij een steeg in zou rijden om haar daar in stukken te hakken zoals ze met haar oom en haar tante hadden gedaan.

OMA had een tik opgelopen door haar verleden. Wekenlang kon ze gezellig zijn, maar dan opeens sloeg ze stijf van angst en viel er geen land meer met haar te bezeilen. Je kon het niet aan zien komen. Na mijn optreden als de kleine zeemeermin was het jarenlang redelijk rustig. Ze raakte eraan gewend dat er op onze internationale school ook Japanners zaten en klaagde er niet meer over. Maar tijdens hun laatste bezoek sloeg ze ineens weer op tilt.

Omdat zij zelf, ondanks haar handicap, veel tennisbekers op haar televisie heeft staan, nam ik haar mee naar het jeugdtennistoernooi. Ik was van plan om haar als eerste voor te stellen aan HIQ, die in de finale zat. HIQ sloeg de ene ace na de andere. Hij zag eruit als Che Guevara met zijn rode zweetband om zijn hoofd. 'Oma, hij is mijn vriendje,' wees ik, niet zonder trots, toen hij voorstond met 3-0. Ze huiverde. 'Waarom een ploppor?' zei ze boos met haar snerpende stem. 'Je kan toch wel wat beters krijgen?'

Ik nam de moeite niet om uit te leggen dat HIQ met zijn Franse vader en een Maleisische moeder die voor een kwart Chinees, kwart Indiaas en de helft Maleisisch was, toch moeilijk een ploppor genoemd kon worden. Maar ook als hij Indonesiër was geweest, was hij mijn Ware.

Toen nog wel.

OPA is anders. Mijn vader zei dat hij hem zelfs nog nooit echt kwaad had meegemaakt. Noch op hem noch op zijn broer en zussen. En zeker nooit driftig. Wel geërgerd over zijn vrouw. Hij klaagt zelden. Als je iets wilt weten over vroeger moet je het met zwaar geschut uit hem zien te trekken: 'Opa, als je me niks vertelt kan ik niks opschrijven en dan staat er niks in mijn werkstuk en dan krijg ik een onvoldoende.'

RAY zei dat ik de enige van de familie ben die hem ooit zover kreeg om over de oorlog te vertellen, laat staan over de revolutietijd. Alhoewel OPA als krijgsgevangene van de Japanners, en later in het koloniale leger tegen de vrijheidsstrijders, misschien meer ellende heeft meegemaakt dan OMA, rept hij er uit zichzelf niet over. Als hij bij ons logeerde ging hij in zijn eentje met de chauffeur op stap. En hij zat na zonsondergang urenlang met de nachtwakers in de garage te praten. TITI droeg hem op handen. OOM TOM, de gepensioneerde generaal van het Indonesische leger, was zijn beste vriend. Bij mijn opa weet je nooit wat je kunt verwachten. Hij zwijgt veel, net als mijn vader, maar komt in elke

36

doorsneeconversatie verrassend uit de hoek. En over de oorlog zegt OPA: 'Goed of kwaad... Oorlog verandert elk mens in een moordenaar.'

Eert uw vader en uw moeder

Ik zou wel op OPA willen lijken maar behalve mijn uiterlijk is mijn karakter mogelijk eveneens een treurig duplicaat van mijn moeder. Zij heeft, zelfs als je haar midden in de nacht zou wekken, honderden dooddoeners en spreekwoorden paraat en is een kei in het debiteren van tegenstrijdigheden. Zichzelf tegenspreken binnen een halve minuut is haar recordtijd. Ze laat zich enerzijds leiden door emoties en anderzijds denkt ze dat ze denken kan. Haar redeneringen zijn daarentegen zo krom en heftig als de stroompjes na een zware regenval in het Puncakgebergte. Ik hoop dat ik een betere versie van haar soort ben. Ik doe al sinds mijn eerste menstruatie mijn uiterste best om in mijn gedrag niet op haar te lijken. DIAN kan zich permitteren om gewoon net als haar te zijn. Dankzij zijn Y-chromosoom zal niemand zeggen: 'O, wat lijk jij op je moeder.'

Er rest mij nog slechts één kast. Naast de drie opties van mijn moeder heb ik een vierde bedacht: een stapel in de hoek van de kamer waar TITI, de chauffeur, tuinman en nachtwakers straks uit mogen kiezen opdat ze met een glimlach aan mij zullen terugdenken.

Deze inbouwkast open ik met tegenzin. Maandenlang was hij gebarricadeerd doordat ik mijn bed van het raam naar de muur had verplaatst. Zo kon je vanaf de drempel niet meer zien wie er lag. Mijn bureau had ik vervolgens negentig graden verplaatst om dezelfde reden. De kast is sinds die interieurwijziging niet vaak meer open geweest. De middelste plank haal ik met een enkele beweging leeg. Vrijwel alles kan meteen op de stapel. Kleren waar de dochters van onze christelijke chauffeur blij mee zijn, als hij die meisjes tenminste toestaat om in mini de straat op te gaan... Het overige personeel is moslim. De vriendinnen van mijn moeder zeggen dat je niet moet mixen, maar RAY was het daar niet mee eens. Op zijn kantoor had hij zowel moslims als christenen aangenomen.

Op de bovenste plank liggen skateboarden, rollerskates en meer van dat soort ellende waar ik als kind om smeekte, maar die na een kort gebruik van de vloer werden gepromoveerd naar het hoogste wat je in mijn kamer als speelgoed bereiken kon. Van die plank kan alles linea recta op de stapel voor ons personeel.

Onder de onderste plank, een plek waar ratten-, muizenpoep, spinnenwebben en Indonesische *dust* elkaar omarmen, is het een wirwar van snoertjes, kabeltjes, oude mobilofoontjes, camera's van voor mijn geboorte die alleen op filmrolletjes werken, een aantal digitale met te weinig geheugen of te weinig pixels en een antieke polaroid die mijn vader een keer op vakantie had gekocht om de mensen die hij op reis fotografeerde meteen een foto cadeau te doen. Bovendien een aantal gadgets, of onderdelen van gadgets, die ik al na een paar weken beu was omdat de batterij zo snel op was. En een dozijn opladers en veel meer adapters die de duivel weet waarbij horen.

Ik trek de hele lading eruit en dan zie ik de doos van mijn nieuwste laptop die ik van RAY moest bewaren in verband met de garantie. Die kan ook weg. Maar... hij voelt zwaar. Pas als ik hem open herinner ik me dat ik deze doos nog niet eens zo lang geleden heb volgestopt met alles over OPA. Minirecorder, dvd-recorder, schriften, back-upharddisk van de computer... Zelfs mijn oude laptop waar ik het werkstuk mee gemaakt had zit erin.

Ik snuffel door de papieren. Veel geprinte teksten. Een aantal opgerold met de hand beschreven. Niet in mijn handschrift, maar in het prachtige schoonschrift van OPA waar iedereen altijd van onder de indruk is.

Het werkstuk zelf ligt helemaal onderin. Ik pak het eruit. Blader het door. Er valt een dichtgeplakte envelop uit. Mijn naam staat erop. RAY's handschrift.

Ik herinner me dat hij het werkstuk aan me teruggaf, zwijgend, terwijl ik veel lof had verwacht. Hij bleef in de deuropening staan en wilde het mij aanreiken. Ik zat echter, zoals altijd, te skypen met HIQ. Na een langdurig kloppen was RAY, weifelend door mijn verstoord 'ja, wie is daar?', in de deuropening blijven staan. 'Gooi maar op mijn bed,' zei ik. Zoals ik kan zijn. Zoals ik meestal was. Dat deed hij niet. Hij hield het in zijn hand geklemd. Opgerold. Sloeg er licht mee tegen zijn dijbeen. Ik lette op hem, op zijn ogen. Mijn webcam stond aan. En op het scherm de open chat met HIQ.

Zijn keel nodeloos schrapend, stapte hij mijn kamer binnen, traag, en negeerde mijn computer. Hij streek het werkstuk tevergeefs zorgvuldig plat, rolde het daarna de tegengestelde kant op om het toch glad te krijgen, en ging ermee door totdat het uiteindelijk redelijk vlak op mijn hoofdkussen bleef liggen. Toen kwam hij achter mij staan.

Met mijn lichaam als de Chinese muur om mijn beeldscherm heen, riep ik: 'Ik ben in gesprek. Privé!'

'O sorry, sorry, SRI SENNE,' lachte hij. Hij sprak mij aan met SRI sinds ik, na mijn eerste menstruatie, een grote sticker met DON'T DISTURB op mijn deur had geplakt.

Met mijn handen voor het scherm zei ik: 'Ga weg. Ga nou weg.'

Zijn stem bleef vriendelijk toen hij zei: 'Ik wou alleen even zeggen dat ik een nieuwe laptop voor je heb gekocht. Ze brengen hem straks, na het eten.'

Ik had op moeten springen, hem omhelzen, en zeggen: 'O

dad, I love you.' Maar hij zou zich een aap schrikken als ik in ons gezin zo'n Hollywood-attitude zou presenteren. Ik heb nog nooit iemand tegen mij 'ik hou van jou' horen zeggen. Ook RAY niet. En HIQ niet. Mijn moeder evenmin. Ik weet zeker dat mijn ouders het nooit tegen elkaar gezegd hebben. En mijn OPA zou de slappe lach krijgen als de Indische mond van mijn OMA die vier woorden op hem losliet.

Echter even terzijde: ikzelf heb op toneel die woorden met hart en ziel uitgekraamd. In het Engels is het net zoiets als *and they lived happily ever after*. Er bestaat geen verhaal zonder de zin die ik in het dagelijks leven mijn strot nooit uitgekregen heb. Zingend, dat zweer ik, is het een plakje botercake.

Toen ik naar bed ging lag het werkstuk nog precies zo op mijn kussen. Het was slechts een kladversie. Het officiële, ingebonden naast GLOBAL DOCTOR in Kemang, had ik allang ingeleverd. Ik legde het helemaal onder in de doos. Toen wist ik nog niet dat ik er een A voor zou krijgen. Wel begreep ik dat dit beter was dan al mijn vorige. Ook wist ik dat mijn tekst nog niet een honderdste van OPA's geschiedenis had blootgelegd, al stond de essentie van zijn leven, of mijn relatie tot zijn wezen, erin.

Als ik een schoolopdracht had, deed ik altijd mijn best om met zo weinig mogelijk woorden zo veel mogelijk te vertellen. De reden is mijn angst om net zo langdradig als mijn moeder te zijn. Een gevecht tegen mijn genen dat ik, zolang het om scripties gaat, weet te winnen.

Die laatste keer had ik het kortste werkstuk van iedereen ingeleverd. Daar was ik om geprezen. En dat had mij niet verrast. Ik ben dat zo gewend.

HIQ moest zijn werkstuk, dat vier keer zo lang was als dat van mij, ook voorlezen. Alleen daarom al houd ik me zo kort mogelijk. HIQ is zowel met de pen als met de mond uitvoerig. Hij schrijft middels dialogen. Ik vat graag samen. Hij houdt van zijpaden om de lezer te misleiden en te verleiden tot denken, ik beperk me tot de essentie en de grote lijn.

Anders dan het mijne, riep zijn verhaal veel onenigheid op. Ook ik was verbaasd over de inhoud. De opdracht was iets te schrijven over een familielid dat veel voor je betekende. HIQ had zijn neef gekozen. Iemand die een jaar of vijf ouder is dan hij en die hij klaarblijkelijk bewondert.

Het verhaal heette COUSIN. Een dialoog tussen hem en zijn neef die hij liet winnen door dat gefrustreerde fundamentalistische dogmatische familielid. Na de les, in de gangen, werd er door de anderen nog lang en fel over gesproken. Het komt zelden voor dat de les zonder docent tot in de gangen, het schoolplein en in de schoolbussen wordt voortgezet. Een discussie waarbij werd geschreeuwd en gescholden. Een van zijn vrienden ging met hem op de vuist.

OPA zei eens tegen mij dat geschreven woorden vaak meer kwaad aanrichten dan als ze slechts zijn gesproken. Dat wat gezegd wordt, wordt vergeten, maar wat op schrift staat blijft bestaan.

Brief van Ray

Sri Senne,

Van mijn ouders heb ik geleerd dat je een naam met zorg moet kiezen. Hij mag niet te hoog gegrepen zijn, maar hij mag ook niet onbeduidend zijn. Om die reden heb ik je geen Sri willen noemen, wat een van de drie opties was. Sri, zoals ik je nu soms aanspreek, is een aanhef, maar dan wel met een knipoog. Ik kijk met enige verwondering hoe je je eigen territorium afbakent en bewaakt, maar ik respecteer het.

Sinds je geboorte wist ik dat de naam Senne voor jou de juiste was. Je moeder wilde hem vanwege de mooie klank, maar ik omwille van de betekenis.

Hier in Indonesië veranderen mensen de naam van een kind, als de naam die de pasgeborene kreeg onheil oproept, doordat hij te veel verwachtingen creëert, maar ook als hij om andere redenen niet bij het kind blijkt te passen. Volgens de Nederlandse wetgeving is de naam die de baby door de ouders krijgt toegewezen de naam waar je het tot aan je overlijden mee moet doen.

Je moeder aarzelde. Ze vond Sunny mooier. Een verwijzing naar de zon. En naar zonnig, wat ze hoopte dat je zou zijn. De zon in onze relatie.

Je broer had ze Dian genoemd. Tegen de tijd dat ik met hem kennismaakte was hij al elf uur oud. Ik had het recht om met een andere naam te komen verspeeld. We woonden toen nog in Bangladesh, er-

43

gens afgelegen, zonder stromend water en zonder elektriciteit. Er was nog geen mobiele telefoon en ze moesten mij per fax zien te bereiken. Dian is geboren in een tweederangshotel waar je moeder verbleef totdat de weeën zich zouden aandienen en ze intrek in het ziekenhuis in Dhaka nam, dat nog minder comfort bood dan het hotel. Je broer was voor je moeder het licht in het donker. Toen Dian geboren werd hadden we weinig zicht op onze toekomst en zij was er zorgelijk over. Ze wilde weg uit die troosteloze omgeving, en eiste dat ik een baan ging zoeken in een land waar de armoede van de bevolking niet tot in onze slaapkamer zou doordringen.

Dian maakte het leven lichter door zijn onbesuisdheid en zijn wilde capriolen. Je klaagt wel eens dat Dian door je moeder wordt voorgetrokken en ik snap wat je bedoelt. Maar dat is haar bedoeling niet. Hij heeft haar overeind geholpen in een periode dat ze dat niet meer op eigen krachten kon doen en ik was te druk met mijn werk om haar te ondersteunen.

Jij bent geboren toen onze materiële situatie met het tienvoudige verbeterd was. We konden het betalen om jou in Singapore, in het beste ziekenhuis ter wereld te laten komen, en je moeder wachtte je geboorte geduldig af in een vijfsterrenhotel.

Toen ik je in de wieg zag liggen meende ik in jouw blik jouw behoefte aan zuiverheid, je zucht naar de waarheid, te zien. Je bekeek als pasgeboren baby de wereld met die onderzoekende blik die je nu op je zeventiende nog steeds hebt.

Ik was ook toen te laat. Je navelstreng was al doorgeknipt. En je keek me aan alsof je wilde zeggen: wat voor smoes heb je vandaag, Ray?

Je keek als een volwassene, als iemand met een opinie, een oordeel. Je had de blik van iemand die zich niks laat wijsmaken.

Daarom gaf ik de voorkeur aan de naam Senne, omdat het 'w a a r h e i d' betekent.

Misschien heb ik je daarom erg gestimuleerd om rechten te gaan doen in de USA, op de beste universiteit die er is. Ik weet dat je het in je hebt. Je bent ambitieus. En ik denk dat je iemand bent met idealen, die gelooft in een rechtvaardige wereld, net als ik.

Ik ben trots dat jij zo goed weet wat je wilt. En nog trotser ben ik dat je altijd erg hard hebt gewerkt om een beurs te krijgen. Ik weet dat je dat zal lukken. Als je niet oppast krijg je zelfs maar liefst drie beurzen en is de komende zomer je grootste probleem om te kiezen naar welke universiteit je uiteindelijk zal gaan.

Je behoefte om onafhankelijk te zijn herken ik, maar de inzet om dat daadwerkelijk te bereiken heb je niet van mij. Dat heb je van je moeder, die op haar vijftiende het ouderlijk huis verliet en er zelf voor zorgde, met allerlei baantjes, dat ze toch haar middelbare school afmaakte. Ikzelf heb mijn universitaire studie aan mijn ouders te danken, het vanzelfsprekend gevonden dat zij er krom voor lagen, en ze er eigenlijk nooit voor bedankt.

Mijn dankbaarheid heb ik indirect getoond, door hun af en toe een vliegticket cadeau te doen, door gastvrij te zijn, door ze zo vaak als ze willen te laten komen, maar ik heb nooit gezegd: 'Papa, dankjewel dat je mij hebt laten studeren.'

Door jouw werkstuk, waarin je het leven van mijn vader beschrijft zoals ik er nooit naar heb gekeken, ben ik me daarvan bewust geworden. Je hebt alleen daarom al een prachtig werkstuk afgeleverd.

Maar er is meer te zeggen. En ik weet niet goed hoe. Al lezende voelde ik veel trots, maar ook schaamte. Diepe schaamte dat ikzelf die vragen die jij mijn vader hebt gesteld, nooit heb weten te stellen. Wroeging dat ik zelfs geen poging gedaan heb om erachter te komen wat hij heeft meegemaakt. Verbazing dat ik ook mezelf nooit de vragen over hem heb gesteld die jij in jouw korte maar krachtige tekst allemaal hebt beantwoord.

Mijn vader was tot voor kort in mijn ogen niets anders dan mijn vader: lief, een beetje saai, stil, en zelfs een beetje tam. In zijn schilderijen zag ik dat er wel iets meer in hem school dan wij konden vermoeden, maar om eerlijk te zijn had ik voor zijn landschappen, portretten en soms absurdistische stillevens weinig oog.

Van een man die ik lief vond, maar wiens bestaan ik soms ook een last vond, omdat ik een soort verantwoordelijkheid voelde jegens hem

en mijn moeder, die mijn vrijheid in de weg zat, een plichtsgevoel dat
ik als een zware last meedroeg, is mijn vader door jouw verhaal ver-
anderd in een held over wie ik meer wil weten dan wat ik nu in jouw
werkstuk gelezen heb.

Geef die held wat hij verdient! Achter elke zin schuilt een hoofd-
stuk. Achter elk woord een beeld, een geur, een emotie. Jij bent in staat
om alles wat voor mij zo dichtbij was en toch onzichtbaar bleef, zichtbaar te maken. Je hebt mij laten zien wat voor mij nog niet bestond:
mijn vaders leven.

Het moet voor jou raar zijn, deze bekentenis. Ik weet niet hoe je
mij ziet en of je mij wel ziet zoals ik ben, zoals ik denk dat ik ben, zoals anderen mij zien, zoals ik denk dat anderen mij zien, zoals ik zou
willen dat jij mij ziet...

Ik weet dat ik er te weinig was voor jou en Dian, door mijn werk.
Mijn idealen hebben helaas de intensiteit van mijn relatie met je moeder ook in de weg gestaan. Ik ben er niet trots op dat ik er zo vaak niet
was. Dat ik het merendeel van jouw schooloptredens heb moeten missen, dat ik Dians voetbalcoach niet kon zijn en dat ik zijn grote wed-
strijden niet heb kunnen bijwonen.

Het spijt mij. Ik kan dat niet meer veranderen. Als ik een nieuwe
kans kreeg, zou ik waarschijnlijk dezelfde keuzes maken. Dat komt
omdat je dit werk nu eenmaal niet half kunt doen. Het is een levens-
opdracht, en dit is wat ik kan. Het is het soort werk waardoor ik me
zinvol voel en waardoor mijn aanwezigheid op deze aardbol betekenis
krijgt.

Ik ben niet geschikt voor een baan van negen tot vijf. En ik denk
dat je moeder ook niet blij zou zijn als ik opeens elke avond naast haar
op de bank kwam zitten.

Ik dwaal af, Sri Senne.

Deze brief is bedoeld om je te complimenteren met je verhaal over
je opa. Maar ook om je te laten weten dat ik er misschien altijd erg op
aangedrongen heb om internationaal recht te gaan studeren, maar dat
ik, als ik je werkstuk lees, besef dat je vooral, bovenal, een schrijfster
bent. Je kunt evengoed filosofie studeren, of iets anders, maar ga in elk

geval schrijven. En schrijf als eerste het boek waar je nu, als schoolop-dracht, een schitterende synopsis voor hebt geschreven. Je kracht ligt doorgaans in je beknoptheid. Je bent goed in suggereren. Maar hier wacht een verhaal dat tot in de details verteld moet worden.

Zoals mijn vader tussen twee werelden bewoog, op zoek naar de waarheid, naar zijn ware gevoelens, hoe hij zijn geweten bij alles liet meespreken en bij twijfel niet de makkelijkste route nam... in het donker, bang, met zijn geweer in aanslag, langs een grens die hij met zijn leven moest bewaken, maar... die de zijne niet was... Ik heb dit niet geweten. En nu ik het weet begrijp ik minder van hem dan ik deed en wil ik meer weten. Meer!

Schrijf dat boek voor mij, Senne, je hebt mij met jouw werkstuk meer geleerd dan je ooit zult beseffen.

Lieve meis, ik ben geen prater, dus dit moest in een brief.

Je Ray.

p s *Ik geef je een nieuwe laptop als aanmoediging!*

Opa Portier

Hemel

Ik sta hier, zij aan de andere kant. Als ik niet schiet ga ik zelf. Ze zeggen dat een kind zijn ouders kiest. Dat je na je dood terugkeert en jouw ziel een nieuw lichaam neemt om in te wonen. Je ziel is man noch vrouw. Je ziel is... Ja, wat is je ziel... Misschien heb ik niemand geraakt. Ik hoop maar... Die man liep daar. Langs de *kali*. Die grens van hun. In zwart, net als een *tani*. Dat is hun uniform, als een rijstbouwer. De technische school of misschien gestudeerd in Holland. Maakt niet uit. Hun uniform is gewoon die zwarte kleding zoals die mensen van de sawa. Iedereen gelijk, vinden zij. Ik tuur in het donker. Langs die kali telkens weer. Twaalf man achter mij. Wat moet ik? Hij kan een gewone landarbeider zijn, of een van hun. Ik stel het vizier in. Tweehonderd meter schat ik de afstand. Tien patronen in het magazijn. Ik heb er maar één gebruikt. Die andere negen nooit, gelukkig.

Wij worden erop uitgestuurd. Ze zeggen dat het om jouw land gaat. Voor orde en rust. Vrij na zo veel jaren dwangarbeid. De torpedering overleefd, slaag te boven gekomen. Door honger noch difterie geveld. Er zijn er die houden van schieten. Al is er niks te zien. De vinger aan de trekker. In het wilde weg. Zonder denken. Ik ken ze.

Hij weet niet of er iemand luistert. Het kan zijn dat hij fluistert, of mompelt. Waarschijnlijk praat hij alleen in zichzelf. Zo zit hij

vaak en vergeet de mensen om hem heen. Ze zijn er met een bedoeling. Zijn verjaardag. Of haar verjaardag. Een feestdag, want
de kamer is vol. Zo veel gezichten. De meeste bekend. Sommigen kan hij niet thuisbrengen. Hun namen kwijt.

Hij had er ook eens eentje gevonden die zich aan deze kant ver-
school. In een groen legerjasje alsof hij een van hun was. Geraakt in zijn been. Een schampschot. Niet ernstig, maar lopen
was moeilijk voor die man. Ze praatten, zo onder vier ogen tussen de struiken gewoon in het Nederlands. Vriendelijk. Hij antwoordde keurig en beleefd. In elkaar gedoken. Een geschoolde
jongen. Van adel misschien. Die had daar al een tijd in die bos-
jes zitten bloeden. Hij voelde medelijden. Niet alsof hij met de
vijand sprak. Kom mee, dan breng ik je naar onze leiding, daar
word je verzorgd, misschien uitgewisseld bij de grenspost, terug
naar je kameraden. Ja, dat is goed, zei die jongen. Nog jong was
hij, niet ouder dan zeventien. Maar bij de anderen sprak hij geen
Nederlands meer. Hij deed of hij ze niet begreep, wilde alleen
in het Indonesisch praten. Hij wilde die jongen niet verraden.
Ze willen hun eigen taal, hun eigen land. Die jongen was trots.
Moedig. Ze treiterden hem, de anderen, zoals ze doen in oorlog.

Hij kon er niet tegen te kijken. Kassian, die jongen. Waarom,
dacht hij, waarom moet dit toch? Maar bang was hij zelden. Als
kind misschien wel. Als kleine jongen, toen zijn vader nog leefde.
Daarna niet meer. Ook niet alleen op wacht. Je doet je plicht. Je
hebt een taak. Wel bang om te schieten. Dat je iemand raakt die
het niet verdient.

Wie weet was hij ooit een vrouw. Een Javaanse danseres. Een
die zelf uitmaakte welke man ze aan haar voeten wilde... Hij
denkt graag na, maar niet in woorden. De films in zijn hoofd
boeien hem meer dan die op televisie. Zijn vrouw ergert zich dat
hij zit te niksen op de bank. Ze verwenst zijn zwijgen. Als hij naar
buiten staart, denkt zij dat hij let op die dame die toevallig met
zware plastic boodschappentassen aan het stuur en een overvolle

fietstas achterop in een korte nauwe rok passeert. Wat interesseert hem zo'n vrouw op de fiets bij wie het katoen opkruipt tot aan haar kruis door het vrouwonvriendelijke zadel en het trappen tegen de Hollandse westenwind. Van hem mag elke vrouw op hoge hakken fietsen in een opwaaiende jurk. Kijken is niet verboden. Toch hoeft het niet. Ze mogen zich van top tot teen bedekken. Het maakt niks uit. Door elk kledingstuk heen ziet hij waar er te veel en waar er te weinig van is. Haar lach verraadt de kleur van haar lingerie. Vage contouren zijn verleidelijker dan de gymnastische toeren die ze laat op de avond met veel transpiratie op televisie laten zien. Ze hoeft niets uit te trekken want in een oogopslag heeft hij een dame in een gesloten regenjas al naakt gezien.

Zijn vrouw uit kritiek op iedereen. In de trein kijkt hij naar de weilanden, de bomen en snelwegen, zij naar de andere passagiers. Die mevrouw heeft haar jas zus dichtgeknoopt, die mijnheer draagt twee verschillende sokken. Die man zijn zoom hangt helemaal los. Haar buik puilt uit door die strakke trui. Dat kind steekt het ijsstokje te diep in haar mond, straks komt het in haar keelgat en stikt ze.

Haar stem, als een stoorzender, ontneemt hem de kans zich als een baby in de wandelwagen te verliezen. Hij houdt van de roes van de zachte ruis. De eentonigheid van een trein op de rails, een auto op de snelweg, zelfs de motor van een Boeing 747 kan hem ondanks zijn vliegangst naar hogere sferen trillen, zolang zijn vrouw haar mond maar houdt.

Wat kijk je? Ze loopt naar het raam. Tuurt op straat. Hij keek niet naar buiten. Al is zijn blik naar de straat, hij kijkt naar binnen. Met de jaren meer naar binnen. Daar is genoeg om over na te denken. Hij kijkt naar vroeger, naar later, naar wat nooit is gebeurd. Daar zoekt hij naar wat de loop heeft bepaald. Het punt, waar het ene ophoudt en het andere begint. Buiten zal voortaan alles hetzelfde zijn. Iemand passeert te voet, een ander op de fiets. Er valt regen of er is zonneschijn. Het ene gezicht is als het andere. Hij ziet geen vrouw die zij bedoelt, wel ziet hij haar, die zijn vrouw nooit heeft gekend. In dat uniform van hun. Zoals zij daar stond en hem aankeek met die blik die alleen zij had, als meisje van vier, van acht, van veertien, als vrouw van vierentwintig. Zijn moeder staat te wachten aan de poort. Zo noemen ze dat, degenen die geloven. Hij bidt wel, maar gelooft niet in die poespas eromheen. En ook niet dat de Bijbel door God zelf is gedicteerd of opgeschreven. Een God hoeft niet te schrijven, die geeft zijn boodschap zonder zinnen door. Zijn broers houden zich daar de laatste tijd ook af en toe op. Hij noemt het maar een poort, maar dat is het niet. Het lijkt het begin van een tunnel, of het einde misschien. Een doorgang naar de andere kant. Dat wat je, als je het eindelijk ziet omdat je er bent, niet meer hoeft vertellen. Het is er en hij weet wat hij ziet, maar hoe moet hij dat zeggen als er niets is waar hij het mee kan vergelijken.

Dat schelle licht achter zijn overleden familieleden ziet hij steeds vaker sinds zijn voeten blauw en gezwollen zijn. Zijn linker meer dan de rechter. Van zijn oudste schoonzoon moet hij elke dag tweeduizend stappen doen. Voor vaderdag kreeg hij een stappenteller die zijn dochter aan zijn bruine leren broekriem hing. Hij kan jokken dat hij naar de sigarenwinkel is gelopen om de krant te kopen, maar ze weten dat hij liegt. Zijn vrouw zegt niks meer, ze kijkt alleen. Minachting in haar ogen omdat ze hem een slappeling vindt. Papa, heb je gewandeld vandaag? O ja, dat heb ik zeker. Niet liegen, pa. Ze weten het. Ook zonder stappenteller. De trap op en neer is niet genoeg. Vijf stappen van de bank naar de wc en terug gaat hij via de keuken om zijn handen te wassen. Zeven stappen meer. Soms acht, omdat hij bij de spiegel in de gang zijn haren fatsoeneert met het kleine kammetje in zijn achterzak. Dat kreeg hij gratis tijdens de laatste KLM-vlucht van Jakarta naar huis, toen zijn zoon hem met zijn airmilespunten had weten op te waarderen. Het etui had hij weggegooid, samen met de inhoud, behalve dit kammetje dat precies in zijn broekzak past en de oordopjes, die hij gebruikt als zijn vrouw ligt te snurken. Bijna elke nacht.

Zij kiest om weg te gaan. Zij was het die naar hier wil voor de toekomst van de kinderen. Hier kunnen ze studeren. Maar dan gaan ze weg. Hij zit hier en zij daar. Je zegt *so long* maar of het een afscheid voor altijd is, weet je niet.

In zijn dromen duikt zijn moeder vaker dan vroeger op. Ze lijkt zich er niks van aan te trekken of hij slaapt of wakker is. Zijn vader ziet hij niet. Die moet daar wel ergens rondhangen, hij was geen kwaaie. De hel bestaat, maar hoe slecht moet je zijn? De mens krijgt nieuwe kansen. Degene die de grens bepaalt is vergevingsgezind. Een fout erkennen, toegeven, bewijzen dat je hebt geleerd. Na erkenning mag je het weer proberen. De koning komt als bedelaar, de vuilnisman wordt directeur van een opvoedingsgesticht, een chirurg fotomodel. Koppigheid maakt een herkansing zinloos. Hoe vaak moeten sommigen niet terugkeren? Wat wil zijn moeder? Ze praat. Ze zei nooit veel. Ze zag er niet beroerd uit als jonge vrouw. Mannen cirkelden om haar heen als zwermen muggen boven een waterplas. In alle leeftijden, rijk, arm, knap, lelijk, getrouwd, vrijgezel of weduwnaar, ze vielen. Die zonder zelfbeheersing staan machteloos tegenover een lieve dame. Er zijn er die begeerte de rug toekeren en gaan haten als ze zijn afgewezen. Gulzig naar macht. Een hoge ambtenaar liet hun huiscontract aflopen omdat zijn moeder al zijn cadeautjes terugstuurde. Sommige mannen verliezen hun verstand. Ze blijven komen, laten zich wegjagen, gaan op hun knieën. Mannen met zelfbeheersing die toch de moed hebben om wat ze begeren lief te hebben zonder er iets voor terug te eisen, zijn er weinig.

Juist als zijn moeder een man in alles negeerde zag hij het verlangen in hun blik gloeien als het houtskool waarop de saté wordt geroosterd. Hij rook wanneer ze gecharmeerd was, al deed ze of de man haar onverschillig liet. Wanneer ze iets verzweeg of verborgen hield, was hij op zijn hoede. Zoals hij haar kent, zo kent zij hem net zo goed door en door. Hij was niet haar lieveling, dat was haar oudste zoon. Hij was haar benjamin, de zoon die had meegemaakt wat verder niemand mocht weten.

Zes jaar oud, of zeven, sprong hij tussen haar en zijn vader, die alles had vergokt, in. Halfnaakt of in zijn verschoten pyjama verpokerde hij zijn dagen tot ruim nadat de petroleumlampen vanzelf doofden. Iedereen wilde met hem spelen. Hun meest geliefde buurman. De populaire verliezer. Elke middag na de siësta bij de overburen. De vaste speeltijd. Maar als zijn vader in de vroege ochtend hun erf opliep was er ook altijd wel iemand bereid om te winnen. Dat hij halfnaakt over straat ging hinderde niks. Kom erbij, doe mee, wat leg je in? Ze deden alsof het doodgewoon was dat hij tegenover de in zijde en kant geklede gastvrouw, naast de heren in smetteloos wit, met een naakt bovenlichaam, in zijn lange onderbroek, ongekamd en ongeschoren, het hoogste inzette met een handvol kaarten die door de bedienden aan de gastvrouw Javaans stoïcijns werd doorgeseind.

Zijn moeder, mataglap, rende zijn vader achterna met de klewang, door het huis, over het erf, tot in de badkamer. De auto en meubels werden meegenomen, de bedienden ontslagen. Zijn vader toonde berouw toen zijn moeder, tot bloedens toe, haar hoofd tegen de stenen vloer sloeg. Hij smeekte zijn vader: ga weg, laat mama met rust. Op hun slaapkamer lag hij die nacht in de plaats van zijn vader bij haar in bed. Hij deed geen oog dicht omdat hij bang was dat ze opnieuw haar hoofd op de vloer zou proberen stuk te slaan, zoals eerder met de theepot en twee vazen gelukt was. Of dat ze weer een poging zou wagen om zijn vader te vermoorden. Hij lag roerloos naast haar onrustige lichaam dat in aanvallen wild bewoog. Ze huilde niet aan één stuk door. Soms kreunde ze. Af en toe sloeg ze op haar kussen. Toen hij probeerde haar te kalmeren door haar hoofdkussen en de goeling weg te halen, trok ze haar haren uit haar hoofd. Hij hield haar handen vast, maar zij was sterker. Hij bond zijn vaders ceintuur rond haar polsen aan de spijlen van het bed.

Zij vergeet dit nooit meer. Moeder en zoon praatten niet, nergens over, nooit, ook hier in Holland niet. Aan haar sterfbed was hij niet aanwezig. De enige die ontbrak. Zijn vrouw was vergeten om de boodschap door te geven. Niemand nam hem dat kwalijk. Ze dachten dat hij, doordat hij meer dan zijn oudere broers door zijn ooms was grootgebracht, met zijn moeder niet veel had. Ze wisten niet van die nacht, dat hij tussen hun ouders had ingestaan, als levend baken om zijn moeders woede te keren.

De broers wisten wel dat hun vader gokte, en het motorongeluk waren ze niet vergeten, maar ze zagen geen verband. De zusjes waren nog te jong om iets te snappen. Hij zweeg over wat hij had meegemaakt. Hij kan zich niet herinneren waar zijn zusjes en broers die middag en avond waren. De meisjes waren bij zijn oma of onder de hoede van een bediende, zoals meestal. Zijn broers zwierven na school in de kampong, waren zwemmen, of op vogeljacht. Op pad met de buks van zijn vader. Niet eens meer stiekem. Dat was ook veranderd door het ongeluk. Zijn wakend oog was gesloten. Als hij op de veranda zat, in afwachting van het moment dat hij de straat kon oversteken naar de buren, passeerden de broers hem met de buks en zijn vader gaf geen kik. Zelfs hij mocht een keer schieten, op het erf. Zijn vader deed een dutje in de schommelstoel terwijl hem werd uitgelegd hoe hij de trekker moest overhalen. Hij mocht mikken op de oude haan. De broers rolden over de grond van het lachen omdat hij de kippen alleen maar deed kakelen en zelf achterover viel. Zijn vader werd er wakker van, schudde zijn hoofd en sliep verder.

Hij was te jong om mee te mogen. Een keer nam zijn oudste broer hem op zijn nek. Zo torende hij boven alles en iedereen uit, voelde zich machtig op die sterke brede schouders. Diens bezwete nek drukte in zijn kruis. Hij moest zijn handen in de lucht houden, bengelend, een beetje zoals vleugels, als bij een opgejaagde kip. Zodra hij steun zocht bij de slapen van zijn broer noemden ze hem Nonnie, alsof hij een meisje was. Takoet, Nonnie? Hij waagde het niet langer een hand te laten rusten op het gemillimeterde hoofd van zijn broer. De rug recht, alsof hij een paard bereed. De anderen vonden het lastig met hem erbij. Hij was niet stoer genoeg. Blijf jij maar bij de geiten. Aan die toon was hij gewend. Ze zouden hem niet geloofd hebben als hij over die dag en nacht in de slaapkamer van zijn ouders zou vertellen. Die gebeurtenis heeft bijna alle voorafgaande herinneringen aan zijn ouders in één klap vervaagd.

Hij stond, als kind, toen ze geen kokkie en baboe meer kon betalen, meestal naast haar in de keuken. Ook later als jongeman, als hij thuis was met verlof, en toen ze, omdat de jap was binnengevallen, hun wapens moesten inleveren en het huis niet mochten verlaten, hielp hij haar met het snijden van de groenten, de uien en knoflook, leerde de kemirie fijnmalen met de oelekan, keek over haar schouder in de pannen. Zijn zusjes voelden zich te goed voor baboewerk. Zijn moeder was half Chinees half Soendanees. Zij kende veel gerechten omdat haar Chinese moeder altijd zelf boven de wadjan stond. Haar *foeyong hai* was een koningsmaal.

Zijn vader werd opgesloten. Hij mocht er een keer op bezoek, in dat gesticht. Een inrichting noemen ze dat tegenwoordig. Of met een mooi woord een verpleegtehuis. De deuren op slot. Toen zijn moeder vergeetachtig werd hebben zijn broers haar ook zo weggeborgen, hier in Holland. In deze tijd eindigt iedereen daar die niet aan het hart of kanker sterft. Toch is het een gevangenis. Hij was ertegen, maar zijn vrouw wilde zijn moeder net zomin in huis. In Holland zijn de huizen te klein, te weinig kamers. En je kunt hier geen huishoudelijk personeel betalen. Zijn vrouw dacht er niet over om de verzorging zelf te doen... Hij wist wel dat ze het niet zou willen en had het toch gevraagd, voor de vorm. Zij en zijn moeder praatten wel met elkaar, maar als een bakker met een klant. Ze lachten alleen tegen elkaar als de een de ander een cadeautje gaf, en dan heel kort, alleen met de mond, niet met de ogen.

Door de botsing met de motorfiets tegen de rijdende locomotief was zijn vader te vrijgevig en goklustig geworden. Hij was altijd al gul maar nog niet gek. Van de motorfiets was weinig over. De trein reed rustig verder. Inlanders raapten hem van de grond, legden hem op een geïmproviseerde brancard en droegen hem naar het dichtstbijzijnde ziekenhuis. Zijn moeder had net tegen zijn oma lopen mopperen dat hij na zijn werk alweer zonder overleg was gaan buurten op de sociëteit. Zijn oma had zojuist *kangkoeng* en *boeboer ajam* opgeschept toen zijn tante het kwam vertellen. Iemand had haar geroepen. De spoorwegovergang was honderd meter bij de woning van haar schoonouders vandaan. Bloed droop van zijn hoofd, alsof zijn haardos in de rode verf had gehangen. De dragers zaten ook onder. Hun moeder rende het huis uit met die tante. Toch moesten hij en zijn broers en zusjes aan tafel blijven en hun bord leeg eten. Sindsdien heeft hij een hekel aan geplozen kip. Kangkoeng was al geen lievelingsgerecht.

Die artsen lieten zijn vader te vroeg gaan, zeiden de ooms. Zijn hoofd zag er goed uit, er was geen bloed meer op zijn haren, maar erbinnenin zat nog veel los. Daarvóór was hij een goeie man. Lief voor iedereen. Of hij ook toen al gokte weet hij niet. De een zegt van wel, de ander van niet. Zijn vader was goed. De bevolking hield van hem. Dat zeiden de mensen van de kampong. Dat hij hen altijd hielp met rijst en zo. Dat hij geen vlieg kwaad deed. Eigenlijk ook niet toen er een onzichtbare barst in zijn schedel zat. Hij was vriendelijk voor de buurt en vergat zijn plicht als vader. Dat was alles.

Of hij op zijn vader lijkt of dat hij bij zijn geboorte het karakter van zijn moeder heeft gekregen, zou hij niet weten. Hij kent zichzelf zoals hij in de spiegel kijkt, wanneer hij zichzelf scheert of zijn haren achterover kamt, en verder verbaast hij zich bij het zien van een foto. Hij ziet er anders uit dan hij zich voelt. Nooit denkt hij: ja dat ben ik. Dat was altijd al zo, ook toen hij daar in dienst zat. Ook op foto's uit zijn jeugd. Op de trouwfoto ziet hij een stralend lachende man en die is een vreemde. Wel sympathiek. Iemand die hij zou willen hebben in zijn vriendenkring. Er zijn niet veel vrienden nog in leven. Elke maand verdwijnt er een. De mannen gingen eerst. Vrouwen zijn sterker, zeggen ze. Zijn vrouw noemt hem eigenwijs en lui en slap omdat hij niet doet wat de dokter zegt. Eigenlijk is het moedig dat je ondanks de dreigementen van je omgeving je eigen stem durft te volgen. Hij gaat niet tegen haar in. Hij laat haar praten. Haar mond staat nooit stil. Vroeger werd hij kwaad. Dan blafte hij haar af. 'Wat weet jij? Laat me met rust. Ik heb geen zin.' Een enkele snauw was nooit genoeg om haar stil te krijgen. Een rustig woord evenmin. Als ze geen boosheid hoorde, als hij te vriendelijk bleef, ging ze door. Daar had haar oudste zus hem al voor gewaarschuwd toen hij de eerste keer bij hun kwam met een doos etenswaren en zo. Ze zaten toen nog in het kamp en er was nog weinig te eten. Zijn rantsoen deelde hij graag met haar familie. Zo won hij onbedoeld sympathie bij zijn aanstaande schoonmoeder. De heer des huizes zat nog in Birma. Die was daar bijna de pijp uitgegaan. Die kwam pas later en vond hem geen partij. Die oudste zus had met hem geen moeite. Dankzij de chocolade en de suiker misschien. Maar die zei dat hij wel moest weten waar hij aan begon. Dat haar andere zusjes meegaander waren. Dat deze nooit luisterde en dat je haar een grens moest aangeven, want anders ging ze door. Ze wilde altijd winnen. Zo had ze het ook al met de jap aan de stok gehad en als haar moeder haar diensten niet had aangeboden om het gedrag van haar opstandige dochter goed te maken, was ze er niet meer geweest.

Zijn eigen moeder vond haar ook te stijfkoppig, al was ze wel blij dat hij eindelijk een meisje had. Ze heeft het te hoog in d'r bol, zoek liever een lief stil meisje, zei zijn moeder. En zijn stiefvader precies zo. Die vond haar te zwart. Je bent zelf al zo donker en dan nog een vrouw met te weinig melk in de koffie. Hoe zullen je kinderen eruit gaan zien, zei hij. Die maken geen kans in Holland op die manier. En denk maar niet dat ze ons mengbloedjes hier zullen tolereren als ze straks hun vrijheid hebben. Zoek er een met een blanke huid. Die zijn er genoeg. Maar zijn moeder repte niet over de huidskleur. Alleen dat ze nog naar school ging, terwijl een vrouw moet kunnen koken, verder niks. Zijn moeder komt af en toe van daarboven. Haar lippen stil. Maar hij hoort haar stem. Ze houdt van hem, zijn moeder, zoals ze daar zweeft en met hem praat zonder dat haar mond beweegt. Hij lijkt niet op haar. Als hij als vrouw mag terugkeren, dan niet zoals zijn moeder, ook niet zoals zijn vrouw. Dan graag als zo iemand als Sita. Er is maar één Sita. Hij weet niet of ze er nog is of waar ze is. Is ze daar? Hij weet niet of zijn eigen mond beweegt en ook niet of zijn moeder hem kan horen. Ze wenkt hem. Ze hoort hem.

Zo heeft hij een keer na de dood van zijn vader ook met hem gesproken. Als jongen, in bed, in het huis van zijn oom. Zijn vader aan het voeteneind. Volg je hart. Meer had zijn vader niet gezegd. Volg je hart. Waar ben je, had hij hem niet durven vragen. Toen nog bang voor wat zijn antwoord zou zijn. Hij had hierover alleen aan Sita verteld. Zijn oom niet. Zijn broers helemaal niet.

Sita zei dat het veel moeite kost om uit het dodenrijk naar ons op aarde te reizen, dat het een bewijs van grote liefde is als een familielid zo'n zware tocht onderneemt.

Heb je haar daarboven gezien, mama? Je kent haar niet? Je kent haar wel. Niet ontkennen. Hij mocht geen meisje uit de kampong. Zijn moeder had een huwelijk met een Indonesische niet getolereerd. En het was al te laat. Trouwen was niet meer mogelijk, met haar aan de andere kant. Nee, ik kom nog niet, ik ben nog niet klaar hier. Je moet geduld hebben. Hij weet het, zijn moeder heeft nooit geduld gehad. Daardoor heeft hij een halfzusje van zijn vaders broer. Door die oudste broer van zijn vader had ze, als weduwe, acht kinderen alsof zeven niet al te veel waren om een man te vinden die niet alleen het bed met haar wilde delen maar ook zijn salaris en zijn huis. Die oom keek niet naar ze om. Deed net alsof. Of ze naar school gingen, hoe hun rapporten waren, of ze te eten hadden als ze laat thuiskwamen interesseerde hem niet. Met zijn eigen zes kinderen was hij al druk, wat moest hij met die andere acht erbij? En die tante, de moeder van zijn zes kinderen, zei niks. Haar neus bloedde. In de keuken moest je snel zijn, anders was alles op. Is zij daar bij jou? De vrouw van zijn oom sloeg zijn zusjes als zijn moeder niet keek. Alsof die meisjes het konden helpen dat hun moeder door de broer van haar overleden echtgenoot werd opgeëist. Het recht van de oudste zwager, zeggen ze. En hij? Is die oom daarboven? Hebben ze die egoïst ook toegelaten, of moest hij meteen weer terug naar hier als weeskind of als lepralijder? Knikt zijn moeder of verbeeldt hij zich dat maar? God is gastvrij. Gelukkig was je mooi. Wij zwierven van oom naar oom, jouw zonen, tot de vader van mijn andere halfzusjes zich over jou ontfermde. Zijn moeder doet of ze hem niet hoort. Ze verdwijnt als ze enig verwijt proeft. Op aarde of in de hemel, kritiek verdraagt ze niet. Die stiefvader was streng, maar wel rechtvaardig. Van hem moest hij het leger in, door hem stond hij aan deze kant en niet aan de andere.

Eigenlijk was hij het liefst bij zijn oom Nap in de kampong. Die liep op sloffen, had spierballen en veel tatoeages. Een grote slang op zijn onderbuik. De kop van die cobra heeft hij in slaapstand mogen zien. Daarna wendde zijn oom zich af en liet de slang spugen. Een stevige straal tegen een dode pisangboom. Als die cobra kwaad was, toonde oom Nap hem alleen aan vrouwen. Er waren veel vrouwen die de slang in grote woede wilden zien. Hij leefde als de mensen van het land. Getrouwd met een inlandse zonder familienaam en getrouwd volgens inlandse traditie, niet volgens de wet van het land. Net als Sita had ze een naam die zowel voor- als achternaam was. Oom Naps echtgenote was gewoon de dochter van een arme rijstboer, van een andere streek. Maar Sita was volgens oom Nap de bastaarddochter van een Javaanse prins. Aan haar lange hals, haar sierlijke handen en haar ingetogen blik kon je zien dat ze van adel was.

Zijn oom Nap leerde hem over vrouwen. Wat ze weten te waarderen en waar ze gek op zijn. Hij heeft met die kennis nooit iets durven doen. Ook niet bij zijn vrouw. Zijn oom leerde hem ook allerlei andere zaken. Veel wat hij een ander nooit vertellen mocht. Geheimen.

Naast oom Nap, alhoewel niet echt naast hem, want er stonden vele bilikhuisjes tussen, woonde Sita. Het erf, de uitloop van het stuk land, waar de geiten van Sita's moeder graasden, grensde aan de achtertuin, zijn extra stuk tuin met de wc's en de washokken voor de bedienden. Het hek tussen het ene en het andere erf was nooit op slot. Het scheidde alleen de geiten. Die grens was niet voor de inlanders. De waterput, de *kamar mandi* en *kamar ketjil* mochten ook door anderen worden gebruikt, zolang ze het erf van oom Nap niet vervuilden. Iedereen had respect voor zijn oom. Zijn broers ook. Deze oom sloeg erop los als hij kwaad was, maar voor hem was hij een zachtaardige vader, of als een vriend misschien. Tegen zijn eigen zoons, jonger dan hij, was hij streng. Volgens sommige ooms en tantes was oom Nap een halfbroer van zijn vader.

Dezelfde vader maar niet dezelfde moeder. Zijn opa scheen vaker getrouwd te zijn geweest. Niet altijd getrouwd. Dat trouwen gebeurde vaak pas later. Zonder feest. Zijn vader trouwde pas met zijn moeder toen er drie kinderen waren. Hij was zelf al twee jaar oud. En of zijn oudste broer een kind van zijn vader is weet hij niet zeker. In die tijd ging dat niet anders dan nu. De een trouwt, de ander niet. Ze zijn verliefd en ze veranderen. Pas in het huwelijk getreden en al weer gescheiden. Zijn kleinzoon is slechts drie maanden getrouwd geweest. Veel bombarie, een ceremonie in de kerk en in het stadhuis met vierhonderd gasten. Gelukkig geen kinderen nog, had wel gekund. Maar ook dat maakt tegenwoordig niets uit.

Een van zijn kleindochters trouwde op BALI. Zijn oudste zoon woont daar, heeft er een hotel. Maar deze kleindochter is geen kind van die zoon. Zij is hier opgegroeid. Een kind van een van zijn dochters. Zo'n tachtig man kwam bij elkaar voor haar jawoord. De plechtigheid op een rots. Ze beloofden elkaar, in Balinese kleding, altijd trouw te blijven. Toch betrapte hij die schoft diezelfde avond. Nergens kon hij een *kamar ketjil* vinden die nog niet bezet was. Met pijn in zijn onderbuik zocht hij tevergeefs in een donkere hoek van de Balinese tuin, waar de bruiloft tot in de ochtend werd gevierd. Witheet was hij, toen hij die knaap met zijn handen onder de rok van een of andere *boelé*-vriendin van zijn kleindochter zag. Hij had niets gezegd natuurlijk, maar was niet verbaasd toen hij ruim een jaar later hoorde dat ook dit kleinkind ging scheiden. Zij kreeg een tweeling. Ze is nog steeds alleen. Die ellendeling zorgt wel voor haar jongens, de helft van de week. Dus er zit gelukkig een beetje fatsoen in hem.

Heb je oom Nap daar gezien? Zijn moeder is terug. Ze blijft hem maar aankijken. Ze wenkt met haar ogen zoals alleen zij dat kan doen. Oom Nap is daar, hij hoort daar, dat weet hij zeker. Al is hij wreed soms, oom Nap is een halve heilige. Hij was een soort doekoen. Hij kon mensen genezen, hij gaf raad en hij verjoeg geesten als mensen erdoor bezeten waren. De Indonesiërs, de Chinezen, de Arabieren, indo's en Hollanders, ze kwamen allemaal bij hem. Niet voor de lol, maar bij problemen. Als ze bewerkt waren. In ziekte, in angst, als ze genoegdoening wilden. Voor wraak leende hij zich liever niet, want zwarte kracht slaat terug als je niet sterk genoeg bent.

Een keer was hij aan het voetballen met het broertje van Sita en enkele jongens uit de kampong en toen werd hij geroepen om zijn oom Nap te halen. Hij had nog nooit zo hard gelopen. Hij begreep dat de situatie ernstig was. Oom Nap nam hem mee naar dat huis, waar hij de geest verdreef door op die geest, een vrouw die de weg kwijt was, in te praten. Ga heen, ga terug naar waar je vandaan komt, je hoort hier niet. Rustige woorden tegen een boelé-indo, op de grond in een chique koloniale woning. Die bewoog wild, sloeg en schopte om zich heen. Zijn oom stuurde de anderen de kamer uit, maar hij mocht blijven, als assistent. De patiënt, die over de vloer kronkelde, reageerde niet op de vragen van zijn oom. Oom Nap pakte hem met zijn gespierde armen stevig vast. Met zijn handen op de zachte plekken bij de pols en bij de enkels. Zo drukte hij hem, die zich uit de greep probeerde los te worstelen, tegen de grond. Vanwaar kom je? Wie zoek je? Een schelle vrouwenstem beantwoordde de vragen. Hij keek rond in die kamer. Er was geen vrouw. Alleen zijn oom, die man op de grond, en hijzelf. Dat ze van ver kwam. Dat antwoord kwam als een noodkreet. De andere antwoorden kwamen gedempter. *Sakit hati.* Hij wist dat het gebroken hart betekende. *Golek langit.* Wat dat betekende wist hij niet. Javaans, Soendanees, of een andere taal, zeker. Hij had het misschien niet goed verstaan. Laat deze man met rust, je hoort hier niet. Ga terug naar waar je vandaan komt. Oom Nap had het lichaam van de man onder controle. Hij bewoog niet meer. De stem van de vrouw werd rustiger. Ze schreeuwde minder hard. Ja, dat is goed, ik ga, maar geef mij eerst *sirih*. Haar stem klonk kermend. Alsof ze pijn had, of verdriet. Betelbladeren met kalk, haastig gewikkeld om zo'n betelnoot, werden door zijn oom in de mond van de man gestopt en die kauwde erop alsof zijn leven ervan afhing. Opeens begon hij heftig te hoesten. Dat rode spul alle kanten op. Als bloed. De man schudde nog heviger dan tevoren met al zijn ledematen. Er klonk een hoge hemeltergende schreeuw die van schel en luid langzaam wegebde. Gerochel. De stem verdween uit de kamer en nam de vrouwelijke geest mee. Hij had gezien hoe de man kalmeerde en hoe zijn mannenstem geleidelijk terugkwam. Na enig kuchen en snuiven krabbelde de man, die al die tijd op de tegelvloer had gelegen, overeind alsof er niets gebeurd was. Het eerste wat hij deed was zijn kam uit zijn achterbroekzak halen en daarmee, met hulp van zijn weerspiegeling in de ruit, een scheiding trekken in zijn verwarde haren. Daarna vroeg hij op barse toon wie zij waren en wat ze kwamen doen.

Oom Nap glimlachte en draaide zich om. Verliet het huis. Buiten snelden de mensen op hem af. Ze bedankten hem en hij kreeg van alles toegestopt. Vruchten, rijst, en tapiocameel. Geld weigerde hij. Die man kwam naderhand aan huis bedanken. Ook met geld. Geef maar aan mijn vrouw, zei oom Nap. Zelf wilde hij geen geld voor wat hij deed. Je verliest je kracht als je er een beroep van probeert te maken.

Met zijn oom Nap viel niet te spotten. Zijn broers wilden niet bij hem blijven. Zij waren liever bij de andere broers van hun vader. Jaloers dat hij zijn broers geen *pentjak silat* wilde leren en hem wel. De broers lieten hem vragen of zij niet toch ook les kregen. Jouw broers hebben hun handen los, zij zijn niet geschikt. Oom Nap zei nooit veel. Dit was zijn uitleg. Erover zeuren was taboe. Telkens weer stuurden ze hem om namens hun te beloven dat ze het nooit op straat zouden gebruiken. Maar hij wist niet hoe hij het onderwerp moest aansnijden. Elke avond opnieuw zaten zijn broers hem op zijn nek. Heb je het gevraagd? Wat zei oom? Morgen doe je het, anders geef ik je een pak slaag.

Zijn oom Nap was onvermurwbaar. Hij moest van hem leren mediteren. Gewoon in kleermakerszit op een *tikar* in een lege hut. Kijken naar een kris, niet bewegen, niet eten, niet drinken, alleen stilzitten.

Alleen zijn zusjes woonden bij zijn moeder. Zijn broers waren zwervers, druktemakers, vechtersbazen. Ze logeerden dan weer hier dan weer daar. Hij niet. Hij heeft nog altijd behoefte aan een eigen plek, aan stilte. Hij houdt er niet van als ze om hem of om hem heen ruziemaken. Overleggen, samenwerken, je hoeft niet veel te zeggen, als je mekaar maar aanvoelt. Zo ziet hij dat. Zijn vrouw kan niet overleggen. Onder overleg verstaat zij dat je doet wat zij wil. Hij kan wel buigen. Hij is bamboe. Zo ging dat tijdens de oorlog, zo ging dat tijdens de revolutie, en zo ging dat hier in Holland, toen hij zijn draai moest vinden in dit land.

Als hij een vrouw was en zijn geliefde werd uitgedaagd tot een duel, zou hij met die ander gaan praten. Een beetje paaien. Ik hou van hem. Waarom een duel? Niet zo dan, wat heb je eraan als ik met tegenzin met jou moet leven. Ik heb mooie zusjes, ga met een van hen. Er is altijd wel een verlegen zusje dat je aan een man met te veel driften kunt koppelen, zodat het *tjotjokt*, en dat iedereen geholpen is. Een duel wel, maar een oorlog kan een soldaat niet voorkomen, alleen uitvoeren. Hij tekende in opdracht van zijn stiefvader. Met plezier, want hij had eindelijk geld voor sigaretten en de bioscoop. Kleding van het leger. Bed in de kazerne. In vredestijd is het leger voor een vrijgezel het paradijs. Sporten, gezellig praten met je kameraden. Als je samen uitgaat zijn er vrouwen bij de vleet. Je hoeft haar niet zelf ten dans te vragen. Je maat doet het voor jou als je verlegen bent. Je hebt geen zorgen. Bevordering als je binnen de pas blijft.

Zijn Hollandse commandant had de pik op indo's. Christelijk, maar achter zijn ellebogen. In het kamp viel die kerel door de mand, zoals hij door het stof ging voor een hapje meer rijst. Ben jij nou iemand voor wie ik te allen tijde moet salueren, dacht hij, toen hij hem het onderste uit de pan zag halen, met zijn blote handen. Hij ging dood aan tyfus, die vent.

Toch was, totdat de jap kwam, zijn baan een lot uit de loterij. Krijgsgevangenschap was iets waar hij nooit op had gerekend. Om hem heen loerde het einde. Hij was geduldig. Hij wist altijd: op een dag keert het tij. De gedachte dat het leven als een rechtvaardige zee is, met eb en vloed, hield hem boven water. Dat hij niet verdronk na de torpedering, na de stem van zijn vader, gaf hem de moed om te geloven dat hij niet zoals vele anderen aan malaria of scheurbuik zou sterven.

Toen de jap vertrok was hij een korporaal die zijn uniform zelf moest betalen. De majoor noemde het een opstand, de opstandelingen hadden het over hun revolutie. Twee kanten, twee waarheden. Mensen zoals hij, met dezelfde voorouders, stonden met pikhouweel of geweer in de aanslag tegenover elkaar. Als hij mocht terugkomen als koning, keizer, president, dan had hij één doel: vrede. Honger is minder erg. De oorlog haalt de slang in de mens naar boven. Geen mens blijft goed in oorlogstijd. Ze worden dier. De uitzonderingen zijn slachtoffer. Hij heeft geprobeerd om juist te handelen. Hij daarboven oordeelt of hij anders of meer had moeten doen.

Hij praat hardop. Wie luistert doet er niet meer toe. Men praat door elkaar. Het kan zijn dat zijn kleindochter met heel haar aandacht bij hem is. Ze streelt zijn hand. Ze is journaliste, of iets dergelijks. Want ze is altijd nieuwsgierig. Altijd maar vragen en opschrijven. Altijd druk met haar pen of op haar computer. Haar oren open. Ook voor wat lelijk is geweest, heeft ze aandacht.

Ze zijn allemaal lief, de kleinkinderen. Allemaal hebben ze kattenkwaad uitgehaald, dat hoort erbij. Fouten maken is noodzakelijk om te ondervinden hoe je goed moet doen.

Je denkt: we zijn bevrijd. Maar nee. De hele boel staat op zijn kop. Mensen zijn vermoord. Familieleden onthoofd. Een vriend zegt dat baby's aan een spies zijn geregen. Je hebt je moeder nog niet teruggezien, je zusjes niet. Die worden door de vijand bewaakt tegen een nieuwe vijand. Dan vragen ze jou. Help mee tegen de oproerkraaiers. Die lui willen hun land terug. Je hebt met ze gevoetbald. Verstoppertje en al dat meer. Nu moet jij eruit en hij wordt de baas. Je denkt niet na. Van wie is dit land? Je denkt maar één ding: ik ben hier geboren, ik wil hier niet weg. Mijn oma is net als zij. Ik hoor hier thuis. Al moet ik zelf mijn uniform betalen, natuurlijk ga ik. Ik wil vrede, immers.

Voor de liefde knokte hij misschien wel in vorige levens... Nu gebeurde er te veel. Stilstaan kon niet. Hij was nog knaap toen de oorlog begon. Terwijl zijn broers er vroeg bij waren, piekerde hij hoe hij het aan moest pakken. Doordat hij haar begluurd had wist hij niet meer te handelen. Door dat mooiste moment was de onschuld op de loop gegaan. Hij kon haar nooit meer quasion-verschillig mee vragen naar de bioscoop. Een kommetje bami-soep brengen, zoals hij zo vaak had gedaan voordat hij aan zijn onvergeeflijke impuls had toegegeven, lukte niet meer. Hoe ouder ze werd, hoe moeilijker hij het vond haar te benaderen. Zelfs over de geiten durfde hij niet te beginnen. Hoe minder ze met elkaar spraken, des te dieper nestelde zij zich in zijn gedachten. Bij alles wat hij deed droeg hij haar met zich mee. Niet alleen de gestolen intimiteit. Die koesterde hij als een last. Een overwinning behaald door vals te spelen. Erger nog. Voor een tackle krijgt een speler geen gele kaart. Een rode kaart was te mild. Voorgoed geschorst. Nooit meer voetballen. Zo wordt een speler die de grens van het sportieve overschrijdt gestraft. Hij heeft nooit medelijden met die kerels die hun fysieke tekortkomingen met onsportiviteit compenseren. Het elftal dat zich bewijst door eerlijk spel is voor hem de kampioen. Het maakt hem niet uit of ze van hier zijn of van een land dat hij niet kent. Als de beste maar wint. Een wereldcup heeft hij niet ontvangen. Die kan hij aan de poort niet retourneren. Gebiecht heeft hij zijn misstap nooit. Objectief gezien fout. Op de pijnbank zal hij zijn gestolen beeld noch prijsgeven, noch erkennen, noch inleveren: deze geniepige zegeviering die hem als een fakkel voorzag van licht als iedereen lag te creperen in duisternis.

Als alles om hem heen lelijk was, geen mens te vertrouwen leek, werd hij die jongeman van twaalf. Op zijn hurken voor de iets te ruime kier in het vlechtwerk van de bilikwand. De kamar mandi die hij alleen voor de bedienden had gewaand, maar die Sita, zo zag hij voor het eerst, ook gebruikte. Ze merkte hem niet op, toen ze in sarong met loshangende kabaja, de handdoek over haar arm, de bilikbadkamer binnenging. Hij bleef wachten, hield zich schuil bij de geiten, wist dat ze de groene kabaja aan een spijker hing. De batik sarong over de wand. De knoopjes van haar laatste kledingstuk een voor een los met haar slanke vingers. Hij zag het zonder het te zien. Stond stokstijf naast de grootste geit en aaide het beest zoals hij zichzelf zou willen strelen, maar niet durfde, ook niet als hij heel alleen was in zijn bed. Totdat hij haar hoorde spetteren. Het water over haar hoofd, over haar tengere schouders. Spletter spletter. Water op de vette kleigrond en op het houtwerk dat haar voeten schoon moest houden. Haar donkerbruine blote voeten. Fragiel en sterk. De smalle enkels. Denken deed hij niet meer. Een magneet trok hem naar het bilik toe. Hij sloop. Niet gebogen. Hij liep zoals je loopt alsof je niks speciaals van plan bent. Zijn sloffen had hij uitgedaan. Zijn voeten bewogen zich als twee dieven. Hij keek links en rechts of niemand het achtererf was opgegaan en hem van een afstand in de gaten hield. Een slang maakte meer geluid. Hij had nooit eerder zo dicht bij de badkamer van de bedienden durven komen. Geruisloos zakte hij door zijn knieën. Ademhalen deed hij niet. Daar te sterven was een geschenk van God geweest.

Drie vingers pasten niet door de spleet van het bamboevlechtwerk dat vaker dan eens door de *djongos* was gestut. Dat was zijn geluk. Anders had hij, in extase door de aanblik van haar zwarte kroezende tempelharen, nog geen halve meter bij zijn hongerige ogen vandaan, die vingers in de mooiste poort gestoken. Niet met smerige bijbedoelingen. Alleen om zeker te weten dat de afstand tussen haar beide bovenbenen, onder haar intiemste deel, waarnaar hij niet durfde kijken, echt breed genoeg was om meer dan een halve hand in te doen verdwijnen. Die ruimte, waardoor licht vanaf de andere kant tussen de kieren scheen, was zoals op bidprentjes Maria of God zelf was afgebeeld. Hij kan niet meer hurken zonder die herinnering.

Hij verruilde de hurkzit voor een eerbiedig knielen. Geen driezijdige driehoek, geen gelijkbenige, maar de volmaakte geometrische vorm in een mysterieus goudgeel licht. Een tatoeage op zijn netvlies. Zondig was zijn diefstal niet. Hij had alleen naar de ruimte tussen haar dijen gekeken, niet naar wat daarboven zweefde en waar waterdruppels vanaf gleden, de glorieuze ruimte passerend als hemelse regen. Dat wat een vrouw tot de eerste huwelijksnacht verhult en pas dan alleen voor die ene man opent, heeft hij niet durven zien. Hij was geen viezerik, ook als jongen niet. Alleen die hemelpoort in het licht van de ondergaande tropenzon, waar geen naam voor bestond, die slokte hem op zodat hij vergat waar hij was en wat er zwaaide als hij zo met zijn neus tegen het bilik door wie dan ook, bedienden of oom Nap zelf, betrapt zou worden.

Hangend aan de drijvende kist in de oceaan, terwijl anderen in verschillende talen om hun moeder riepen, haaien die op het bloed afkwamen, het hoofd een nacht lang moeizaam boven water, was die herinnering aan de ruimte tussen haar bruine bovenbenen meer werkelijkheid dan een foto ooit had kunnen zijn. In het kamp, toen hij niet meer bezat dan een driehoekje versleten katoen om zijn nutteloze mannelijkheid mee te bedekken, vergat hij dat wat hij koesterde ooit door hem gestolen was. Het gestolen goed, objectief gezien niet meer dan goudkleurige lucht, was eigenlijk een verzameling niets, gecreëerd door de benen en de schaamte van een meisje dat hij sinds die keer nooit meer in de ogen durfde kijken. En dat niets had hem gevangen, het had zijn genot bepaald, dat niets van Sita was de obsessie waar hij tot aan de dag van vandaag niet los van komt. In het kamp nam hij zich voor om meteen na de bevrijding zich over zijn grote verlegenheid heen te zetten en Sita te vragen hem te trouwen. Maar daarna was het niet dat wat hem daarvan weerhield.

Hij weet zeker dat er een hemel is. Maar geen vagevuur en al die rare dingen die de mens verzint. Engelen vindt hij aanvaardbaar. Niet met vleugels. Of vleugels toch maar wel... Vleugels zijn mooi als ze doorzichtig zijn. Vleugels van een lichter soort lucht. Hij zou willen kunnen vliegen. Vliegend ontsnap je aan het leven en aan de dood. Als je vleugels tenminste oneindig hoog kunnen, naar andere werelden, het heelal in, sneller dan het licht. In en rondom de hemel zijn vleugels overbodig. De ziel is geen raket, de ziel is niet te zien, is ongrijpbaar, onbegrijpelijk. Vuur zonder vlammen. Vuur dat niet kan worden gedoofd. Onzichtbaar.

Hij weet niet naar wie hij het meest uitkijkt. Zijn ouders of Sita, die daarboven, dat weet hij zeker, de mooiste zetel heeft gekregen. Of zou ze als *nènèk* nog ergens in een kampong in de bergen van zijn tropisch eiland tussen kleinkinderen en achterkleinkinderen, starend naar wat voorbijkomt, van hem dromen zoals hij van haar... Daar is zijn moeder weer. Ze kijkt hem verwilderd aan. En wie is dat daar naast haar? Wat doet hij daar? Dat is toch...? Wat doe je daar, vent? Moet jij niet?

Zo veel ruzies. Het is beter voor onze kinderen, zeurde zij aan zijn kop. Nachtenlang hebben ze gepraat. Natuurlijk wilde hij daar niet weg. Waarom beter voor de kinderen? Zij had geen vertrouwen meer in hun geboorteland. Zij haatte het volk. Hij niet. Hij begreep hen wel. Zij willen zelf de baas zijn in hun land. Hij wilde Indonesiër worden. Meehelpen het land opbouwen. Maar zijn vrouw gaat door tot ze wint. Zo is ze. Haar oudste zus had hem niet voor niets gewaarschuwd. Hij is niet slap, maar voor de vrede is hij volgzaam. De oudste zoon hebben ze in Bandoeng, onder de klamboe gemaakt, toen het al drie dagen regende, vlak na hun huwelijk, maar hij is in een kraamkliniek in Heerlen geboren, dicht bij de steenkoolmijnen. Hun eerste pension stond in Simpelveld. Ze hebben in zeven pensions gezeten voordat ze een huurhuis kregen in dit dorp, waar hij op de basis moest werken. Twee zonen hebben ze. Beide zonen vestigden zich daar waar zij weg wilde. En nu ziet hij ze nooit. Eén keer per jaar misschien. Of die paar daagjes dat ze hier zijn. Op vakantie. Maar dan hangen ze ook bij de familie van de schoondochters rond. Dat is niet genoeg voor een vader die van zijn zonen houdt.

Is dat niet zijn jongste zoon, daar naast zijn moeder? Of is het een broer of een neef? Nee, het is zijn zoon. Wat doe je daar, jongen? Wat wil je daar? Ga weg daar. Ga terug naar je vrouw en kinderen! Het is jouw tijd nog niet. Jij bent nog lang niet aan de beurt.

Ze kijken hem aan. Vertel verder, pap. Zijn dochter schudt aan zijn knie. Je kleindochter vraagt je wat. Je maakt je zin weer niet af. Hij was dus toch aan het praten, niet van binnen, maar tegen hun om hem heen.

Op tweehonderd meter afstand. Eén schot. Ik zag hem vallen. Toen niks. Misschien heb ik hem niet geraakt. Gelukkig daarna nooit meer hoeven schieten. Ik hoop maar dat ik heb gemist.

Senne

Een vreemdeling in den vreemde

Van de bushalte was het een heel eind, met mijn zware kunststof-koffer en die onwillige wieltjes. De Nepcalvinklein sneed in mijn rechterschouder. De laptoptas idem dito in mijn linker, geholpen door een gebreide paarse tas vol boeken. Niemand wist dat ik zou komen, behalve DIAN. Maar die zat ineens op stel en sprong voor een of andere stage in Maleisië. Hij beloofde dat hij aan niemand iets zou zeggen. Daar moest ik dankbaar om zijn. Zedenpreken over weggegooide kansen heeft hij nog wel uitgebreid op de voicemail van mijn Indonesische nummer ingesproken. Ik heb het einde van zijn praatje moeten missen omdat mijn beltegoed op was.

Toen OMA haar voordeur opende zei ze verrast: 'Och meis, heb je die paarse tas nog? Hoe lang is het niet geleden, dat ik die voor je moeder heb gebreid? Maar daar moet je geen boeken in doen, want dan gaat hij stuk.'

Ze omhelsde me en heeft me nooit gevraagd waarom ik kwam, hoe lang ik bleef, of wat ik bij haar kwam doen. De volgende dag zei ze tijdens het ontbijt: 'Je bent een godsgeschenk. Ik heb niet voor niks gebeden.'

Alleen maar ouden van dagen in dit gat. Alle plekken die ik koes-terde zijn troosteloos vanwege het ontbreken van spelende kin-deren. Allereerst ons pleintje. DIAN en ik voetbalden er na het eten met RAY, onze neven en nichten en onze tantes en ooms.

Het klimrek werd vroeger door ons, en wordt nu door een vijftal Noord-Afrikaanse pubers als doel gebruikt. Het plein, deels betegeld, deels modderachtig terrein, telt drie nutteloze toestellen: een groot glijbaanloos klimrek, een trieste tweelingschommel en een vliegtuigje voor kleuters dat voor wip door moet gaan. De glijbaan lag een paar weken op zijn kant in het zand en is inmiddels in zijn geheel verdwenen. De twee schommelplankjes zwiepen door de wind heen en weer boven een diepe kuil die altijd onder water staat. Het regende te vaak en de zon schijnt te weinig. In de drie maanden dat ik bij OMA en OPA woon heb ik er zelfs geen kind zien passeren.

Nostalgisch over de tijd dat wij daar met neven, nichten en ouders tot zonsondergang een balletje trapten, heb ik me een keer bij die opgeschoten jongens op ons pleintje gevoegd. Vroeger was dat normaal. Als kinderen ons daar zagen voetballen vroegen ze: 'Bij wie hoor ík?'

Al hadden we de buurkinderen van OMA en OPA nooit gesproken, ze mochten erbij. Sommige TANTES deden vijf minuten mee op hun pumps. Andere TANTES renden zich, op hun gympies, van het begin tot het eind in het zweet en tackelden hun echtgenoten als wilde stieren. RAY droeg zijn handgemaakte Berluti's, maar scoorde er niet minder om. OPA was de enige op blote voeten. DIAN had in zijn enthousiasme OPA's voet een keer blauw getrapt.

Geruisloos verving de een de ander. De afwas was klaar en met het schort nog voor schoot mijn moeder het zevende doelpunt. Als er twee tegelijk van het ene team kapten, stapte een vrijwilliger automatisch van zijn inmiddels grotere team over naar het kleinere. Niemand zat ermee om van het winnende team het verliezende team te gaan helpen als, klaarblijkelijk, de krachten niet goed waren verdeeld. Elke leeftijd deed mee. Ook peuters van drie. Wanneer de bal uit was, de begrenzingen van het doel, een overtreding, alles was vanzelf duidelijk. Er was nooit iemand onsportief op ons plein.

Kortom, met die zoete herinneringen aan de dagen dat het kleine huisje van onze grootouders vol familie was, en we, om het eten te laten zakken op ons pleintje de leren bal van DIAN ervanlangs gaven, ben ik als ex-JIS-soccerteamlid met veel zelfvertrouwen op dat groepje jongens afgestapt. Ik had mijn JIS-tenue aangetrokken en mijn Nikes aangedaan. Mijn iPod liet ik achter bij OPA, die mijn muziek weet te waarderen.

Ze waren met vijf, dus ik vroeg nonchalant: 'Wie hoort bij wie?'

Hun monden vielen open. Antwoord kreeg ik niet. Daarom stormde ik elegant op de bal af en liet ze mijn beste voetbalkunstjes zien. Niemand viel me aan. Mijn aanzet tot een schot op het doel werd door de keeper genegeerd.

'Wij doen geen spel. Wij trainen alleen,' zei de grootste.

'Kan ik meetrainen dan?' vroeg ik nonchalant, terwijl ik de bal beter dan ooit van de grond hield.

Ik had niet geteld. Ongetwijfeld had ik de enigszins lekke leren bal al een keer of twintig behendig van mijn knieën naar mijn schouder en mijn hoofd verplaatst. Ik gluurde van onder mijn haarlok of ze al onder de indruk waren. Op JIS was ik de beste met de bal van de grond. En in de gang van OPA en OMA houd ik met dagelijks oefenen mijn techniek aardig op peil.

'We willen wel een ander spel met jou doen,' zei de kleinste.

Ik heb ze niet laten zien hoe goed ik kan scoren. Ze zullen ook nooit weten dat ik een teamspeler ben, en dat ik de ander aan de bal laat, als zijn positie beter is. Ik maakte rechtsomkeert. Ons pleintje is een ander pleintje. Daardoor ben ik evenmin nog wie ik was.

Mijn vakantiedorp heeft meer fundamentele veranderingen doorgemaakt. Het kermisveldje bij de provinciale weg is onvindbaar. Alsof de burgemeester van deze gemeente de deleteknop heeft ingedrukt. Voordat DIAN zich daar te oud voor voelde, gingen hij en ik er altijd met ons skateboard naartoe.

Langs die weg zijn kleine doorzonvilla's gebouwd. Sprankelend nieuw. Er ontbreekt een hek tussen de huizen. Daar schuin tegenover, waar ook de bus stopt, woonde OMA's vroegere huisarts: dokter KRING. Een huis als van de zeven dwergen uit Sneeuwwitje.

De aardigste dokter van de wereld, zei RAY.

KRING had eigenlijk tropenarts willen worden. In een vliegtuigje van het ene dorp naar het andere reizen met zijn dokterstasje bij zich trok hem eigenlijk meer dan poeders en pillen voorschrijven terwijl de vliegtuigen vlak boven het dak van zijn huis met veel kabaal heen en weer vlogen.

RAY heeft KRING met ons een paar keer opgezocht. Een klein plaatsje op Midden-Java, waar die man is gaan wonen nadat hij met zijn praktijk was gestopt. Zijn geboorteplaats. Zijn vader had er vóór de revolutie, of vóór de JAP, hoe dat precies zat weet ik niet, een grote suikerplantage. Het was in elk geval vóór de oorlog dat KRING door zijn ouders op de boot was gezet om in Nederland te studeren. Zo had hij de jappenkampen ontlopen, maar zijn vader niet.

In Nederland had KRING in het verzet gezeten. Tegen de NAZI's. RAY zei dat die dokter, als hij op ziekenvisite kwam, altijd sentimenteel over het vooroorlogse Indië begon te praten. En toen wij af en toe bij hem op Midden-Java op bezoek gingen, zat hij altijd te zeveren over de oorlogstijd in Nederland.

OPA en OMA zijn ook een keer mee geweest. We waren van Jakarta op doorreis naar BALI. Ik snapte niet waarom ze zo veel waarde hechtten aan het contact met die stokoude ongeschoren man die maar een beetje in zichzelf zat te mompelen. Hij praatte met consumptie en woonde in een vervallen koloniaal huis aan een uiterst drukke stoffige straat. Hij had geen vrouw. Misschien ooit gehad, maar daar heb ik er geen gezien. Wel bedienden. KRING loste er de hele dag kruiswoordpuzzels op. Tegen mijn vader zei hij dat hij eindelijk gelukkig was. Alleen in zijn jeugd had hij zich net zo *senang* gevoeld, die lange magere kromme man in

80

een rolstoel die door een piepjonge vrouwelijke bediende werd voortgeduwd. Het huis van de zeven dwergen is tegen de vlakte gegooid. Er hadden jarenlang krakers in gezeten en op een dag stond het in de fik. DIAN en ik waren er wel eens binnengeslopen toen het leegstond. Injectienaalden op de grond. Lege bierblikjes. Gescheurde slaapzakken. DIAN wilde er meteen weer weg, maar ik ben ook nog de trap opgegaan. Daar lag in de grootste kamer een kapot matras, waar wel drie dozijn muizen uit tevoorschijn sprongen, toen ze me over de krakende houten vloer hoorden lopen. Het is nu een braakliggend terrein dat te koop is, maar waar niemand interesse in heeft, omdat het tussen twee drukke wegen ligt.

De huidige huisarts van mijn grootouders is er eentje met een groepspraktijk op het dorpsplein. Ik ben er vaak. Receptenbriefjes voor OPA. Ze kennen me al. Bijna alleen maar oudjes in de wachtkamer. Zelfs de doktersassistente achter het loket is een make-uploze bitch van boven de vijftig. Er staan meer bejaardenflats dan gewone flatgebouwen in het dorp. Geen wonder dat ze de praktijk tegenwoordig met drie artsen moeten doen, terwijl het aantal inwoners is verminderd.

Een andere plek uit *memory lane* is al langer geleden onderdeel van de snelweg geworden. Wij deden er verstoppertje met neven en nichten die inmiddels zelf met kinderen zitten opgescheept. Behalve de leren voetbal, een stugge militaire kriebeldeken met motgaten als picknickkleed, badmintonrackets en shuttles, gaf OMA ons in een oude legertas warme lemper en pasteitjes mee. Ook een plastic thermoskan met rozenstroop.

De omgeving is nu omringd door prikkeldraad en hoort bij een gevangenis. Toen ik er de eerste keer, tegen zonsondergang, op OMA's fiets naartoe reed, liep er een groep mensen heen en weer. Spandoeken en fakkels. Geschreeuw. Paniek. Het leek net oorlog omdat er militairen met geweren liepen. Zulke situaties vinden ook regelmatig plaats in Jakarta, maar daarover hoorde ik alleen praten. Ik was er nooit zelf bij. Het stond in de krant of was op televisie.

Met OMA's fiets aan de hand in het mulle zand twijfelde ik wat ik zou doen. Snel ervandoor gaan op die ouwedamesfiets was uitgesloten. Blijven kijken leek mij niet zonder risico. Het fietspad hield daar zomaar ineens op. Of ik wilde of niet, mijn aanwezigheid kon alleen op één manier worden uitgelegd. Hier waren geen toevallige voorbijgangers. Hier kwam je met een reden.

Een jongen van DIAN's leeftijd, die over het hoge hek geklommen was, werd door twee mannen in uniform meegesleurd. Hij probeerde zich los te vechten. Sloeg om zich heen. Schopte wild. Toen doken er meer van die uniformen bovenop. Een andere jongeman probeerde ook over het hek te klimmen. Twee oudere demonstranten, een man en een vrouw, trokken hem aan zijn broekspijpen terug op de grond. Zijn broek zakte daarbij bijna tot op zijn knieën. Gelukkig gleed zijn paarse Björn Borg-onderbroek niet mee.

In de verte zag ik koplampen. Een jeep met zwaailichten? Er klonk een sirene. En ik dacht dat ik schoten hoorde. Maar misschien heb ik me dat laatste verbeeld. Want niemand rende weg. En ik zag geen doden.

Onder de omstanders was een meisje. Jonger dan ik. Haar klampte ik aan. 'Wat is er aan de hand?'

'We houden een wake,' zei ze.

Ze kwam niet uit het dorp. Als groep waren ze per bus uit de stad gekomen en ze zouden de hele nacht blijven. Ze was met haar moeder. Haar vriendinnetje was van school gehaald en daar, achter dat hoge prikkeldraad, in een houten keet met nog veel meer onschuldige vrouwen opgesloten. Haar vriendinnetje had niks fout gedaan. Ze had geen paspoort omdat ze met haar broer gevlucht was. Uit Afghanistan. Of uit Koerdistan. Of iets anders dat eindigde op *stan*. Want ik kon het niet goed verstaan door die enorme heksenketel.

'Er zitten ook baby's gevangen, weet je dat! En onschuldige vrouwen die in hun eigen land zijn verkracht.'

Ik durf die kant niet goed meer op. Niets lijkt er nog op vroeger. Ook ben ik sinds die keer doodsbang om mijn paspoort kwijt te raken. Dat ze hier zo streng waren wist ik niet. In Thailand was mijn moeder een keer op straat beroofd en haar handtas met alles erin was door de dief meegenomen. Toch kreeg ze van de Nederlandse ambassade meteen een nieuw paspoort. Ze hoefde niet eens te bewijzen dat ze was wie ze was.

'Er is geen gevangenis in ons dorp,' zei OMA.

Ze deed of ik alles had gelogen. Als ik een hek had gezien, was dat de grens van militair terrein geweest.

'Als het leger toe gaat staan dat burgers over het hek klimmen, is het eind zoek,' verdedigde ze het gedrag van de mannen die met zijn allen op die ene jongen waren gedoken.

Ze liet me mijn verhaal tweemaal vertellen, zweeg, en keek naar OPA, die met gesloten ogen misschien wel mee geluisterd had, maar die met geen enkele krimp liet merken of de trillingen tegen zijn trommelvlies enige activiteit in zijn hersenen hadden weten te ontplooien.

Met een strenge stem richtte ze zich tot OPA: 'Weet jij iets van een gevangenis bij het vroegere geitenweitje?'

OPA opende zijn ogen traag. 'Het zou kunnen,' mompelde hij bijna onverstaanbaar.

'Wat voor kleur had het uniform van de bewakers?' vroeg ze mij met dezelfde strenge blik.

Dat wist ik niet meer. Daar had ik niet op gelet. En het was zonsondergang. Dan zijn de kleuren vaak niet wat je denkt.

Omdat OPA, ondanks zijn slechte conditie, met drie woorden mijn relaas niet had ontkracht, was ze bereid mij een kans te geven mijn ongeloofwaardige verhaal te bewijzen.

'We zullen zien. Ik ga wel een keer met jou kijken.'

Toch bleef ze in zichzelf mompelen dat ik het vast en zeker niet goed had gezien. Dat mijn Nederlands waarschijnlijk niet goed genoeg was geweest om wat er gezegd werd volledig te begrijpen.

Helaas is er niks meer van gekomen. Ze laat OPA niet alleen in huis. Ik ben er zelf nog een keer op haar fiets naartoe gegaan. Het was moeilijk terug te vinden. Het oude fietspad was inmiddels helemaal verdwenen. Een nieuw pad was aangelegd. Dat rook nog naar teer. Dat leidde je met een boog terug naar het dorp. Na lang zoeken vond ik het oude pad terug. Het was omgewoeld met een dragline. Slim gedaan. Ze hadden niet zonder meer het pad vernield, maar ook links en rechts namaakpaden gecreëerd.

De sporen van de tractorbanden ben ik als een detective gevolgd. Tien meter van het hek, waar de vorige keer een demonstrant overheen geklommen was, lag, gemaakt van opgerold prikkeldraad, een extra omheining. Daarachter, op een geïmproviseerd bankje van een net omgehakte boomstam, zaten twee mannen in uniform, elk met een wapen op schoot, te roken.

Dat gebied tussen de nieuwe omheining en het oudere hoge hek was als bezet niemandsland. De gevangenis had zich een stuk vrije natuur toegeëigend om de begrenzing te verzwaren. Gewoon bosgrond. Veel omgehakte boomstammen. Daar stonden de vorige keer demonstranten, met fakkels en spandoeken, leuzen te roepen die ik toen niet goed kon verstaan. Achter de twee bewakers was de hoge omheining verhoogd met extra prikkeldraad.

Ik werd kwaad. Nog meer *memory lane* van de ene op de andere dag onbereikbaar achter prikkeldraad. Mijn woede moest eruit. Maar een lichte angst bekroop mij ook: overal, de grond waarop ik loop en fiets, kan zomaar worden afgescheiden, in enkele uren veranderen in verboden terrein.

Mijn mix van angst en woede hield ik verborgen achter een

stalen blik. Met een stoere, te schelle stem riep ik: 'Goedendag mijnheren? Waarom hebben jullie hier overal prikkeldraad gedaan? Is er achter dat hoge hek soms een gevangenis?'

Ik haat mijn Engels accent op momenten als deze. Ik weet dat DIAN zich dood zou ergeren aan mijn *r* en *g* en *a* en wat nog meer. Ik zie aan hun gezichten dat ze hebben gehoord dat ik hier niet ben opgegroeid.

Ze keken elkaar aan. Kort. En toen weer naar mij.

Een van de twee nam een trek van zijn sigaret, inhaleerde diep en zei: 'Hier bewaren we ongewenste vreemdelingen.'

'Bewaren?'

'Dit is een detentiecentrum,' zei de man. Hij gooide demonstratief zijn peuk op de grond en doofde deze met zijn schoenzool, waarna hij er aarde overheen schopte, om en om, hard met de punt, dan weer met de hak van zijn schoen.

De ander vroeg met een valse glimlach op zijn gezicht: 'Wat doet een mooi meisje zoals jij hier heel alleen?'

Ik zette het op een lopen, OMA's fiets als een zware ballast aan de hand, want de grond was er stevig omgewoeld. Fietsen lukte niet. Hijgend sleurde ik de fiets met me mee. Ik volgde mijn neus. De geur van teer. Toen ik eindelijk het nieuw aangelegde fietspad had teruggevonden trapte ik zo hard als ik kon richting dorp. Eenmaal tussen de huizen kon ik mezelf nog horen hijgen.

Woedend op mezelf. Stomme stomme LIQ. Ik kon ze nog zien zitten op die boomstam. En ik wist zeker dat ze in uniform waren geweest. Ook kon ik hun wapens nog precies zo zien liggen op hun schoot. Maar of hun kleding groen, blauw, kaki, wit, oranje of pimpelpaars was geweest, zou ik niet weten.

OMA zou me opnieuw niet geloven als ik de kleur niet kon vertellen. Dus ik heb haar niks gezegd. OPA zal eerst moeten sterven, voordat ze met me op pad zal gaan om mijn woorden op waarheid te controleren.

DIAN hield zijn webcam uit toen ik hem daarna per skype had opgebeld. 'Dat had ik al gehoord van vrienden,' zei hij, 'vlak bij het luchtvaartmuseum, toch? Dat staat er al een tijd.' Hij klonk gehaast. Hij had geen zin in een gesprek. Beweerde dat hij in een bespreking zat. En toen ik hem vroeg over de aard van de stage ontweek hij een antwoord. Ik verdenk hem ervan dat hij de eerste beste stomme stage ver van huis koos, toen hij erachter kwam dat ik mijn plannen had gewijzigd.

Ik heb hem om de sleutel van zijn studentenflat gesmeekt. Maar het schijnt dat zijn kamer is onderverhuurd. Ik zal in dit gat moeten zien te overleven. In elk geval vandaag een belkaart gekocht op de hoek. Van de tien winkels in het dorp is de dichtstbijzijnde een sigarenwinkel waar je uit duizend soorten sigaren kiezen kan. Ze hebben slechts drie soorten beltegoed. Met geen van de drie telefoonkaarten kun je bellen met het buitenland.

Als gij nalaat te beloven, zo zal het geen zonde zijn

Het dorp is veranderd. Het bos is niet meer wat het was. Ik ken hier niemand meer. Voor OMA is het geleidelijk gegaan. Zij is zich er niet van bewust dat ze deel uitmaakt van een diep tragische gemeenschap. Ze is wel al weken woedend dat het vliegveld verdwijnt. Voor de zoveelste keer praat ze opgewonden over de sluiting van de basis.

RAY en zijn broer en zusjes klauterden op het jaarlijkse vliegfeest in de geparkeerde helikopters en vliegtuigen. Onder OPA's toezicht. De vliegtuigelektromonteur. OMA kroop ook in de cockpit, op de plek van de eerste piloot. Een foto daarvan prijkt op haar schoorsteenmantel. Met een gezicht alsof ze met zesentwintighonderd kilometer per uur door het luchtruim vliegt, kijkt ze niet in de camera, maar tuurt recht voor zich uit.

Met de recente officiële sluiting van de vliegbasis is haar lang gekoesterde droom definitief begraven.

Ik weet het.

Toch zeg ik, in alle onschuld: 'Oma, wees blij! Dan zijn we eindelijk van die stomme straaljagers af.'

Alsof ik degene ben die eigenhandig de vliegtuigen, hangars en startbanen verwijderen zal, zwaait ze met haar vinger in de lucht en roept fel: 'Het is het eerste militaire vliegveld van Nederland, het oudste vliegveld van Europa en het op een na oudste van de wereld.'

'Okay,' probeer ik haar te kalmeren, 'okay, I see...' (Als ik in de war raak vlucht ik naar het Engels.) OMA is nog niet klaar met haar redevoering. Ik besef dat DIAN en ik dat felle discussiëren misschien niet alleen van mijn moeder hebben geërfd. Ik laat haar uitrazen. Opeens kan ik me erg goed voorstellen hoe het voor OPA geweest moet zijn om bijna zestig jaar met haar te leven. En ik moet aan HIQ denken, toen ik op het dak van ons huis op dezelfde manier tegen hem tekeerging, alsof hij in zijn eentje persoonlijk verantwoordelijk was voor het terrorisme in de wereld.

De zolder, waar ik altijd sliep, maar nu niet meer, omdat hij ontoegankelijk is door onder andere de witgeschilderde hutkoffer en mijn verhuisdozen uit Jakarta, die dankzij enig administratief ingewikkeld kunst- en vliegwerk uiteindelijk hier beland zijn, trilde vroeger dag en nacht door de laag overvliegende straaljagers. Kerosine en kabaal vormden hier een niet te vermijden aspect van het alledaagse leven. RAY wist in zijn jeugd niet beter of die vliegtuigen hoorden erbij. Als peuter zei hij 'papa' tegen elke man in uniform. Hij haalde zijn schouders op als wij klaagden omdat de ene na de andere F16 een ontspannen conversatie in OMA's tuin saboteerde.

OMA's lofzang op de vliegbasis had ik veel vaker gehoord. Een negatief woord van wie dan ook over de laag overvliegende toestellen, resulteerde in dezelfde monoloog. Sinds OPA vliegtuigmonteur op de basis werd, woonden ze niet langer in pensions. Ze kregen een huurhuis van de gemeente. OMA kon eindelijk zelf koken. Ze was baas in eigen huis. Zwanger van haar vierde kind hadden OPA en zij eindelijk een aparte slaapkamer. De tuin was meer dan ze ooit had durven hopen. Dankzij de basis werd het leven in Holland draaglijk. Al had ze nooit geklaagd, totdat OPA daar werkte had ze vaak stiekem 's nachts gehuild en gebeden: God, geef ons meer ruimte. Geef mij een eigen keuken. Een wc alleen voor ons.

Vanaf het moment dat haar gebeden waren beantwoord, koesterde OMA nog maar één enkele wens. RAY dreef nooit de spot met zijn moeder. Maar over OMA's droom praatte hij vaak lacherig met familie en vrienden. De anekdote van haar vijftigste verjaardag ken ik uit mijn hoofd.

Zoals elke verjaardag werd ook deze gevierd met *nasi kuning*. OMA had, met hulp van vriendinnen, dagenlang in de keuken gestaan. Weken tevoren had ze al laten weten dat ze voor haar vijftigste geen cadeautjes hoefde. OPA wist haar grootste wens: het luchtruim verkennen in een Starfighter. Ze wilde alleen die ene korte vlucht, die niet langer dan vijf minuten hoefde te duren.

Op de dag zelf, tijdens het ontbijt, mocht RAY, als de jongste zoon, het gezamenlijk verjaarscadeau overhandigen. Zwaar teleurgesteld dat OPA, na al die jaren werken voor de luchtmacht, het niet voor elkaar had gekregen haar zo lang gekoesterde wens in vervulling te brengen, gooide ze de nieuwe theepot, die OPA samen met zijn kinderen in de enige geschenkenwinkel van dit vliegvelddorp had gekocht, in de richting van de televisie. Die bleef heel. De theepot trouwens ook. Maar OMA stormde de trap op naar haar slaapkamer en draaide de deur op slot.

Het was geen bevlieging. De wortels voor haar wens lagen in haar geboorteland. Ze was zestien toen ze OPA, bij hun eerste kennismaking, had verteld dat ze ervan droomde in het snelste toestel ter wereld door de lucht te gaan. Als militair bewaakte hij het kamp waar zij zich schuilhield met haar familie. Voordat hij haar nog mee uit had durven vragen, voordat hij ooit nog haar hand vastgehouden had, had hij al gezegd dat hij dat wel kon regelen: een tochtje in een bommenwerper. Die belofte had hij toen niet gehouden. Dat snapte ze wel. Het waren roerige, onzekere tijden. Maar eenmaal in Holland, nadat hij op de basis kwam te werken, vloog de ene na de andere Starfighter dagelijks vlak boven hun huis.

Zwanger van de vierde herinnerde ze hem aan zijn belofte. Hij had geknikt, toen ze zei dat ze in die Starfighter wilde. Hij kende de piloten, hij was monteur van die dingen. Wat was hij voor kerel? Nooit vroeg ze iets voor zichzelf. Ze droeg al twintig jaar dezelfde winterjas. Had al tien jaar geen nieuwe schoenen gekocht, terwijl hij elk seizoen nieuwe kocht. Dat was niet erg. Ze gaf niet om kleding. Maar zoiets eenvoudigs, alleen een collega iets vragen voor haar te doen, dat was voor hem te veel moeite. Ze voelde zich bedrogen. Verraden. Hij was een nietsnut. Een slappeling. Zo zat ze op de slaapkamer te mokken toen de huiskamer volliep met visite. RAY probeerde haar te overreden de slaapkamerdeur te openen. OPA bracht haar koffie en risoles. Of deed een poging daartoe. Hij klopte zachtjes op de slaapkamerdeur en zette het dienblad daar neer, op de antracietkleurige vaste vloerbedekking van de overloop. Al haar kinderen deden hun best om haar ervan te overtuigen dat haar verjaarswens enigszins onredelijk was. Maar ze kwam niet tevoorschijn. Pas nadat OPA beloofd had dat hij opnieuw zijn best zou doen haar droom te realiseren, kwam ze beneden.

Niemand mocht erom lachen, zei RAY. Als iemand het verhaal naderhand navertelde, reageerde ze weer net zo verongelijkt.

Ik was er een keer bij in Jakarta. RAY vertelde de anekdote gniffelend aan OOM TOM. We gingen maandelijks op bezoek bij deze oom die geen enkele bloedverwantschap met ons had. Hij woonde in een kleine vochtige legerwoning, die elk jaar onder water liep vanwege de overstromingen in de regentijd. Als hij de bui zag hangen, werden de meubels opgestapeld. De stoelen op de tafels. En op de stoelen stond de kast. Op de kast stapelde hij zijn boeken. Soms dreven zijn spullen naar buiten. Toch wilde hij niet verhuizen. Zijn pensioen was te laag. Daarom was hij naast leraar Nederlands en Indonesisch een bedrijf begonnen als wapenhandelaar. Maar door zijn eerlijke attitude leverde dat nog steeds niks op.

OOM TOM kende piloten. Hij kende de president en hoge pieten in het leger. Maar corruptie stond voor hem zo ongeveer gelijk aan moord. Tijdens de Indonesische revolutie had hij zijn bevoordeelde positie als prins ingeruild voor de identiteit van vrijheidsstrijder. Hij gedroeg zich nog altijd als een Javaanse aristocraat. Zijn vrouw en hij verkochten ooit al hun rijkdommen voor hun ideaal: een onafhankelijke republiek. Maar nooit zou hij het omgekeerde doen: zijn idealen verkopen voor een woning in een buurt waar zijn bed niet een keer per jaar het huis uit dreef.

Ik denk dat OPA en hij, zonder het te weten, ooit als vijand op elkaar hebben staan schieten.

OOM TOM is al een tijdje dood, maar hij zag het aankomen.
'Wanneer komt je vader weer eens naar Jakarta, Ray?' vroeg hij, toen we langskwamen met vers fruit van de pasar.
'Geen idee, oom,' zei RAY. 'Waarom?'
'Ik wil hem nog graag groeten.'
RAY kocht meteen tickets voor OPA en OMA. OPA was nauwelijks ons huis binnen of er reed een auto voor en OOM TOM, bleek en sterk vermagerd, stapte moeizaam uit. Hij zat zelf achter het stuur, want een chauffeur kon hij sinds de dood van zijn vrouw niet meer betalen. Hij wankelde in de richting van onze deur. OPA snelde op hem af en ze omhelsden elkaar op het pad.
Twee oude mannen in elkanders armen. Een paar dagen later was de begrafenis al. De tweede keer dat ik een islamitische begrafenis bijwoonde. De eerste keer was die van zijn echtgenote. OPA liep met rode ogen en kwam daarna nauwelijks zijn bed nog uit.

Die twee hadden een mysterieuze band. Ze waren als twee schone handen op een brave buik. Beiden verspilden geen woorden om hun affectie voor elkaar te bevestigen. Ook bleven ze beiden even vaag over hun eventueel gedeeld verleden. Of het nu over muziek, eten, sport, politiek of iets triviaals ging: ze waren het volmondig met elkaar eens. Maar als welopgevoede oosterse

ex-prins haalde OOM TOM het niet in zijn hoofd om samen met
ons OMA een beetje uit te lachen. Hij vond het ongetwijfeld on-
gepast van mijn vader om de onredelijkheid van OMA's verlangen op zo'n botte westerse wijze in zijn nabijheid aan te roeren.
Maar ook dat liet hij niet merken. OOM TOM bevond zich als een
brandweerman zonder slang tussen twee vuren.

Precies weet ik het natuurlijk niet meer, maar met een pokerface
zei hij zoiets als: 'Met voldoende geld op zak om de betrokken
personen te verrijken, kun je hier veel voor elkaar krijgen. Het is
voor mij niet makkelijk om mij staande te houden, zonder mee te
doen met schuiven hier en daar... Maar ik moet bekennen... zelfs
als ik..., zoals soms gewenst is, wanneer je hier iemand in het leger om een gunst moet vragen..., de zakken van deze of gene zou
helpen vullen, zou ik niet in staat zijn om de juiste personen te
vinden om die mooie droom te helpen uitkomen... Het is bijzon-
der jammer dat je moeder door de oorlog niet de kans kreeg om
haar school goed af te maken... Dan had ze daarna in het leger
een opleiding als piloot kunnen volgen. Zij was zeker een van de
beste bommenwerpers van de twintigste eeuw geweest.'
    Dat OPA's beste vriend haar slapende talent roemde, compen-
seerde niet haar verongelijktheid omdat OPA zijn belofte nog
steeds niet had ingewilligd. Ze bleef hopen dat er op een dag een
Starfighter speciaal voor haar deur zou landen, en de piloot haar
bij de hand zou nemen, om een paar minuten witte strepen te
gaan trekken in de strakblauwe lucht.

In de tijd dat ik geboren werd was de Starfighter al ruim vervangen door de F16 en was OPA allang met pensioen. Volgens OMA
was hij als onderofficier met een gouden plak vertrokken. Mij
zegt dat niks. Het verschil tussen een generaal en een kolonel
weet ik niet. Dat OOM TOM een generaal was heb ik duizend
maal gehoord, maar anders had ik het niet geweten. Wie hoger is, een adjudant of een korporaal, laat me koud. OMA neemt

die rangen met petten en knopen, epauletten en schietgerei nog steeds erg serieus.

'Hoe kunnen ze dat nou doen? Wat is dit dorp zonder basis? Zo veel mensenlevens die er meer dan een halve eeuw van afhankelijk waren? Doet hun bestaan er dan niet toe?'

OPA zwijgt. Of hij naar haar luistert weet ik niet. Er komen geen reacties uit zijn mond, dus blaast ze stoom af op mij.

Ik heb OPA alleen op foto's in zijn uniform gezien. Nooit in het echt. OMA speldde een paar medailles op zijn colbert toen ze, met hem in de rolstoel, enkele weken geleden naar een militaire herdenking in een of ander koloniaal bolwerk ging. Ik moest mee, want dan kon ik hem duwen. Een bejaardenbusje haalde ons op. OPA werd er met rolstoel en al in gereden.

Ter plekke waren er veel meer mensen in rolstoelen. Ik had nooit eerder een herdenking meegemaakt. Een saaie bedoening met toespraken. Alleen grijze en kale hoofdjes. Niemand voor een beetje egoversterkend oogcontact. Dat er geen disco zou zijn leek me duidelijk, maar ik had wel gehoopt op kleinkinderen van ex-militairen. Er waren al weken voorbijgegaan zonder dat ik een leeftijdgenoot had mogen spreken. Nooit een Hollandse HIQ bij de supermarkt ontmoet. Zelfs geen meisjes van mijn leeftijd gesproken, als ik iedereen die familie is tenminste buiten beschouwing laat...

Sinds HIQ en ik uit elkaar gingen stond ik niet meteen te springen om een ander te omarmen. De gedachte aan fysiek contact was alsof ik mezelf met OPA's heilige kris in mijn maag aan het porren was. Mezelf toestaan te verlangen zou een daad van masochisme zijn geweest. Allengs begint er in mij iets te kriebelen. Een rare onrust. Of noem het angst. Bezorgdheid dat ik zal vergeten hoe plezierig verliefd zijn eigenlijk is.

Mijn terugkerende nachtmerries gaan erover dat al mijn tanden uit mijn mond vallen omdat ik een oude vrijster ben. Ik loop blootsvoets over het asfalt tussen de in file rijdende auto's door. Ik zie iedereen kijken door de ruiten in hun auto's met AC. Waarom ze me aanstaren weet ik niet. Totdat ik merk dat ik, slechts gekleed in beha en tangaslip, een spoor van tanden en kiezen achter me laat. In de autospiegels zie ik mezelf met open mond. Mijn mond ziet eruit als die van een pasgeboren baby.

Toen ik daar zo zat op die klapstoeltjes tussen al die grijze mensjes was het alsof ik mijn eigen herdenking had. Het beeld werd het postuur van HIQ. Hoofdloos. Armloos. Op zijn knieën. Letters als tatoeages op zijn bronzen borst.

OPA en OMA legden bloemen neer bij een van de vele monumenten. Mijn grootvader zou van alle scheepsrampen tijdens die oorlog de enige nog levende overlevende zijn. Over OPA's gezicht gleed een traan.

Geheel onverwacht had ik in die drukke kantine met demente en vitale bejaarden een gesprek met OPA zoals ik het sinds mijn komst in Nederland niet eerder had gehad. OMA stond bij het buffet in de rij voor een bordje *nasi campur*. Hij had lang zwijgend rondgekeken. Ik was eraan gewend dat hij urenlang niet sprak. Maar opeens, meer om de tijd te doden dan omdat ik zo nieuwsgierig was, stelde ik hem vragen. Over de ex-militairen daar, over zijn leven, en over wat hij er nou eigenlijk allemaal van vond.

– Opa, wat was de mooiste tijd van je leven?
– Voor de oorlog. In dienst.
– Wat was je slechtste tijd?
– Het kamp.
– Wat had je anders willen doen in je leven?
– De dienst.
– Hoezo anders?
– Eruit.
– Wanneer?
– Na de onafhankelijkheid.
– Wat had je dan wel willen doen?
– Daar blijven... Het land daar opbouwen.
– Wilde je niet naar Nederland?
– (Schudt nee)
– Waarom niet?
– (Fluistert) Sakit hati.
– Vond je het hier te koud?
– (Krachtige stem) Ik hou van mijn geboorteland.
– Wilde je in Holland eigenlijk het leger niet in?
– ... (Schudt nee)
– Wat had je liever gewild?
– Eruit.
– Ook in Nederland de dienst uit?
– ... (Knikt)

– Waarom deed je dat dan niet?

– Je oma.

– Oma?

– Vraag haar maar.

– Waarom wilde zij dat je in Nederland de dienst in ging?

– ... (Brengt zijn hand omhoog. Wrijft met zijn wijsvinger en duim langs elkaar.)

– Waar ben je trots op?

– Mijn zonen.

– En je dochters?

– Op mijn dochters ook, ja.

– Wat had je eigenlijk willen doen?

– Boek schrijven.

– Waarover had je willen schrijven, opa?

– Mijn leven.

– (Ik pak zijn hand.)

– (Hij knijpt erin. Stevig.)

Een wijze zoon geeft zijn vader veel vreugde

OMA heeft het nooit over RAY. Ze vroeg me niks, ze zei me niks. Als ik de TANTES moet geloven is OPA ingestort op het moment dat hij hoorde dat zijn jongste zoon gestorven was.

'Ze kunnen niet komen, opa is ziek,' is alles wat mijn moeder over de familie had gezegd. Ik dacht aan een gewoon griepje. OPA zou altijd OPA zijn.

De huisarts begreep niet dat OPA niet over pijn had geklaagd en zei dat een normaal mens, met de fracturen die hij inmiddels had, het zou hebben uitgeschreeuwd.

'Hij is een echte militair,' had OMA trots gezegd, 'mijn man kan tegen een stootje.'

Alsof de diagnose van de huisarts nooit is vastgesteld, ontkent ze dat hij ongeneeslijk ziek is. Hij had meer aan sport moeten doen, hij is lui. Als hij wat meer zou bewegen zou het beter met hem gaan. Maar ze is vooral boos omdat hij geen melk drinkt. Als hij in zijn leven melk zou hebben gedronken, was hij nu niet zo slap geweest.

De TANTES hebben een andere verklaring voor OPA's achteruitgang. Dat hij suiker en kanker zou hebben ontkennen ze niet, maar de oudste TANTE zegt dat de tumor heeft kunnen toeslaan dankzij het verdriet om RAY. Een jongere beweert dat OPA de kanker als gast in zijn lichaam heeft omarmd vanwege zijn doodsverlangen. Dat baseert ze op het feit dat hij opeens zomaar in het midden van de huiskamer zonder aanleiding viel, nadat hij had gezegd dat hij niet meer wilde leven als hij zijn zoon nooit meer kon zien.

De jongste van de TANTES zei: 'Je opa wil naar je vader toe. Jouw vader was altijd al zijn lieveling. Het liefst wilde hij bij jullie in Indonesië wonen. En nu kan niemand hem nog tegenhouden om naar de hemel te gaan, voorgoed bij zijn benjamin.'

In alles wat ze zeggen proef ik het onderliggend verwijt dat mijn vader te jong is gestorven, dat hij te hard werkte, dat hij te weinig in Nederland is geweest, maar ook dat OPA meer van RAY dan van hen hield en dat mijn vader desondanks in het buitenland is gaan wonen.

Ik kan ze geen ongelijk geven. RAY was er ook voor DIAN en mij te weinig. Maar ik ben blij dat wij naar internationale scholen zijn gegaan en dat RAY niet hier in dit gehucht is blijven hangen, waar hij mijn moeder heeft ontmoet. Als ik hier op had moeten groeien en in een van de oersaaie grotere dorpen in de buurt naar het voortgezet onderwijs had moeten gaan, had ik me, voordat ik mijn diploma op zak had, al voor een trein gegooid.

Het zou geen spontane puberale daad geweest zijn. Het dichtstbijzijnde treinstation ligt hier tien kilometer vandaan. Die kilometers moet je overbruggen per bus, die dan ook nog eens een omweg maakt. Je wacht bij de bushalte, koopt een kaartje... alleen dat al zal je voorgenomen besluit beïnvloeden. Een kaartje kopen om te gaan sterven is demotiverend. En dan ben je daarna op een druk station omringd door mensen die je willen redden.

Zou je naar de eerste beste spoorlijn zoeken om er zonder bemoeienis van omstanders op te gaan liggen, dan kun je beter op de fiets stappen. Dat is niet meer dan een kilometer of zeven fietsen. Toch genoeg tijd om je te bedenken. Trappen tegen de wind in is ontmoedigend. Je draait je na een kwartiertje om, omdat je honger krijgt. Met de wind in je rug fiets je fluitend naar je opgemaakte bedje terug.

Maar voor mij persoonlijk zou die fysieke afstand te klein zijn om terug te willen komen op mijn geplande wanhoopsdaad. Ik weet zeker dat ik het hier niet lang uitgehouden had. JIS was, ondanks de terugkerende bedreigingen van bomaanslagen, en met de barricades rondom, die de school tot een fort maakten, een paradijs vergeleken bij het leven van een middelbarescholier in het dorp van mijn grootouders. En ondanks de verafgelegen treinstations zou het me niks verbazen als het aantal zelfmoorden onder pubers hier ruim boven het landelijk gemiddelde ligt.

Mijn moeders familie, of een deel ervan, schijnt hier in deze omgeving nog te wonen. Haar vader heeft ze nauwelijks gekend. Die stierf toen ze twee jaar oud was. Hij was piloot bij de luchtmacht en stortte neer met zijn straaljager. Het zal wel niet met een Starfighter zijn gebeurd.

RAY zei dat mijn moeder zijn eerste liefde was. Hij was al verliefd op haar toen hij haar als meisje van twaalf over straat zag lopen. Geduldig wachtte hij totdat ze vijftien was. Toen bleek dat zij als protestants meisje jarenlang naar de katholieke zondagsmis was gegaan om RAY te zien. En dat ze dagelijks een paar keer expres langs dit huis liep in de hoop een blik van RAY op te vangen.

Mijn vader was ruim negentien. Zij maar net vijftien. Haar moeder, die sinds de dood van haar man aan de drank was geraakt, en haar broers, die moeders voorbeeld volgden, vonden haar te jong. Dat snapte ze wel toen ze zelf moeder was. Maar als vijftienjarige had ze daar geen begrip voor. Ze was woedend op haar moeder, die de politie achter RAY aan had gestuurd.

RAY had haar min of meer geschaakt. Heel romantisch. Ze had haar paspoort uit haar moeders kast gepikt toen haar moeder haar roes lag uit te slapen, en is met RAY op reis gegaan. Dubrovnik, Athene, Istanboel, Teheran... India, Nepal... Daarna trok ze in bij RAY, in zijn studentenstad. Die eerste jaren durfde ze de straat niet op, als ze in het weekend met RAY bij OPA en OMA logeerde.

Pas toen wij geboren waren en al naar de basisschool gingen, heeft ze geprobeerd het contact met haar familie te herstellen. Tevergeefs. Ze waren boos en bleven boos. Ze nam mij en DIAN een keer tijdens een van onze vakanties in Nederland mee naar het huis van haar moeder. Die wilde niet opendoen en gluurde naar ons van achter de vitrages. Mijn moeder hield een heel betoog door de brievenbus. De hele straat kon ervan mee genieten. We hadden bloemen en cadeautjes bij ons. Maar de voordeur bleef gesloten. Een keer stonden mijn moeder en ik bij de supermarkt in de rij voor de kassa en toen fluisterde ze in mijn oor: 'Zie je die vrouw met die roodgeverfde krullenbos? Dat is mijn moeder.'

DIAN en ik fietsten vroeger wel eens door die straat en probeerden door de vitrages heen te kijken. Totdat we hoorden dat ze gestorven was. De rouwkaart was naar een van onze oude adressen in Jakarta gestuurd en had er zeven maanden over gedaan om ons te bereiken. Daar was mijn moeder woedend om. Als haar familie OPA en OMA hadden benaderd, had ze nog op tijd voor de begrafenis kunnen zijn. OPA had mijn moeders vader gekend. Hij was erbij toen hij met militaire eer werd begraven. Mijn moeder zat in de wandelwagen. Met die grote grijsgroene ogen hield ze alles in de gaten. Starfighters hadden rondjes boven de plechtigheid gemaakt. Mijn moeder had omhooggewezen en gejuicht: 'Papa, papa, daar is papa.'

Ik was er weliswaar niet bij. Maar dat heb ik ze horen zeggen.

Op straat hebben mijn grootouders mijn moeders moeder altijd keurig gegroet. Ook al zei ze niets terug.

Hoed je voor slecht gezelschap

Al dagen zwerf ik rond in Cyberland op zoek naar HIQ. Vroeger kon ik zien wanneer hij online was. Zijn oude e-mailadres, J-J.KNIFE@gmail.com heb ik in alle mogelijke variaties tevergeefs geprobeerd. Facebook heeft hij sinds de laatste schooldag niet meer bijgewerkt. Ik vond hem evenmin op alle andere netwerken, waar ik mijzelf heb aangemeld als Ennes Reitrop. Waarschijnlijk heeft hij, net als ik, geen contact meer met vrienden van JIS. Ik ben vast niet de enige die blijvend bruut reageerde. De stormachtige dagen, waarbij hij zich met zijn werkstuk en provocerende opmerkingen minder geliefd maakte, hebben de vriendschap die ze voor hem voelden onomkeerbaar aangetast. Niemand mailt mij nog. Het prikbord van SENNE PORTIER blijft leeg. Niemand weet dat ik met hem gebroken heb. Ze denken ongetwijfeld dat ik door hem ben besmet, omdat ik niet publiekelijk afstand nam. Niemand weet dat ik wachtte totdat we alleen waren. Niemand kan vermoeden wat zich tussen hem en mij op dat dak heeft afgespeeld. Als ik het aan ze uit moet leggen is het alsof ik een biecht afleg. En mijn vader mag dan rooms zijn opgevoed, ik geloof niet in het nut van de zeven sacramenten.

Net als mijn schoolgenoten ervoer ik het alsof hij de BB had willen verdedigen.

Natuurlijk wist ik wel dat HIQ na de BB net zo stuk was als wij.

Iedereen was dagenlang aangeslagen. Ook hij. We konden wekenlang over niks anders praten. Totdat we voor een tweede keer op schoolreis naar BALI gingen, herinnerde het woord BALI ons alleen nog aan de vele onschuldige doden, waaronder een van onze leraren, een meisje uit mijn jaar, en twee collega's van RAY. De gebeurtenis had van JIS een eenheid gemaakt. We hadden samen gerouwd. De school was een aantal malen gesloten vanwege de *threats*. JIS werd een vesting. Met elkaar en onder elkaar geloofden we in onze veiligheid.

Mijn eerste schoolreis naar BALI was mijn mooiste verblijf daar. Alle herinneringen aan dat eiland, de vele vakanties met de familie, werden verdrongen door die eerste trip met de school. We lagen met vier meisjes op een kamer. Gegil vanuit een andere kamer. Wij dachten dat er iemand verkracht werd, en renden de gang op. Maar het ging om een spin. Een grote, maar geen giftige. Een doodgewone spin.

Ik was de enige koele. Zonder aarzeling pakte ik de spin voorzichtig met twee handen op, zoals ik OMA vaak heb zien doen, en liep ermee de trappen af, naar buiten. Ik werd gevolgd door een lange stoet meisjes en jongens. HIQ was erbij. En toen ik de spin, die in mijn handen kriebelde, op het gazon van het hotel de vrijheid gaf, applaudisseerde iedereen. HIQ gaf mij, ten overstaan van alle anderen, een kus. Geen getong of zo. Gewoon een kus op de wang. Maar ik had nooit eerder de lippen van een jongen die-geen-familie-was op mijn wangen gevoeld.

Die herinnering werd door de tragische gebeurtenissen dramatisch doorkruist. Ook al nam HIQ sindsdien na elke vakantie een, zo niet levende, dan wel dode spin voor me mee, die BB-emotie dreef HIQ en mij toch een beetje uit elkaar. Ik sprak hem nooit meer alleen. Het was of die kus op mijn wang nooit gegeven was. Pas toen we met een grote groep naar *Lord of the Rings* deel 3 gingen, had hij weer aandacht voor mij.

Hij kwam uit de herentoiletten. Ik uit de dames. Niemand van school was in de buurt. Hij sloeg zijn arm om mij heen en kuste me op mijn voorhoofd. Niet in het midden. Aan de zijkant, omdat ik net wegdraaide, want ik had van hem allang geen zoentoenadering meer verwacht.

Daarna raakte ik niet meer in de ban van de ring. Wat ik op het doek voorbij zag komen was allesbehalve coherent: opdringerige violente beelden met een hoop heftige muziek. Ik kon me op niks anders concentreren dan op de sporen van zijn speeksel boven mijn linkerwenkbrauw. Alsof er slordig, met te weinig kinderlijm, een zegel op mijn voorhoofd was geplakt, dat volgens traditie de gelukkige drager romantiek en hartstocht beloofde. Het plaksel hield niet. Het zegel liet de volgende ochtend los, toen ik hoorde dat de school een paar dagen gesloten was vanwege dreigingen, zoals vaker gebeurde sinds de BB.

Misschien vreesde HIQ ook samenhang met ons kortstondig moment van intimiteit.

Op de derde kus heb ik moeten wachten totdat ik bijna vijftien was. En de eerste echte tongontmoeting kwam nog veel later. Dat was vlak voor de tweede BB. Maar HIQ liet zich door dat BB-drama niet meer intimideren. We zoenden elkaar sindsdien elke dag. Blinde hartstocht noem ik dat. Dankzij het vertrek van DIAN naar Nederland kreeg onze liefde ook letterlijk de ruimte om zich te ontwikkelen. HIQ en ik hadden een eigen thuis op het dak van ons huis.

Maar toen HIQ zijn COUSIN voorlas, zagen de anderen, en ook ik, hem niet meer als een van ons, maar als een van de daders. In mijn verbeelding zag ik hem met een fout rugzakje onze school binnenlopen en exploderen.

Problemen tussen mensen die van elkaar houden worden bijna altijd veroorzaakt door familie. Als HIQ die rare neef niet had gehad, waren wij nog steeds bij elkaar en zou ik nu niet hier in dit verlaten vliegdorp vastzitten met een OPA die aan het dementeren is en een OMA die hem behandelt als een cipier. Ik reed met HIQ in een jeep naar de Niagara Falls en we maakten foto's van elkaar met het vallende water als achtergrond.

In bed heb ik ons laatste gesprek vele malen overgedaan. Ik zocht naar andere mogelijkheden om mij uit te drukken. Die vond ik. Toen was ik kort door de bocht. Nu kan ik hetzelfde zeggen zonder kwaad te zijn. Een genuanceerder betoog om hem duidelijk te maken dat hij met zijn pleidooi voor dat familielid met wie hij is opgegroeid, een grens passeerde.

Maar om dat nu naar hem te gaan mailen... Zou hij een bericht van mij nog lezen na alles wat ik heb gezegd? Ik wil hem mijn excuses niet aanbieden. Eigenlijk denk ik er nog precies zo over als toen op het dak. Nu zou ik het alleen veel minder onbeholpen zeggen.

Het idee hem te skypen in dat kleine huis van mijn grootouders is verre van aantrekkelijk... Ze hebben geen wireless. Er is één aansluiting naast het thuiszorgbed van OPA. Meestal ga ik via hun computer het internet op. Te veel gedoe om in die kleine huiskamer, waar zestig jaar lief en leed in dozen en mappen ligt opgestapeld, een andere plek voor hun laptop te vinden. Het internetsnoertje biedt geen speling. Veel stopcontacten hebben ze niet. In dit dorp zijn geen bruikbare verlengsnoeren te koop. Hun laptop loopt binnen enkele minuten leeg, als de stekker van de oplader eruit getrokken is.

'Hij is weer zwart,' roept OMA in paniek als de batterij op is. Wanneer ik hun computer een halve meter verplaats, vreest zij al dat het ding het zal begeven. Hun kleine laptop met de ingebouwde camera is altijd online. De TANTES hebben hem zo ingesteld dat hij nooit in slaapstand is. De screensaver is een diashow. Duizenden foto's van kinderen en kleinkinderen passeren. Mijn TANTE gaf ze dat ding cadeau toen OPA nog kon lopen en ik nog gewoon een onschuldige leerling in Jakarta was met een toekomst in de Verenigde Staten van Amerika.

Dankzij haar kon OPA, wanneer hij maar wilde, zijn zonen in Indonesië zien. Maar OPA kijkt nu naar de laptop alsof het een televisie is met programma's die hij te ingewikkeld vindt om te volgen. OMA is blij dat haar kinderen dagelijks contact zoeken, neemt op als de bescheiden ringtoon klinkt, maar zal nooit uit zichzelf eens gaan bellen. De laptop is voor die oudjes niet meer dan een camera met een telefoon.

Ik heb me er al min of meer bij neergelegd dat de centrale positie van hun internetkabel mij desastreus beknot in mijn communicatiemogelijkheden. Ik ontdek een andere ik. Ik draag OMA's pyjama's, ik draag nooit meer make-up, en als ik niet oppas eindig ik in haar stoel bij het raam, met een van haar nog onvoltooide haakwerkjes in mijn handen.

's Nachts, in bed, weet ik precies wat ik HIQ de volgende dag zal zeggen. De aanwezigheid van mijn grootouders lijkt dan geen enkel probleem. Evenmin bekommer ik me erom of hij wel bereid zal zijn om op mijn uitnodiging tot een gesprek in te gaan.

Wat in de nacht redelijk lijkt, wordt in de vroege ochtend, na zwarte koffie en een knäckebroodje met een plakje Old Amsterdam ridicuul. Als hij niet toegeeft dat hij in zijn pleidooi voor zijn zielige neef te ver doorsloeg, als hij zijn standpunt blijft verdedigen, wil ik niet eens verder praten. Dan is hij heel wat dommer dan ik altijd dacht. Dan hoef ik niet lang te denken over een andere naam.

LIQ. How are you LIQ? What happened to HIQ, for God's sake?

In mijn mailbox heb ik replies met de volgende tekst:

This is an automatically generated Delivery Status Notification.

Delivery to the following recipients failed.

J-J.KNIFE@gmail.com
J-J.KNIFE@hotmail.com
JJ.KNIFE@gmail.com
J.KNIFE@gmail.com
JJ.KNIFE@hotmail.com
J-J.COUTEAU@gmail.com
J-J.COUTEAU@hotmail.com
J.COUTEAU@gmail.com
J.COUTEAU@gmail.com
Jean-Jacques.COUTEAU@gmail.com
Jean-Jacques.COUTEAU@hotmail.com
COUTEAU@gmail.com
COUTEAU@hotmail.com
HIQCOUTEAU@gmail.com
HIQCOUTEAU@hotmail.com
HIQ@gmail.com
HIQ@hotmail.com
HIQKNIFE@gmail.com
JJKNIFE@hotmail.com
JJKNIFE@gmail.com
Etc.

In het begin dacht ik alleen maar aan ons dak. Hoe hij eraf sprong terwijl ik nog niet uitgesproken was. Ik had de woede in mijn kiezen zitten. Onder mijn tong. In de toppen van mijn vingers.

Toch... Als ik in dat kleine kamertje lig te staren naar het onvoltooide naaktportret van OPA, dat voor de helft verscholen zit achter een kastje, lees ik in de blik van die geschilderde vrouw mijn eigen verlangen. Ik hoor OMA snurken in de andere kamer, OPA beneden roepen om zijn vrouw, en denk aan HIQ's warme stem. Ik voel zijn adem in mijn nek, en herinner me de keren dat hij mij in de gang van JIS iets in het oor fluisterde. Zijn mooie slanke vingers aan mijn hals. Teder. Hij was teder, ondanks zijn grote mond.

'I love your neck.' Dat zei hij vaak: 'I adore your neck.'

Als hij mijn buik en billen vastpakte, lachte hij: 'Yam yam, we are the most delicious sandwich in the world!'

Met zijn mooie bruine handen omvatte hij mijn taille als een ceintuur en vroeg: 'Am I your favorite belt?' Dan schoof hij zijn handen omhoog, onder mijn T-shirt, naar mijn borsten. In elke hand een borst. Hij vroeg: 'Or am I your favorite bra?'

Hij speelde met mijn haarlok terwijl hij mij die mooie praatjes over later op de mouw speldde: dat wij samen een advocatenkantoor zouden beginnen en de belangrijkste van de wereld zouden zijn, met vestigingen in Amerika, Singapore en Taiwan.

Het leven en den dood heb ik u voorgesteld

Er is hier weliswaar geen prikkeldraad of bilikomheining, maar in dit huis waar ik als kind op vakantie was, zit ik nu met die twee oudjes gevangen. Bij mijn aankomst kon OPA nog een beetje lopen, ondersteund door mij en OMA, met in zijn hand een wandelstok. Van de bank naar de wc, van de bank naar de keuken om zijn tanden te poetsen, en van de bank naar de traplift die speciaal voor hem is aangebracht.

Van die liftstoel schrok ik nog meer dan van OPA's lichamelijke achteruitgang. De liftstoel is breed en de trap smal en kronkelig. Met tegenzin wurm ik mij een weg naar boven. Daarbij komt dat OMA, principieel tegen droogmachines, haar wasgoed, inclusief de tweepersoonshoeslakens, in het trapgat hangt. Je ziet niet waar je loopt. Zou je de traplift gebruiken, dan loopt de lift halverwege in de lakens vast.

Ik worstel me een paar keer per dag door de *laundry jungle* die doorgaat op de overloop, met wasrekjes aan mijn open slaapkamerdeur, en theedoeken en handdoeken over een gammel staand droogrek in mijn slaapkamer, die kleiner is dan mijn badkamer in THE BIG DURIAN.

In dit huis voel ik me TITI. Ik zet niet alleen thee en koffie, ik bedien de gasten die dagelijks van heinde en ver, of uit het dorp komen binnenvallen, zet hun bloemen in de vaas, stop hun *risoles* in de magnetron, stoom hun *lemper*, warm hun *pangsiet* op in de oven, verdeel vuilnis over drie verschillend gekleurde containers, bak mijn eigen eieren, was af, help met koken, reinig de wc, verschoon mijn eigen bed en help OMA met de andere bedden.

Gedurende de korte tijd dat ik hier ben, heeft hun huiskamer vele metamorfoses doorgemaakt. Op de dag van mijn aankomst was bekend dat hun grote rode bank plaats moest maken voor een elektrische stoel, die ze via de radiobode had besteld. Ik begreep dit niet. OPA had niks te vertellen. Het was de keuze van OMA, die ik in mijn leven nog nooit op die bank heb gezien. Zij zat, de schaarse momenten dat ze zat, altijd op een van de eetstoelen of, tegen bedtijd, in de iets comfortabelere leren fauteuil, met twee geborduurde kussens in de rug.

'Je opa zakt te diep weg op de bank,' was haar excuus. Mijn gesputter om de bank te behouden vond geen weerklank. Haar besluit stond vast.

Die grote donkerrode gestoffeerde bank symboliseerde de hechtheid van de familie. Op die driepersoonsbank keken we met twaalf familieleden naar Studio Sport. OPA op de hoek. Zijn vaste plek. Een kleinkind bij hem op schoot, een kleinkind op zijn schouders, een kleinkind op de leuning naast de schoorsteenmantel. Verder mijn vader en mijn oom, mijn moeder en de TANTES tegen elkaar aan, tussen elkaars benen, bij elkaar op schoot of op de grond. Daartussen de kinderen, waaronder ik. De allerkleinsten in slaap. De bank klaagde nooit. Je moet veel van elkaar houden, om een hele voetbalwedstrijd lang, zo dicht op elkaar, tegen elkaar, naast elkaar te willen zitten.

Hun screensaver bewijst dat mijn geheugen me niet bedriegt. Foto op foto toont jong en oud aan elkaar gekluisterd op de bank. De contouren van het meubelstuk kun je alleen nog gissen. Hun bank was hun huiskamer. Hun huiskamer was hun bank.

Er werd een zwarte nappaleren elektrische stoel bezorgd, die zo nodig als bed voor OPA kon dienen. Met de hulp van de stoelbezorgers hebben we het symbool van de familieband op straat gezet. Volgens de kalender zou GROFVUIL al de volgende dag verlossing bieden. Maar de vuilniswagen scheurde het huis voorbij. Zo hard als haar tachtigjarige benen konden rende OMA de auto achterna, luid schreeuwend: Vuilnisman, vuilnisman, u vergeet mijn bank. U vergeet mijn bank!'

Honderd meter verderop stopten ze voor een kapot nachtkastje en twee oude fietsen. Daar maakten twee mannen, elk gekleed in een oranje overall, haar duidelijk dat onze bank de maximale breedte van toegestane meters overschreed.

Op internet zocht ik naar andere mogelijkheden. Ik vond U BELT, WIJ HALEN.

Ze hadden een volle agenda.

'Over twee dagen,' zei de mevrouw, 'hebben we een gaatje na de lunch.'

U BELT WIJ HALEN, nu zonder komma, stond op de verhuiswagen in hetzelfde lettertype. De chauffeur stapte uit, keek naar de belangrijkste zwijgende getuige van de hechtheid van familie PORTIER, en schudde zijn hoofd. 'Het spijt me mevrouwtje, de bank is nat.'

'Hij was droog toen we u belden.'

'Dat kan wel zijn, maar dan had u hem weer even binnen moeten zetten.'

Hij ontweek haar smekende blik, liep om de bank alsof de bekleding lepra had, schopte ertegen met zijn schoen, keek eronder.

OMA's monoloog was een smeekbede: 'We konden hem niet meer in huis zetten want daar hebben we geen plek meer voor en ik heb een speciale ligstoel voor mijn man moeten kopen want hij is ziek en op de bank liggen is niet goed voor zijn rug daarom moeten we hem wegdoen en dat gaat me heel erg aan het hart want hij is nog helemaal goed en als we er in huis plek voor hadden gehad dan hadden we hem dus ook binnengehaald maar in deze straat is iedereen al boven de tachtig of gehandicapt en samen met mijn kleindochter lukt het niet.'

Met samengebalde maar ingehouden woede hield OMA een krachtig pleidooi. Haar hoofd werd na elk woord dat uit haar bewegende mond kwam paarser. Haar linkervuist en ook de twee vingers van haar rechter waren gebald. Maar de man hield voet bij stuk. Haastig kroop hij weer achter het stuur. Zijn maat, die de auto niet was uit geweest, zwaaide vriendelijk toen ze wegreden. OMA trok haar mond tot een streep. Ze zocht om zich heen naar engelen of een sprookjesfee. Een diepe frons verbond haar twee wenkbrauwen. En omdat er geen wonder plaatsvond zei ze:'Leen jij even een zaag bij de buren?'

Het was euthanasie. Al had ze me de opdracht zelf gegeven, ik vermoedde dat ze het mij kwalijk nam dat ik de taak zonder protest op me nam. Met een elektrische zaag van haar buurvrouw stortte ik me op de houten onderdelen. De zaag liep in een veel te vroeg stadium vast. De bank was nog niet in tweeën, maar hier en daar al voldoende beschadigd om te kunnen hopen dat hij binnen niet al te korte tijd klein te krijgen was. OMA liet zich niet meer zien. Toch zou ze, met de open deur vanwege het verlengsnoer en vanwege de stoppen die waren doorgeslagen, in de gaten moeten hebben dat de zaag naar god was. De buurvrouw, al tien jaar weduwe, kwam wel naar buiten. 'Ik heb het ding nog nooit gebruikt,' zei ze. 'Die was nog van mijn man. Gooi maar weg.'

Toen heb ik, met OPA's roestige handzaag en een oude kleine vooroorlogse bijl, die ik achter in hun met fietsen en tuinstoelen gevulde schuur gevonden had, van de bank een stapel brandhout gemaakt. Het bankrestant sloeg ik in OMA's tuintje op.

Een maand later, toen GROFVUIL opnieuw langskwam om de oudjes van dit vergrijsde dorp te verlossen van troep die niet in de grijze container past, heb ik het hele zaakje met behulp van de kruiwagen van de buurvrouw aan de kant van de weg gezet.

OMA stond er doodstil, roerloos en zwijgend, met stiekem gebalde vuisten, te wachten tot alle opgestapelde delen waren opgeraapt en door GROFVUIL meegenomen.

'Ik snap het niet,' mopperde ze, nadat de vuilniswagen de straat uit was, 'dat ze van die tweedehandse winkel zo'n mooie antieke bank niet wilden hebben, terwijl zo veel jonge mensen een moord zouden doen voor zo'n meubelstuk. Ze verplichten je in dit land gewoon om iets wat nog goed is te vernielen.'

Na de bank moest de salontafel plaats maken voor een THUIS-ZORG-bed. Die loodzware tafel werd door een van de TANTES meegenomen. OPA was niet blij met de nieuwe beperkingen die het bed met zich meebracht. Regelmatig stapte hij 's nachts, als OMA en ik al uren lagen te slapen, uit bed, strompelde naar de trap, en worstelde zich langs de liftstoel omhoog. Met zijn hoogtevrees zou hij nooit zonder hulp van OMA de lift gebruiken om naar boven te gaan. De aanschaf van de traplift was zijn keuze niet geweest. Hij kroop liever via de treden omhoog. Maar halverwege ontbrak het hem aan energie om zich nog verder omhoog te hijsen.

Zijn geroep om OMA was ik gewend te negeren. Daar sliep ik goed doorheen. Maar op den duur werd ik wakker van de heftige strijd op de trap. Hun echtelijke strijd om macht was nooit eerder zo letterlijk uitgevochten.

OMA probeerde hem met al haar fysieke zowel als geestelijke kracht naar beneden te krijgen. OPA hield zich staande. Leek onverzettelijk. Koppig verzamelde hij energie om de door zijn vrouw verboden reis tot een goed einde te brengen.

Uiteindelijk, overmand door slaap, koos ik voor de weg van de minste weerstand: ik steunde OMA, die alles wat ze met haar rechterarm niet kon, met de rest van haar lijf dubbel en dwars probeerde op te vangen.

Ik praatte als Brugman om OPA te overreden met onze hulp de smalle trap weer af te dalen. Liever had ik hem, als ik zo sterk zou zijn, opgetild en naast OMA in bed gelegd... Maar om de een of andere mysterieuze reden dacht OMA dat toetreding tot hun tweepersoonsbed zijn gezondheid nog meer schade zou berokkenen.

Lastiger dan de beklimming van de Mount Everest was de afdaling van dertien gestoffeerde treden terug naar de begane grond. Eén verkeerde beweging van een van ons, en minstens een van ons drietjes, of erger nog ons drietal, zou beneden in de gang half op de schoenenkast, half op de grond komen te liggen, met een gebroken nek, gebroken wervels, of op zijn minst gekneusde ribben die je het lachen verbieden, terwijl het leven zonder af en toe een stiekeme lachbui om situaties als deze, ondraaglijk is.

Ik lach in mijn eentje. Ik lach op papier. Ik pak mijn laptop en verbeeld me dat RAY mijn woorden leest, als ik probeer de ellende van die twee mensjes in woorden om te zetten. OPA lacht soms halfbakken met me mee. Als OMA de was ophangt herinner ik hem aan zijn rare escapades van de nacht. We grinniken heimelijk. Soms lees ik hem uit mijn dagboek voor. Hij glimlacht ondeugend om hoe ik zo'n gebeurtenis van hem en zijn vrouw, worstelend op de trap, heb opgeschreven.

OMA heeft haar oren altijd gespitst. Als ze klaar is met de was, terug in de huiskamer plaatsneemt op de stoel naast het bergmeubel, en haar haakwerk oppakt, vraagt ze argwanend: 'Waar lachten jullie zo-even om?'

Gelukkig hebben ze altijd de televisie aan. Negen van de tien keer kan ik zonder probleem de schuld op de televisie schuiven. Meestal is er iets gaande over dieren, in elk geval altijd documentaires over de natuur.

'Die gorilla lachte net als opa,' antwoord ik.

'Ja, maar die aap is knapper,' zegt OMA dan. Zonder een spoor van een grijns op haar gezicht.

Ook al stond het grote bed van THUISZORG midden in de huis-kamer, mijn OPA kon aanvankelijk nog wel af en toe plaatsnemen in de elektrische stoel die nog niet zoveel eerder voor hem was aangeschaft. Nu kan hij ook dat niet meer. Hij woont in het bed. Ik heb mijn Dutch Dwarf Wife naast zijn hoofd gelegd. Het batikbeest kleurt mooi bij zijn gezicht. En het ondersteunt zijn hoofd, dan weer links, dan weer rechts. Uit zichzelf kan OPA zijn hoofd niet meer verroeren. De zwaartekracht bepaalt de rich-ting zonder hulp van KROKODIL. Zijn krachten worden ziender-ogen minder. Hij is al langer dan een maand de deur niet uit ge-weest. En sinds een week wordt hij dagelijks door iemand van THUISZORG gewassen. OMA en ik durven het met ons tweetjes niet meer aan.

Het was mijn idee om professionele hulp te zoeken. Ik ver-droeg het niet meer dat OMA's aanpak steeds meer op die van een kampbeul ging lijken. Het THUISZORG-bed werd door de ver-plegers verplaatst. Er moesten weer meubelstukken verdwijnen. OPA is te broos voor de steek of de fles. Hij draagt een luier en zijn urine wordt per katheter afgevoerd. Hij kan er niet aan wen-nen. Zijn waardigheid wordt aangetast, als zijn vrouw zegt: 'Laat maar lopen.'

'Senne, help mij,' roept hij dan. 'Ik moet naar achter.'

Ik voel mij Judas, als ik net als OMA zeg: 'Laat maar lopen, opa, laat maar gaan.'

Hij lijkt van porselein. Ik ben bang iets te breken als hij vraagt of ik zijn nek masseren wil. Eigenlijk wil hij niet meer eten. OMA dwingt hem. Ze slaat hem in het gezicht als hij zijn mond niet opendoet.

'Wie niet eet gaat dood,' zegt ze streng. 'Open je mond!'

Als hij bij de volgende hap opnieuw zijn mond gesloten houdt, slaat ze hem weer. Nog iets harder wanneer hij niet snel genoeg met een gewillige open mond reageert.

Minstens achttien klappen voordat zijn pap naar binnen is. De soep kost minder tikken, want iets vloeibaars wil hij wel. Van de rijst gaat hij hoesten. De Indonesische gerechten doen hem bijna stikken. Maar ze zegt: 'Stel je niet aan. Dit vind je lekker. Speciaal voor jou met sambal.'

Ik mag hem niet voeren omdat ze bang is dat ik, om hem te helpen, meer dan de helft zelf naar binnen zal werken. De TAN-TES zeggen dat ik het zo niet moet zien. Dat het iets moois is van hun tweetjes. Dat ze vecht voor zijn leven. Dat ze de lepel en het bord met hem wil delen, omdat ze het bed al niet meer deelt.

Hem te drinken geven mag ik wel. Daarvoor heeft ze geen geduld. Ze denkt dat hij de beker zelf wel vast kan houden, maar hij heeft geen kracht meer in zijn handen.

'Oma, die beker is te zwaar voor hem.'

Ze snauwt: 'Zolang hij steeds zegt dat hij uit bed wil en naar Indonesië toe, kan hij niet te zwak zijn om een glas water vast te houden.'

Het is waar dat hij af en toe zegt dat hij naar zijn geboorteland wil. Maar vaker dan dat vraagt hij om RAY.

'Waar is je vader,' fluistert hij soms, 'ik wil naar hem toe. Ik wil hem zien.'

Hun oudste zoon, die op BALI woont, was als enige van RAY's familie met zijn gezin op RAY's crematie. Er waren meer dan tweehonderd mensen. Vooral Indonesiërs, maar ook veel expats. OOM was met zijn vrouw gekomen. Ze sliepen in ons gastenverblijf. Hun kinderen waren er niet bij. De een studeert in Australië. Geneeskunde denk ik. Of biologie. Ik ben het vergeten. De ander is getrouwd met een Balinese danseres en tot het hindoeïsme bekeerd, maar woont in LA, waar zijn vrouw traditioneel Balinees dansen geeft en hij zich bezighoudt met computerspelletjes. Als je zijn naam intypt bij GOOGLE zie je dat hij het in die Amerikaanse business al aardig ver heeft geschopt.

Vroeger zag ik ze jaarlijks. Met Kerst op BALI. Ook als OMA en OPA bij ons logeerden gingen we daar naartoe. We logeerden in het hotel van OOM. In Ubud. Aan een drukke straat. De laatste jaren bemoeiden hun kinderen zich minder met ons. DIAN vindt het erg dat het contact is verwaterd. Mij maakt het niet veel uit. Ik hing er meestal al een beetje bij omdat ik zoveel jonger was.

OOM en zijn vrouw waren die dagen na mijn vaders dood aan één stuk door in tranen. De TANTES konden de overtocht voor de crematie niet betalen. Ze werken allemaal, maar ze verdienen niet genoeg. Zomaar een ticket kopen is te duur. Anders hadden ze dat, toen RAY nog leefde, ook wel vaker gedaan. Ze hadden jarenlang gespaard voordat ze konden komen logeren. Hun kinderen kwamen makkelijker aan tickets. OMA en OPA spekten hun spaarpot met geld voor verjaardagen, voor schoolrapporten, of zomaar voor Kerst of Sinterklaas, zoals ze ook onze spaarrekening telkens aanvulden.

Misschien wilden ze niet komen omdat OPA gevallen was. Mij is toen van alles ontgaan. Ik dacht niet aan familie. Het zou me worst zijn wie er was. HIQ was eigenlijk de enige die ik toen om me heen verdroeg. Ik zocht troost bij hem. Ik kreeg vrij van school. Rouwverlof. Maar ik was liever daar dan thuis, waar mijn moeder onuitstaanbaar was.

DIAN kwam uit Nederland over voor de plechtigheid. Die sprak tot diep in de nacht met OOM en zijn vrouw. Hij zat vaak aan de skype. Met Nederland of weet ik met wie. Als ik eraan terugdenk lijkt het of we elkaar toen hebben willen ontlopen. OMA en OPA waren niet gekomen. De familie gaf door dat OPA met spoed was opgenomen. Ze dachten in eerste instantie aan een hartaanval, toen hij zonder te struikelen opeens gevallen was. De TANTES en OMA stonden in het ziekenhuis rond OPA's bed, toen wij in Jakarta RAY de laatste eer bewezen.

OMA heeft sinds mijn komst nog steeds met geen woord over mijn vader gerept.

BODO

MEMILIH

Meer dan van wat ook, hou ik van de Jakartaanse *bau campur*: kretek, rijpe doerian, verbrand vlees, goedkope parfum van meisjes in pikante minirokjes en push-upbehaatjes, gelardeerd met een dodelijke concentratie uitlaatgassen. Dan ga ik zweven. Mijn ziel wordt licht, mijn hart warm, mijn denken transparant. Dat die jongelui uit Australië, Amerika, Europa in deze nachtelijke Jalan Jaksa op zoek naar drugs zijn, begrijp ik niet. Ik voel me senang van gewoon hier op deze kruk zitten en een beetje kijken naar wat passeert. Na slechts één klein biertje en een portie *sateh ayam kampong*, met niks anders dan een fles mineraalwater voor mijn neus, ben ik thuis.

Vanavond Jalan Jaksa, morgen Blok M. Daarna moet ik de knoop doorhakken: ofwel ik vlieg naar Bali en accepteer de baan als hoofd van de bewaking in een van de betere hotels van het eiland, ofwel ik accepteer de beter betaalde baan als hoofd bewakingsdienst in Jakarta, met als nadeel dat ik tweemaal per dag twee uur in de file zit, tenzij ik ga wonen in een wijk waar 's avonds niks te doen is.

De derde optie is terug naar Nederland en in de buurt van mijn toekomstige kleinkinderen rondhangen en stiekem hopen dat er ondanks de crisis af en toe nog een aardige baan op een presenteerblaadje langs komt fietsen.

BODO

Alhoewel ik in 1947 in Jakarta geboren ben, heb ik hier geen jeugdherinneringen. Mijn vader werd kort na de bevalling overgeplaatst naar Nieuw-Guinea, waar mijn moeder mijn acht broertjes baarde. Ieder jaar een. Omdat hij, als krijgsgevangene, verscheept naar Sumatra, voor de jap aan een spoorlijn moest werken die, tot zijn ontsteltenis, nooit in gebruik genomen is, is er tussen mij en hun eerste twee dochters een relatief groot leeftijdsverschil.

Mijn moeder zat tijdens de Japanse bezetting iets behaaglijker met mijn zusjes in een vrouwenkamp, hier in Jakarta, of het heette hier toen nog Batavia, misschien. Toen ze het jappenkamp in moest, was ze zwanger van de tweede. Dat de tweede dochter zonder hulp van arts of vroedvrouw ter wereld is gekomen, weet mijn oudste zus nog in detail. Al kon ze maar net lopen, ze beweert dat ze het heeft zien gebeuren. Pak van mijn hart dat ik er nog niet was, als ik de verhalen moet geloven.

Ik was de eerste zoon. Een liefdesbaby was ik niet. Die hereniging van het gezin is volgens mij niet zo vlekkeloos verlopen. Vanwege de onzekere toekomst, of Indië wel Indië zou blijven, wilde mijn vader na de oorlog eigenlijk geen kinderen meer, bekende hij mij, toen we hier in deze straat samen een kreteksigaretje rookten.

Ik zie ons hier nog zitten. Meestal zwijgend. Maar opeens brandde hij los. Er waren toen ook al meisjes van lichte zeden. Maar niet zo veel als nu. Of in elk geval ging het toen anders. Er kwamen veel jonge meisjes bij je zitten, gezellig babbelen, en dan vroeg opeens één van het stel zonder enige gêne, degene naar wie je misschien het vaakst gelachen had: '*Mau main, Bapak?*'

Mijn vader en ik deelden hier in Jakarta, in deze straat, voor het eerst iets wat ik altijd voor onmogelijk had gehouden. Elk namen we er een mee. Of liever gezegd: mijn vader een, en ik twee. Halverwege de nacht hebben we geruild. Het was zijn idee.

Tot de laatste snik is mijn vader seksueel actief gebleven. Ik vroeg hem de volgende ochtend, toen we opnieuw in deze straat

als ontbijt elk een portie nasi goreng aten: 'Hé ouwe, heb je wel
een condoom gebruikt?'
'Ben je gek? Dat heb ik nooit gedaan! Wat voor plezier heb je
met zo'n rubber ertussen?'
De periodieke onthouding wilde er bij mijn vader ook niet in.
Dus legde hij zich neer bij een voetbalteam.

Mijn liefde voor mijn geboortestad ontstond pas twintig jaar geleden, tijdens mijn vaders sentimental journey. Hij stond erop
dat ik, als oudste zoon, mijn zomervakantie met hem doorbracht
en mijn gezin achterliet. Dat had voor mij een scheiding tot gevolg. Mijn vrouw was zo nijdig omdat ik ons vakantiegeld gebruikte om er een ticket voor alleen mijzelf naar Indonesië van
te betalen, dat ik twee jaar lang mijn kinderen niet meer mocht
zien.
       Ik wist niet dat je met gratis hulp van een advocaat zo'n daad
aan kon vechten. Een goede vriend wees mij erop. Hij zei: 'Ga
met je ex praten, jongen, want anders krijg je spijt.' Maar voor
een gesprek was het wat mij betreft te laat. Ik was bang dat ik
haar in drift een dreun zou verkopen, en dan was ik nog verder
van huis.
       Er kwam een leuke regeling: elke maand op zondag mocht ik
met ze op stap. Mijn ex probeerde me toen nota bene te versieren. Ik bracht de kinderen na een middag in het Ajax-voetbalsta-
dion terug en ze wachtte me op in een mini-jurk met een decol-
leté tot aan haar navel. Voor de eerste keer in mijn leven zag ik
haar op naaldhakken. Zo hoog als die meisjes in deze bar dragen.
Die kinderen hier waggelen erop rond. Je kunt aan hun houding
zien dat ze overdag alleen op sloffen lopen. Westerse vrouwen
zijn er duizend keer beter in. Hun bekken is voor hoge hakken
gebouwd. Hollandse vrouwen hebben boezems om in te verdrin-
ken, en de mooiste benen van de wereld.
       Ze was mijn grote zwakte voor haar borsten en benen niet ver-
geten, dus ze had stevig uitgepakt. Natuurlijk moest ze precies

op dat moment de vuilnisbak buiten zetten. En haar leeftijd was haar nog echt niet aan te zien. Terwijl ik de kinderen gedag zoende, botste zij quasitoevallig tegen mij aan. Haar boezem tegen mijn elleboog. Maar daar ben ik niet ingetrapt. Ik had toen de smaak van het vrije leven al goed te pakken. Mijn vader had altijd al de pest aan mijn ex. Vanaf de eerste kennismaking. Omdat ze niet Indisch was en omdat ze een te brutale mond had. Ze tutoyeerde hem meteen, ook al had ik haar gewaarschuwd dat oudere indo's willen dat je u blijft zeggen. Hij liet het haar niet merken. Zij had niks door. Die fout maken westerse mensen hier vaak ook. Ze geloven die brede glimlach die het hele gebit laat zien. Ze hebben niet in de gaten wat soms achter zo'n vriendelijk gezicht verscholen gaat.

Mijn vader was geen aardige man. Egoïstisch en ook geen goede vader. Te streng en te veel met zichzelf bezig. En in mijn kinderen had hij nooit interesse getoond omdat hij toch al de tel niet kon bijhouden, wat zijn kleinkinderen betrof.

Ik was net boven de veertig. In de bloei van mijn leven. Mijn eerste en zijn laatste keer. Hij stierf in Singapore, waar we een stop-over hadden op mijn verzoek. Ik wilde er een camera kopen van de rest van het vakantiegeld. Door zijn dood was ik heel wat langer in die stad en de camera heb ik er uiteindelijk niet gekocht.

We waren eerst naar het eiland Sumatra, naar Pakan Baru gegaan, waar de beruchte spoorlijn door het oerwoud geheel was overwoekerd. Daar, bij een of ander restant ervan, heeft hij als een kleuter staan huilen. En ik maar zeggen: 'Rustig pa, rustig nou, wat geeft dat nou? Dat spoor is weg, maar jij leeft tenminste.' Achteraf bezien was het niet zo'n tactische troost omdat hij wist wat ik toen nog niet wist: de arts had hem, vanwege zijn slechte hart, nog slechts een paar maanden gegeven.

Daarna vlogen we naar Nieuw-Guinea, waar ik met mijn

broertjes, als een katjoeng, dag in dag uit heb gevoetbald op blote voeten, totdat ook dat eiland door Nederland werd opgegeven. Daar heeft mijn vader net zo staan janken als een kind. 'Dit zou het thuisland van ons indo's worden,' kwam er in horten en stoten uit. Tranen met tuiten. Kwijl uit zijn mond drupte op zijn op de pasar gekochte batikoverhemd.

'Nou pa, we hebben het toch fijn gehad in Holland,' probeerde ik hem te kalmeren. 'Moet je zien hoe die mensen hier leven. Hier hadden we niks te vreten gehad, man.'

'Het was niet eerlijk, Bodo.' Hij omarmde mij en ik moest moeite doen om de rest van wat hij zei te verstaan. Hij trok zich niets aan van de Papoea's in traditionele naaktheid, die zich in een cirkel om ons hadden geschaard en min of meer mee huilden, omdat ze leken te begrijpen dat er weer zo'n sentimentele indo kwam kijken waar hij ooit had gewoond.

Hij snikte: 'De Molukken voor de Ambonezen en Nieuw-Guinea voor ons indo's, dat hadden ze beloofd.'

Ik was dertien toen we in Nederland in een of ander kamp met houten huisjes kwamen wonen. We moesten eten in een kantine. Altijd aardappels met veel jus, groene drab en vlees dat in mijn holle kies zou passen. Ik deed een moord voor de saté waarmee je hier in de stad wordt doodgegooid. Maar een vuurtje maken mocht niet. We hadden geen keuken. Ons huisje werd verwarmd met een petroleumkacheltje. Een Aladdin noemden ze dat ding.

Daarna kwamen we in een nieuw dorp te wonen, dat met klei uit de zee was opgetrokken. Vroeger was er water en nu was er land. Een echt huis. Tien dezelfde aan elkaar op een rij. Ertegenover precies zo tien met dezelfde vierkante tuintjes voor en achter het huis. En alle straten waren gelijk, waardoor mijn zussen in het begin verdwaalden. Het vrouwelijk geslacht mist oriëntatiegevoel.

Ik kon er 's nachts niet slapen, altijd bezorgd dat ik met mijn bed drijvend in zee zou ontwaken en dat ik mijn zussen en broertjes moest gaan redden terwijl ik zelf ook nog niet zwemmen kon. Ik was nergens bang voor, maar wel voor water. Het Nederlands sprak ik met een zwaar Indisch accent en wij werden gepest op school. Daar heb ik leren vechten. In Nieuw-Guinea bleef het bij stoeien. De harde opvoeding van mijn vader kwam mij in het Hollandse polderlandschap goed van pas. Ik kon tegen een stootje. Toen ik de dienst inging was ik nog steeds een vechtersbaas.

Hier in deze bar, in een van de vele van deze stad, waar eenzame mensen op jacht zijn om de nacht niet in hun eentje te hoeven doorbrengen, zie ik een Indische jongen van rond de twintig, die zich door zijn uiterlijk en manier van lopen zowel van de westerse toeristen, zakenlieden en expats als van de autochtone bevolking onderscheidt. Mijn blik volgt hem al geruime tijd. Driemaal achter elkaar houdt hij een oudere prostituee aan. Dat ze hun geld met seks verdienen staat niet op hun te krappe jurkje geschreven. Toch weet iedereen hier in deze tent dat je die dames mee kan krijgen voor maximaal een euro of vijftig, 'to pay the taxi-fare', omdat ze liever bij jou in het hotel slapen dan in hun krotje in de slums.

Maar een knappe jonge vent die ieder jeugdig sexy meisje hier gratis krijgen kan, zoekt ouder, gerijpt vlees om te betalen voor een ontlading van negentig seconden op zijn hoogst. Wat bezielt die jongen? Hij heeft een mooie kop, is slank, nonchalant modieus gekleed en heeft een lichaamsbouw zoals ik ze zelden heb gezien in dienst. Ook bij mij op de training hadden ze meestal niet zulke brede schouders en zo'n gespierd lijf in combinatie met een ontroerende elegantie.

Hij is van het type dat, als ik ermee op een onbewoond eiland zou belanden, mij ervan zou weerhouden om sos-berichten uit te sturen. Zijn aantrekkelijkheid neemt bovendien toe, omdat hij niet in de gaten heeft dat de jongste allermooiste meisjes hier, ook die al een man aan de haak hebben geslagen, hun ogen niet van hem kunnen afhouden. Ik tel er zo al tien, die bij hem niet, voordat er een kledingstuk is uitgegaan, zoals gebruikelijk eerst om geld voor de taxi zouden zeuren.

Na enige observatie weet ik het zeker: het is een kleinzoon van Portier, de man aan wie ik zojuist nog zat te denken. De vriend door wie ik mijn best ben gaan doen om mijn kinderen weer te zien. De adjudant die ik met verdriet zag vertrekken. Zijn vervroegd pensioen was voor mij het dieptepunt in mijn toch al uitzichtloos bestaan als militair.

Ik ben goed in gezichten. Daarom ben ik een feilloos bewaker. Ik hoef ze niet te vragen of ze zich willen identificeren, als ik ze eenmaal heb gezien. En als ze me eenmaal iets hebben geflikt, zal het ze duur komen te staan, al zie ik ze pas weer terug na dertig jaren. Ik herken iedereen.

Dat joch deed toen een soort straatdans voor zijn opa. Met veel gespring, handstandjes, salto's, en al dat soort gymnastiek dat je in die videoclips op televisie ziet. Ik heb meer met martial arts. En zijn opa zal ook wel gedacht hebben: waarom doet die jongen niet gewoon aan pentjak silat in plaats van deze clownerie?

Wat mij toen frappeerde was zijn lenigheid, zijn souplesse. Ik lette minder op zijn gezicht. Maar ik herken hem nu. Hij is een kind van Portiers jongste zoon, van die Raymond, die hier in Jakarta is gaan wonen.

KEBETULAN

'Mag ik me even voorstellen? Ik ben Bodo Stam. We hebben elkaar al eens ontmoet bij jouw opa. De oude heer Portier is een erg goede vriend van mij.'

De jongen pakt mijn hand niet aan. Hij kijkt mij nauwelijks in de ogen. Hij wendt zich zelfs af.

Ik vervolg, met haastige stem: 'En op zijn vijfentachtigste verjaardag, die gevierd werd in het gebouwtje van... hoe heet dat toch... waar ook de Indische koempoelans van de Kota Radja altijd gehouden worden... daar heb ik je toen weer gezien. Dat is inmiddels... een jaar of twee geleden...'

Omdat hij blijft zwijgen en mijn uitgestoken hand nog steeds negeert, ga ik verder: 'Mijn god, wat gaat de tijd snel. Jij studeerde toch in Nederland?'

De jongeman, en nu ik hem van dichtbij zie schat ik hem op tweeëntwintig, kijkt mij oprecht verbaasd aan, en niet meer wantrouwig.

Mannen denken wel vaker dat ik van de verkeerde kant ben. Ik heb, dankzij toenaderingen van mijn eigen soort, vroeger enigszins geëxperimenteerd op dat gebied. Ik was er niet vies van. Vooral jong bloed trekt me wel. Een ronde strakke jongenskont is in principe aantrekkelijker dan de gemiddelde meisjesbil. En alhoewel grote borsten mij zelfs onder een oerlelijke kop opwinden, kan ik ook een stijve krijgen van een tengere platte jongensboezem.

Als jongen heb ik me een paar keer laten grijpen uit respect voor de man die bezit van me nam. Ook al was het mijn eerste en ook mijn tweede keuze niet, ik hield wel van de siddering die het opleverde en die ik nog altijd voel als ik eraan terugdenk. Ik heb mijzelf een aantal jaren geleden ook een paar keer schuldig gemaakt aan eenzelfde soort machtsmisbruik. Die verleiding is er nu eenmaal als je leerlingen zich devoot opstellen. Mijn periode van: als het lekker is dan is het goed. Nooit heb ik me aan minderjarigen vergrepen, maar het is toch fout en verboden en ik zal het nooit meer doen. Het is gelukkig ook niet meer terug te draaien. Ik betreur mijn goede en slechte ervaringen nimmer. Gedane zaken nemen geen keer.

Hij heeft mij inmiddels wel de hand geschud, maar zijn naam heeft hij mij niet gegeven.

'Hoe heet je ook alweer?'

'Dian,' zegt hij stroef. Zijn blik is gericht op een andere, erg lelijke, flanerende Indonesische dame van bijna dertig. Hij speurt de volle zaak af, is onrustig. Hij wil van me af, dat zie ik, maar ik laat hem nu niet gaan. Portier is voor mij een geweldige goeroe geweest. Als meerdere heeft hij zich ten opzichte van mij, die hele diensttijd op de basis, een ware vriend getoond. Hij was de enige die met lagere rangen sprak, die met ons koffie dronk. Er was verder geen hogere die, behalve het geven van bevelen, af en toe iets vriendelijks zei, of zoals Portier met je praatte over voetbal, informeerde naar de gang van zaken thuis, en aan je ogen zag dat er misschien iets mis was in het gezin waar je over liep te piekeren. Zelfs toen hij adjudant geworden was, vlak voor zijn vervroegd pensioen, zag ik hem nog gezellig in de kantine met soldaten babbelen. Zonder hem was het heel anders met mij afgelopen. Dan had ik hier niet zo gezeten, met als luxeprobleem te moeten kiezen tussen twee leuke banen in mijn geboorteland of voor een derde leven zonder werk, in de buurt van mijn kinderen en kleinkinderen.

BODO

'Hoe is het met je ouders, jongen?' vraag ik.

Het joch haalt zijn schouders op. 'Als je mijn opa zo goed kent,' zegt hij, 'dan zou je het laatste nieuws over mijn vader toch moeten weten.'

Ik bestudeer zijn gezicht. Ik tuur in zijn ogen. Hij is niet bang voor mij, hij heeft gewoon geen aandacht voor een kerel als ik. De jeugd, vooral de jongens zoals hij, die opgroeien op een internationale school met bediendes en een privé-chauffeur, met mobiele telefoons, iPods, blackberry's en andere digitale geneugten, die alleen maar welvaart kenden als kind, hebben een afkeer van rimpels, verval en alles wat naar verrotting riekt. Mensen zoals ik, bij wie het eten altijd tussen tandvlees en tandglazuur blijft kleven, met chipskruimels op onze lippen omdat de groeven in onze lippen het winnen van de zwaartekracht, hebben afgedaan.

Ze wanen zich centraal in deze veel te snel draaiende wereld. Zoals mensen in hun computerspelletjes altijd schietschijf zijn, zo zijn mensen op straat onzichtbaar voor ze. Op het voetpad maken ze geen ruimte, maar botsen tegen je op, als je zelf niet een stap opzijzet.

Ik ben opgevoed met respect voor ouderen: de Indische opvoeding. Daar had ik als kind misschien wel last van, maar naderhand werd ik er trots op en heb ik mijn kinderen met harde hand, zo goed als ik kon, dezelfde spartaanse opvoeding gegeven. Westerse antropologen noemen die mooie Indonesische adat om de ouderen vanwege hun wijsheid te respecteren 'bapaisme'. Dat hoorde ik pas zo'n wicht van vijfendertig zeggen tegen haar vriend in de ontbijtzaal van mijn hotel. Ik stond met die lui in de rij voor een gebakken ei en een jonge Aziatische heer liet een oude invalide man van rond de tachtig voorgaan. Het kostte me moeite om me niet met het gesprek te bemoeien. Ik voelde de drift in me groeien. Mijn vuisten wilden die twee beterweters te lijf gaan. Alsof het een ziekte is om de ouderen van de samenleving het respect te gunnen dat ze verdienen.

Misschien heeft Raymond Portier zich niet met de opvoeding van zijn zoon bemoeid. Hij is net als ik ook met een Hollandse getrouwd. Mijn kinderen zijn evenmin wat ik hoopte dat ze zouden worden. Ik had er door de scheiding geen vat meer op.

Ik ben lucht voor hem. Die jongen ziet in mij noch avontuur noch gevaar. Ik ruik aan het zweet van dit kind dat hij met heel andere zaken worstelt dan met bezorgdheid of ik iets van hem wil. Ook ben ik er inmiddels zeker van dat hij niet op zoek is naar een nummertje met een ervaren hoer.

'Ik heb je opa al een tijd niet gesproken, om eerlijk te zijn. Wat is er met je vader, Dian?'

Er is eindelijk een reactie. Hij kijkt op, door zijn lange wimpers, van onder zijn sluike donkerbruine haar, dat walgelijk aantrekkelijk schuin over zijn gezicht, deels over zijn voorhoofd en rechteroog valt.

'Jij bent toch een indo?'

Ik knik. Hij lijkt op zijn opa, die ook zelden rechtstreeks op vragen reageerde. Portiers respons was meestal secundair, of bleef uit. Vaak bracht hij je met een wedervraag op een ander onderwerp.

'Waarom hebben ze je Bodo genoemd? Dat doe je je kind toch niet aan?' Zijn stem klinkt geërgerd, zelfs een beetje boos.

'Mijn vader was er moeilijk van te overtuigen dat ik zijn kind was... Vanwege mijn blauwe ogen. Mijn beide ouders hadden bruine, zoals jij. "Kijk me niet zo onnozel aan met die lelijke ogen van je," riep hij altijd.'

Ik had het nooit eerder hardop gezegd en het nooit zelfs maar durven denken, maar het klopt: de kleur van mijn ogen alleen al was reden voor mijn vader om me met de rotan te lijf te gaan.

De jonge Portier kijkt me nu wel recht in mijn ogen. Lang en grondig.

Ik overweeg of ik hem zal uitleggen dat ik ook een gewone naam van mijn ouders kreeg. Drie maar liefst, die niemand ooit gebruikt en die mijn eigen moeder een aantal jaren voor haar dood al vergeten was.

'Ze zijn erg blauw, ja,' zegt hij. Dan, met een zucht, vraagt hij: 'Leeft je vader nog?'

Blijkbaar praat hij liever over mijn vader dan over de zijne. Zonder woorden en zonder gebaren deelt hij mij onomwonden mee dat ik niet moet denken dat hij ook maar iets van zijn onrust met me zal delen.

Ik wil hem op zijn gemak stellen, begin een beetje te babbelen over de laatste reis met mijn ouweheer. Lachend vertel ik hem over Singapore, toen ik in mijn eentje naar de bar was gegaan om een kleinigheid te eten, mijn vader op de kamer in zijn kleren op bed achterliet omdat hij even wilde rusten en ik hem een paar uur later precies zo aantrof op bed. Al stijf.

Daarna noemde ik alle plekken die ik met die ouwe in dit land heb bezocht. De jongen luistert, al blijft zijn blik rondgaan, zoals het lijkt, op zoek naar een Indonesische die ruimschoots ouder is dan hij.

Heel af en toe stelt hij een vraag. Dat doet hij, waarschijnlijk zonder dat hij het zelf in de gaten heeft, snauwerig. Ik herken in die houding iets van mezelf. Als jongen van die leeftijd zat ik al in het leger. Mijn vader had het geëist. Ik had te weinig mijn best gedaan op school, te veel gevochten, was in aanraking met de politie geweest vanwege straatgevechten, en hij schopte me letterlijk de dienst in. Mijn moeder noemde mij Anak Krakatau. Ik voel de neiging om deze kleinzoon van de ouwe Portier te vragen of iemand hem wel eens zo genoemd heeft. Maar ik doe het niet.

Hij kijkt minder om zich heen dan zo-even. Hij luistert aandachtig. Misschien leg ik hem straks ook nog mijn moeilijke keuze voor. Als hij echt zo veel op zijn opa lijkt als ik op het eerste gezicht vermoed, dan kan ik, door tegen hem aan te praten en daarbij op zijn gezicht te letten, niet anders dan de juiste keuze maken.

Zo ging dat vroeger ook, in dienst, als ik door mijn eigen stommiteiten weer eens in de knoei zat en niet wist hoe ik verder moest. Portier zag het aan me, praatte over ditjes en datjes, geleidelijk ging het gesprek over in bekentenissen van mij over wat me dwarszat en de oplossingen kwamen als het ware vanzelf. De manier waarop hij luisterde bepaalde de richting van mijn te maken keuze.

Het is geen toeval dat ik zijn kleinzoon hier en nu tegen het lijf loop. De jongen heeft er geen idee van hoezeer zijn aanwezigheid in deze bar, met aangeschoten toeristen en te luide muziek, mij geruststelt over de knopen die ik een dezer dagen doorhakken moet. Ik popel om hem mijn situatie uit te leggen. Maar eerst nog even meer gebabbel over mijn vader. Het is duidelijk dat er iets is, in het verhaal over mijn vaders laatste reis, wat hem intrigeert.

Ik vertel details. Hoe mijn vader zich voor het eerst openlijk uitsprak over gevoelens. Hoe er anekdotes opborrelden uit zijn jeugd bij het zien van vliegerende kinderen. Of bij de geur van geroosterde maïs. Dat hij opeens wilde gaan vissen en met zijn blote hand visjes ving in de smalle slootjes langs de rijstvelden. Dat hij me meenam naar een toko uit zijn jeugd, waar we samen slangenvlees aten. Ook hoe mijn vader mij in vertrouwen nam over intieme zaken die hij nooit eerder aan iemand had verteld. Zijn eerste verliefdheid: een meisje op wie zijn beste vriend ook verliefd was. En hoe ze daarover tegen elkaar zwegen, maar hoe ze daar vlak voor de oorlog slaande ruzie over kregen en dat het nooit meer goed kwam. En de anekdotes die hij fluisterend vertelde, in rare flarden, alsof hij stukken expres oversloeg: tragische incidenten die hij tijdens de oorlog en ten tijde van de Indonesische revolutie had meegemaakt.

Dian onderbreekt mij midden in mijn zin, als ik zeg: 'We hadden een heel merkwaardige ontmoeting in Sidoarjo, waar mijn vader...'

'Sidoarjo? Mijn vader was in Sidoarjo... toen hij... toen...'
Dan zwijgt hij. Het lijkt of hij spijt heeft dat hij deze weg is ingeslagen. Een beetje hulpeloos kijkt hij rond.
'Ik zoek een vrouw,' zegt hij. 'Ze was onze buurvrouw. Maar ze woont er niet meer. Er zijn nog geen andere huurders in dat huis, maar het staat leeg. En ik heb haar dringend nodig.'
'In Sidoarjo?' vraag ik.
'Nee... ja... nee, maar mijn vader was met haar in Sidoarjo toen hij...'
Plotseling krimpt de jongen in mekaar, en snikt. Hij hoest en huilt en hangt over mij heen. Zijn slungelachtige lijf schokt. Ik schenk mijn nog steeds lege glas vol met mineraalwater en houd het voor zijn mond. Hij pakt het aan en drinkt gehoorzaam. Als het glas leeg is, vul ik het opnieuw tot aan de rand toe en ook dat drinkt hij achter elkaar leeg. Hij veegt zijn natte gezicht met zijn T-shirt droog en snuift het snot op zijn bovenlip met veel kracht terug in zijn neus. Dan zucht hij diep: 'Kende je mijn vader ook een beetje?'
Dit gaat een lange avond worden, dat voel ik aan mijn Indische sloffen.

KONFRONTASI

De jonge Portier is de weg kwijt. Hij blijkt zo koppig te zijn als zijn grootmoeder, die ik maar een paar keer heb ontmoet, maar vaak genoeg om te weten hoe zij in elkaar steekt. Ze tolereerde niet dat haar man de dienst uitging om een burgerbaan te zoeken.

Die ouwe Portier, de beste goeroe van de mooiste vechtkunst ter wereld, was zijn eigen vrouw helaas bij lange niet de baas. Ik had dat al gezien tijdens een vliegfeest, waar zij hem stond te commanderen als een kapitein dat hij de cockpitstoel moest schoonwrijven omdat haar kleding anders onder de smeer zou komen.

Portier liet haar praten, zoals hij de indohaters van de dienst ook altijd wist te negeren. Maar zijn vrouw bleef emmeren over de zwarte vlekken die haar kinderen op hun zondagse kleren zouden krijgen en ging zelf in hangarkasten op zoek naar een doek om het interieur van de straaljager een beetje op te poetsen.

Elke keer als Portier helemaal genoeg had van de basis en resoluut zei dat hij daar zijn laatste werkdag had gehad, stapte hij op de fiets met mijn opgevouwen *Telegraaf* onder zijn arm. Thuis aangekomen gaf zijn vrouw hem zelfs de kans niet om de advertentiepagina's open te vouwen. Ongelezen kwam de krant terug. Met die innemende ondeugende op de basis fameuze glimlach die niet verwees naar hem als verliezer, maar als winnaar omdat hij boven alle materie en boven alle aardse gemakken stond, zei hij: '*Tidak apa apa*. Ik zit mijn tijd wel uit.'

De paar keer dat ik zijn echtgenote tijdens discussies meemaakte, of het nu over de vooroorlogse periode ging of over iets
anders, was zij altijd overtuigd van haar eigen gelijk. En ze ging
door totdat iedereen expliciet haar dat gelijk ook schonk.

De eerste keer was niet zozeer een discussie, maar het gebeurde tijdens een wedstrijd van onze plaatselijke voetbalvereniging.
Haar jongste zoon, denk ik, werd als midvoor zwaar getackeld
door een robuuste tegenstander van een jaar of twintig. Een club
uit Spakenburg. Ze staken met kop en schouders uit boven de
jongens van onze dorpsclub, waarin vooral indo's zaten. Zonen
van militairen van de basis en van de landmachtkazerne van dezelfde gemeente. Ik stond er langs de lijn als coach.

Mevrouw Portier, een leeftijdloze dame met een perzikhuidje,
die met haar kortgeknipte haar en vormeloze kleding niks had
van een vrouw of een man, maar de aangeboren nieuwsgierig-
heid in de mens daardoor seksueel wel enigszins op een eigen-
zinnige manier prikkelde, was er zeker van dat de scheidsrechter
onterecht voor buitenspel gefloten had.

En niet alleen dat... Ze stormde woedend het veld op. Hij had
moeten fluiten voor een strafschop. Driftig schreeuwde ze dat
die verbouwereerde scheidsrechter toe. Maar ze liep niet zijn
richting in, wat op zichzelf al een vertoning zou zijn geweest,
maar de andere kant op.

Die kleine Indische dame, die tegen de winterse kou een lange broek onder haar jurk droeg, met daarover een lang geleden al uit de mode geraakte auberginekleurig winterjack, en om
haar hoofd een bloemetjeshoofddoek geknoopt, dat deels bedekt
werd door de met teddy gevoerde capuchon van de te ruim vallende jas, liep met een gebalde vuist af op de Spakenburger die in
het vuur van het spel haar zoon met een schop tegen de knie had
gevloerd.

Ze kwam met haar hoofd maar net boven zijn middel, die kleine krijgster van Portier.

Zwaaiend met haar linkervuist riep ze: 'Dat die scheidsrechter blind is, maar ík ben dat niet! Probeer het nog eens en je hebt van mij een goeie tik te pakken.' Ze hield haar trillende gebalde vuist voor zijn kin en haar andere arm raar strak langs haar korte lichaam, met die hand diep in de zak van het te grote herenjack.

'Ach mens, zeur niet,' zei die jongeman, 'het was maar een klein tikkie.'

'Wat? Klein tikkie? Ik zal jou een klein tikkie geven!'

En ze maakte sprongetjes om haar vuist ter hoogte van zijn ogen te zwaaien, wat er lachwekkend uitzag omdat ze die andere hand in haar jaszak hield.

Ik rende erop af en probeerde haar met beleefde overreding mee te krijgen. Nooit eerder had ik een koppiger mens meegemaakt. Ze rukte zich los uit mijn greep en begon de Spakenburger in zijn maag te porren.

Toen moest ik haar in de greep houden die ik van haar man na veel bedelen heb geleerd, en droeg haar het veld af. Mijn ogen zochten Portier. Die had het tafereel de rug toegekeerd en haalde juist zijn fiets van het slot om in stilte te vertrekken.

Hij voelde mijn blik in zijn rug en draaide zijn hoofd naar mij om. Ik liet zijn vrouw gaan, die onmiddellijk terug naar het veld rende, en het daar alsnog aan de stok kreeg met de scheidsrechter en het hele Spakenburger team.

Portier grinnikte: 'Zij houdt altijd het langste vol. Laat haar maar.'

Toen fietste hij weg.

Het stimuleerde mij niet om hem na zijn pensioen thuis te bezoeken. Ik ontmoette hem liever bij de pentjak silat-vereniging, waar hij in het bestuur zat met een erefunctie. Ik zag hem tijdens de examens, omdat hij de belangijkste man was van het examencomité en dan bleven we na afloop nog lang praten. Zonder bier. Zonder poespas. Meestal gewoon in de lege kleedkamer, urenlang.

Maar hij is gestopt met het afnemen van de examens toen hij

's winters, juist als de examens waren, naar zijn zonen in Indonesië ging. 'Omgekeerde wereld,' lachte hij toen, 'ik moest naar Holland voor hun toekomst en nu wonen zij daar.'

Naarmate ik meer van zijn kleinzoon zie, verdwijnt de gelijkenis met de ouwe Portier als sneeuw voor de tropische avondlucht. Nu ik eenmaal het vertrouwen van de jongen heb gewonnen, blijkt hij een echte prater te zijn. Inmiddels doet hij mij meer denken aan zijn oma, die ik heimelijk vanaf de eerste keer dat ik haar zag, 'de kleine krijgster' noemde, terwijl ik, nog steeds, aan zijn opa denk als 'De Grote Krijger' van wie ik alles over de vechtsport en daarmee veel over het leven heb geleerd. De oude Portier had zijn kennis opgedaan bij grote meesters in de kampongs van het oude Indië. Hij vocht zelf nooit. Ook niet voor de lol. En hij koos zijn leerlingen met zorg. Weinigen hebben die eer gehad. Ik heb erg mijn best moeten doen om zijn pentjak silat-pupil te mogen zijn. En nog altijd ga ik op mijn knieën van dankbaarheid dat hij mij die gunst uiteindelijk heeft verleend.

Door de bezetenheid waarmee Dian van plan is zijn vaders onschuld te bewijzen, is zijn denken vertroebeld. Hij denkt dat één plus één twee is en twee plus twee vier. Helaas is hij nog te veel een adolescent en te weinig volwassen om te beseffen dat je in de realiteit niet ver komt met het hoofdrekenen dat ze je op school hebben geleerd. De variabelen uit de complexe werkelijkheid, waarbij gevoelens en motieven een grotere rol spelen dan feiten, bepalen de uitkomst van je sommetjes. Ikzelf heb het optellen daarom al afgeleerd. Je kijkt, je luistert naar je zintuigen, en je weet hoe de vork in de steel zit. Als je gaat rekenen zit je mis.

Het joch is begonnen met alle vestigingen in Indonesië van zijn vaders werk te bezoeken. Hij heeft hun projecten bestudeerd en werknemers ondervraagd. Dat bracht hem niet verder en nu is hij op zoek naar een zekere Nirasha. Haar achternaam weet hij

niet, maar hij heeft wel een beschrijving van deze dame die tot vlak nadat zijn vader aan verwaarloosde knokkelkoorts stierf, nog in hetzelfde complex woonde als zijn ouders. Uit de manier waarop hij haar beschrijft kan ik opmaken dat hij haar goedgezind is. Daarover laat hij echter niks los. Het signalement waarmee ik haar in deze tent moet zien te vinden luidt:
*Rond de dertig.
*Misschien niet 100% Indonesisch bloed vanwege haar lichte huidskleur.
*Een stevige moedervlek op de plek waar hij hoort, namelijk op haar jukbeen. Links.
*Een welgevormde mond met volle lippen.
*Een bescheiden Javaanse neus.
*Lang voor een Indonesische, maar middelmatig als ze Europees zou zijn geweest.
*Slanke benen met gespierde kuiten, alsof ze danseres is geweest.
*Bescheiden maar stevige borsten.
*Kleedt zich modieus. Schoeisel is niet constant, alles mogelijk.
*Bescheiden opgemaakt, maar altijd felrode lippen.
*Lang zwart haar dat ze altijd opgestoken draagt, en dat, als de zon erop schijnt, een kastanjebruine gloed geeft.

Maar in Dragonfly schijnt de zon niet. Wel klinkt hier de jarenzeventigmuziek luid. De vorige keer dat ik hier was, meegenomen door mijn mogelijk toekomstige baas, klonk er housemuziek. Ik ben blij dat ik nu naar 'Dark side of the moon' mag luisteren.

Het is nog geen middernacht, maar het begint behoorlijk vol te lopen. Dian lijkt niet erg onder de indruk van de architectuur. Hij slikt de bijzondere verlichting en de lichtgevende imposante decoraties als zoete koek. Ikzelf stond hier de vorige keer met open mond te kijken. De inrichting imponeerde mij voldoende om te vergeten te letten op al die jonge, prachtige en minder mooie lichamen, die hier in ontwerpen van provocerende designers indruk op elkaar komen maken. Het was me allemaal wat te groot, en ik voelde me klein. En niet op die plezierige manier wanneer ik me in een Zwitsers berglandschap of op een vulkaan zoals de Bromo bevind. In de natuur voel ik mij plezierig nietig, en hier voelde ik mij overbodig, ofwel hinderlijk onbenullig. Zonder mij was Dian hier niet binnengekomen. Het gaat middels wachtlijsten, tenzij ze je naam kennen of dat je iemand hebt zoals mijn mogelijk toekomstige baas, die je hier naar binnen helpt. Dat beseft Dian wel. Hij is me nu al eeuwig dankbaar en vertrouwt op mijn uiteenzetting over de locaties waar we naar deze Nirasha moeten zoeken.

Mijn voorstel was om eerst zijn moeder te leren kennen en eens uitgebreid met haar te praten, om zo veel mogelijk over zijn vaders overlijden en die buurvrouw te weten te komen. Ik heb behoefte aan een objectiever verhaal van een volwassene. Maar Dian raakte in paniek toen ik daarover begon. Zijn moeder mag niet weten dat hij hier is, en evenmin wat hij van plan is.

Die Nirasha zou volgens zijn moeder een dure hoer zijn, die als een kat in het nauw is weggevlucht. Zijn moeder zou die buurvrouw met de dood hebben bedreigd omdat zijn vader was gestorven in een tweederangshotel in Oost-Java waar ook die Nirasha verbleef.

Dat laatste amuseerde me. Het was nog meer reden om zijn moeder te bezoeken. Een vrouw met allure en power. Daar houd ik van. Het pleit voor haar dat ze niet over zich heen laat lopen. Ik zou ook mijn handen losjes hebben gehad als ik er na de dood van mijn partner achter moet komen dat zij mij bedroog en de laatste uren met die ellendeling doorbracht.

Dian is er echter van overtuigd dat zijn vader zijn moeder nooit ontrouw is geweest. Ook niet met die schone dame die de trieste naam Nirasha draagt. Hij weet zeker dat er een andere re-

den voor zijn vader was om daar op die plek op dat tijdstip met
die buurvrouw in hetzelfde hotel te zijn, en dat wil hij bewijzen.
Hij heeft niet veel om zich aan vast te grijpen. Eigenlijk is er, wat
mij betreft, alleen maar bewijs voorhanden dat Raymond Portier
op heterdaad door de duivel is betrapt.

Terwijl ik geacht word om tussen de horden te mooie mensen die
deze tent binnenwandelen de mysterieuze Nirasha te herkennen,
kan ik niet anders dan piekeren over de feiten die ik van de kleinzoon van Portier gekregen heb.

De wijze waarop hij de kaarten schudt getuigt van een feilloos
vertrouwen in de goedheid van zijn vader. Ik wil er graag in meegaan, maar ik ken mijn eigen zwakheden en falen en daardoor
schud ik de kaarten anders. Ook speel ik momenteel een ander
spel.

Hoe ik erbij kom om zo toeschietelijk te zijn, om mijn eigen
probleem opzij te schuiven en deze jonge overmoedige student
te helpen in zijn speurtocht naar rechtvaardigheid waarin ikzelf
niet eens geloof, weet ik wel.

Het is een mengeling van een zwak voor zijn type en de warme
vriendschap en dankbaarheid die ik voel voor zijn opa. Maar die
hulp die ik hem geboden heb, druist in tegen mijn eigen nuch-
terheid. Ik moet alles op een rijtje zetten en niet meegaan in de
koorts van die jongen om weer in zijn vader te kunnen geloven.
Op het moment dat ik het verhaal over zijn vader te horen kreeg,
kon ik niet anders dan zijn vader als een menselijke zondaar zien.
Maar nee, ik stel mijn urgente beslissing uit: ik neem het risico
twee topbanen in mijn geboorteland kwijt te raken en ik hob-
bel als een hitsige beer achter een smakelijk jongenskontje aan.
Ik wil dit hertenjong troosten als hij, na veel zoeken, alleen maar
bewijsmateriaal heeft kunnen opduiken dat zijn moeder zal bevestigen in wat ze al weet: dat zijn vader de hartstocht prefereer-
de boven een genezingsproces van de *denguefever* in het echtelijke bed. Zijn beestachtige geilheid leidde tot de dood. Hij dacht

dat zijn ontrouw niet ontdekt zou worden door heel discreet een aparte kamer te nemen. Naïef. Dus wie weet is hij jarenlang een brave echtgenoot geweest, en was dit eerste uitstapje meteen het fatale.

Hier staan we dan. Ik heb zojuist drie keer meer betaald voor een fles whisky dan in de duurste dranktoko van deze stad. En dat terwijl ik een paar jaar geleden de zwaar alcoholische dranken heb afgezworen.

Dian wordt omhelsd door een vijftal meisjes van hooguit zeventien in mini-jurkjes, omhangen met goud en zilver, en met Gucci-handtassen over de schouder.

Engelstalige uitroepen die blijdschap om het weerzien moeten uitdrukken. Hij ondergaat het lijdzaam. Na veel beleefd glimlachen maakt hij zich van hen los, en komt naast me staan. De meisjes verdwijnen tussen andere prachtige jonge vrouwen en opgeschoten knapen op gympies. Geld, je ruikt het geld in de zakken van die kinderen. De jongens zijn niet opgewonden van de onschuldige schoonheid die onder de uitgaansjurkjes van de meisjes nauwelijks bedekt wordt en mij onrustig maakt. Zij lopen met een stijve in hun wijde spijkerbroeken omdat ze de duurste gadgets in hun zakken dragen. En stuk voor stuk missen ze de kansen die ze pas zullen betreuren als ze zo oud zijn als ik, die alleen maar toe mag kijken, en weet dat wat daar loopt en giechelt, er nooit voor mij zal zijn.

Een van hen, de mooiste naar mijn mening, met ogen als gepelde lychees, loopt terug. Omdat ik niet besta gaat ze zonder excuses tussen hem en mij in staan, en roept hard boven de muziek uit: 'Do you know if zen is still with knife?'

Ik heb mijn oren gespitst. Dat is mijn aard. De zin intrigeert mij. Ik kan de betekenis ervan niet achterhalen, maar hij beklijft.

Ik bespeur bij Dian enige interesse in dit meisje. De lichaamsgeur van het meisje, dat met haar kleine strakke kont tegen mijn buik aan rijdt, verraadt geen vleselijke belangstelling voor hem.

Mijn neus steekt in haar haren. Ze blijft volstrekt immuun voor wat er in mijn broek is hard geworden en wat geen andere kant op kan dan tegen haar dijbeen botsen als een gevangen slang die naar adem snakt.

Ik hang onbeschoft ver naar voren, in een stand die zonder enige verdere inspanning zou kunnen leiden tot een gratis orgasme, als ze vervolgt: 'Ik vind dat iedereen echt overdreven gereageerd heeft op hem. Hij is gewoon ongelooflijk intelligent en zijn werkstuk was knap. Nou hoorde ik dat ze uit elkaar zijn? Is dat waar?'

Mijn neus hangt nu niet meer in haar pasgewassen haren, maar naast haar, nog net niet rustend op haar schouder. Het zijn haar zestien centimeter hoge naaldhakken en mijn poging om niet al te veel met mijn hunkerend geslacht tussen haar benen te hangen, dat ik nu een andere houding uitprobeer.

Dian haalt licht zijn schouders op.

Het meisje praat door: 'Kijk, ik wil hem niet benaderen als hij nog steeds met haar is, snap je?'

Dian knikt. 'Ze zijn uit elkaar, denk ik,' zegt hij. Althans, dat kan ik liplezen en dat kan dat meisje ook. Ze kust hem spontaan op beide wangen, draait zich abrupt ruw om, waardoor mijn alter ego wordt afgestraft, en rent weg. Binnen enkele seconden is ze opgelost in een veel drukkere Dragonfly dan toen Dian en ik de zaal betraden.

'Een ex?' vraag ik tegen beter weten in.

'Een oud-klasgenootje van mijn zusje.'

Hij zucht en zegt: 'Laten we ons verdelen. Anders vinden we die Nirasha nooit. Dan spreken we over een uur weer op dit punt af. Misschien moeten we vanavond ook nog naar Blowfish gaan. En dan liefst nog twee hotelbars meepikken.'

Ik kijk op mijn horloge. Maar voordat ik de stand van de wijzers goed heb kunnen zien, roept Dian: 'Blijf staan!'

Een stevige ruk aan mijn arm doet mij wankelen en ik voel hoe hij, met zijn gezicht tegen mijn achterwerk, zich hurkend achter mij verschuilt. Een adembenemende blondine van tussen de veertig en vijftig, honderd procent mijn smaak, met goddelijke benen en een boezem die als twee magneten mijn ogen wreed treitert, waardoor ik met beide handen houvast zoek aan de bar, baant zich een weg in onze richting en roept: 'Dian, wat doe jij hier?'

Dat zal Nirasha niet zijn.

Dian komt van achter mij tevoorschijn.

'Ha, mam,' zegt hij, 'ik was je net van plan te bellen.'

KOMUNIKASI

Nu is het mijn schuld. Een roodgestifte snel pratende geagiteerde mond en grijsgroene ogen die toch heel even de mijne ontmoeten, geven mij de schuld dat Dian Portier zijn bezoek aan Jakarta niet allereerst bij zijn moeder had gemeld. Niet om te flirten, maar om te onderzoeken of ik een geile homo ben, die haar zoon op het slechte pad heeft gebracht, richten die prachtige ogen onder de met mascara bewerkte wimpers zich even op de mijne.

Ik kijk terug, strak, en met de dringende behoefte haar te verleiden nog even hier te blijven. Wat ben jij sexy, schreeuwt mijn blik, die ze vanaf dat moment hautain negeert. Ik sta buitenspel.

'Waarom weet ik niet dat jij in Jakarta bent?'

Die vraag hoor ik haar stellen als Dian zich naar mij vooroverbuigt. Hij is bijna een kop groter dan ik. Dat stoorde me eerder nog niet, maar nu wel. Ik voel me een vette vadsige dwerg, met zijn moeder op naaldhakken naast ons en haar borsten ter hoogte van mijn kin.

Hij fluistert in mijn oor de volgende wanhoopskreet: 'Zoek Nirasha, please!'

Ze heeft me niet eens de kans gegeven me aan haar voor te stellen. Ik weet niet of ze nog ergens in dit gebouw zijn. En ik heb geen idee of Dian nog van plan is om hier over een uur terug te komen. Ik heb zijn moeder zelfs de hand niet mogen schudden. Koele handen, vermoed ik. Zoals mijn ex altijd koude vingers en nog koudere tenen had, ongeacht de kamertemperatuur en ondanks de hoeveelheid dekens op ons tweepersoonsbed.

Gelukkig heb ik in mijn broekzak het nummer van zijn *ponsel*, of zoals ze hier ook zeggen, zijn HP.

Helaas praat ik nog niet *halus* genoeg om me senang te voelen onder Indonesische intellectuelen, maar ik kan me erg goed uitdrukken als de omstandigheden me niet verbieden om *kasar* te zijn.

Het Bahasa zit nog wel in mijn lijf. De taal is gegroeid, veranderd, sinds ik hier vertrok als jongetje van dertien. Toen had je veel andere uitdrukkingen. Allerlei woorden die we in Nieuw-Guinea veelvuldig gebruikten kent de tegenwoordige jeugd hier niet. Het maakt uit of ik met iemand van mijn leeftijd praat of met een groep middelbarescholieren op straat. Mijn woordenschat is te beperkt onder jongeren, maar Indonesiërs van mijn leeftijd of ouder hebben aan één woord meestal al genoeg.

Ze kunnen me nooit plaatsen. Zonder mijn zonnebril ben ik een orang belanda en met zonnebril op spreken ze me aan alsof ik een geboren en getogen Indonesiër ben. Als ik sjans wil met een dame van hier, lukt dat eerder zonder donkere glazen.

De whiskyfles drink ik leeg. Het zou zonde zijn van zo'n dure fles. Zo Hollands ben ik wel.

'*Maaf, mau habiskan botolnya itu dulu,*' zeg ik tegen het meisje dat mijn lege glas wil meenemen. Ze schenkt het glas tot aan de rand toe vol en nog is de fles niet leeg.

Ik geniet van verbasteringen. Ze vertederen me. Vroeger had je al die woorden die voortkwamen uit het Nederlands en nu baseren ze zich meer op het Engels. Toen ik pas in zo'n elektronische winkel was om een kabel voor mijn computer te kopen, probeerde ik het met 'kabelnya' en ze begrepen me meteen. Maar dat een mobiele telefoon een ponsel of HP zou zijn, daar was ik niet op gekomen.

KOMUNIKASI

Ik loop met zowel een Indonesische ponsel als een Nederlandse op zak. Maar mijn kinderen en kleinkinderen laten nooit uit zichzelf iets van zich horen. Dus die ponsel belanda sjouw ik mee voor niks. De Indonesische heb ik onmiddellijk aangeschaft nadat ik met mijn mogelijk toekomstige baas naar deze tent ben geweest. We waren elkaar al binnen vijf minuten kwijt. Ik zocht me het leplazerus en we waren twee uur verder voordat hij en ik weer konden spreken van samen uit samen thuis.

De volgende dag heb ik na mijn eerste kopje koffie voor een appel en een ei een ponsel met een *unlimited prepaid kartu perdana* gekocht.

Geen van die kinderen die hier met iPhone of blackberry aan het dansen zijn, zullen geloven dat mijn vader en ik ooit urenlang moesten wachten voor het maken van een long-distance call. Als je eindelijk een kantoortje had gevonden waar je in een benauwd hokje van spaanplaat, niezend door het zaagsel dat ze nog niet hadden opgeveegd, zwetend omdat er geen ventilatie, laat staan airco was, met de hoorn in de hand vol verbazing constateerde hoe eindeloos lang het duurde voordat aan de andere kant van de lijn de telefoon eindelijk overging, was er daar in Holland meestal weer net niemand thuis.

Dat is nu anders. Afstanden tellen niet meer. Iedereen die zichzelf maar enigszins respecteert heeft een HP op zak.

Dankzij de recente ervaring in deze bruisende Dragonfly vroeg ik Dian, voordat we naar binnen gingen, naar zijn ponselnummer.

'Dat geef ik straks,' zei hij.

'Nee, nu,' antwoordde ik streng.

En zo geschiedde.

Ik ben dik tevreden over de kordate wijze waarop ik door het leven ga, maar vooral op momenten als deze.

Ik betwijfel of ik die dame hier in dit paradijs voor jonge mooie mensen zal vinden. Dian stond erop om met de grootste tent van de stad te beginnen. Eigen schuld. Het laatste wat hij vermoedde was dat zijn moeder hier ook haar bloemetjes buitenzet. En ik blijf daardoor in mijn eentje achter met een taak waarin ik eigenlijk niet geloof.

Volgens Dian is Narisha een nummer 2, nummer 3 of een ex-Miss Indonesia. Met mijn ervaringen in dit land, en op basis van de klinkklare feiten die Dian ook nog even in de gauwigheid voor me op tafel legde, heb ik een paar conclusies kunnen trekken. Als een detective zet ik ze op een rij, zonder Dians fout te maken, en alles iets te simplistisch te zien.

Als die Narisha werkelijk een of andere missverkiezing net wel of net niet gewonnen heeft, is ze omringd geweest door heren met vette bankrekeningen of veel macht. Een van die mannen, of misschien meerdere, hebben haar gewoontegetrouw onder druk gezet in ruil voor een prachtig huis, mooie kleren en juwelen. Zij heeft haar familie kunnen onderhouden dankzij haar positie als geheime minnares. Ze is in de verleiding gekomen om voor de uurtjes die ze over had, andere mannen binnen te smokkelen, en zo meer te kunnen sturen naar haar familie. Daar is haar beschermheer achter gekomen. Door de dood van Dians vader komt alles aan het licht en zij komt op straat terecht. Dankzij haar andere contacten kan ze als escortlady in tenten als deze, en in de bars van de tophotels, nog in haar onderhoud voorzien. Ik hoef haar niet in krottenwijken te gaan zoeken, of zoals Dian meende, in Jalan Jaksa of Blok M.

Dankzij de onverwachte entree van de jonge weduwe Portier is mijn missie in Dragonfly in elk geval volbracht. Het lijkt me sterk dat zij hier op mannenjacht gaat als haar ex-rivale hier ook elke avond rondhangt.

Jammer dat moeder en zoon nog wat met elkaar te bevechten hebben. Ik had graag even met haar gedanst. Met mijn ex heb ik menig prijsje binnengehaald op dansclubs in onze omgeving.

Ik houd van afwisseling. Op feestjes danste ik met elke vrouw die het aanzien een beetje waard was, ook met oudere stijlvol geklede weduwen.

De vrouwen verdrongen zich om met mij te dansen op Indische bijeenkomsten. Daar ging ik wel eens naartoe als mijn zoon er moest optreden. Nostalgische songs. Veel hawaii en krontjong. Maar ook nummers zoals 'The green green grass of home' en 'Please release me let me go'. Hij deed het voor de aardigheid. Zo trad hij met die Indische band in elk geval nog eens op. De jongste van de band, eerst als invaller en daarna werd hij vast bandlid, omdat de bandleider van boven de zeventig tijdens een optreden was gestorven aan een hartaanval. Mijn oudste speelde graag, maar was niet goed genoeg voor het conservatorium door gebrek aan discipline. Enfin, ik ging erheen om te dansen toen ik al gescheiden was.

Ik was nog niet getrouwd, had nog geen kinderen, toen ik Portier vroeg of ik bij hem privélessen kon krijgen in poekoelan.

Hij zei: 'Laat maar even zien wat je kunt.'

Ik begon een beetje te sparren en deed een aantal trucs die ik her en der via verschillende martial artslessen in de dienst had opgepikt.

Hij schudde daarop meedogenloos zijn hoofd en zei: 'Ga jij maar dansen. Dat kan je beter.' En hij liep weg.

Ik bleef bij hem terugkomen met dezelfde vraag. Maar door zijn opmerking ben ik op dansles gegaan. Ik wilde al die Latijns-Amerikaanse passen ook onder de knie krijgen. Daar leerde ik mijn vrouw toen kennen. We zijn al snel getrouwd. Een moetje. Met het dansen gingen we door. Ze danste tot vlak voor de bevalling. Er waren andere vrouwen, sommigen beter dan zij, die mij vroegen: 'Wil je een keer met mij aan een competitie meedoen?'

Maar een wedstrijd win je alleen met een sterk team. Mijn ex en ik vormden een krachtig team. Tot de scheiding, althans.

BODO

Ik heb voor vanavond nog een paar locaties op mijn lijstje staan. Al heb ik misschien niet hetzelfde doel als Dian voor ogen, de rol van detective bevalt me wel. Meteen al toen ik binnenkwam bekeek ik deze tent met andere ogen. Een missie opent je vizier. Je wordt alert en ziet niks en niemand nog als vanzelfsprekend. Jakarta heeft ongeveer dertien miljoen inwoners. Sommigen beweren zelfs dat het werkelijke aantal van de mensen die in deze stad de nacht doorbrengen gelijk is aan het aantal inwoners van Nederland. Ik ga aldus op zoek naar de bekende naald in een onoverzichtelijke hooiberg. Mijn enige informatie is dat de betreffende naald beeldschoon is, met een opvallend maar klein vlekje onder het oog. De naald heeft een naam. De hooiberg zit vol misdaad, geweld, corruptie, en andere smerigheid.

PADA MISI

Helemaal recht loop ik niet meer, nadat ik een handvol obscure nachtclubs heb bezocht, waar ik Narisha dacht te vinden. Mijn hoop is nu gevestigd op Blowfish. Vanwege de bedragen die je daar neer moet tellen, had ik deze tent wat lager op mijn lijstje gezet.

Inmiddels is het jachtseizoen van deze stad geopend. *Ayam ayam. Ayam terus.* Meer aantrekkelijk wild dan ik vannacht zowel op straat als in de clubs tegenkom, kan een man van zestig niet aan. Mijn kompas wijst al enige uren omhoog. Daar doet zelfs enige dronkenschap niks aan af.

Mijn portemonnee loopt leeg en de staat waarin ik verkeer is niet geschikt om ergens geld te trekken. Ook ik ben aantrekkelijk wild, hoewel voor een andersoortige jacht. Uit ijdelheid liet ik mijn leesbril op de hotelkamer, dus Dian opbellen in de schaarse straatverlichting of in de romantische artistieke soms obscure ambiance van de clubs die door de betreffende designer tot in de toiletten is doorgezet, hoort niet tot de mogelijkheden.

Aan de ingang herkennen ze mij. Mijn gastheer had mij de vorige keer aan iedere gewapende portier voorgesteld als 'de privé-bewaker van Hare Majesteit de Koningin in *Negeri Belanda*'. Hij buigt voor mij en ik buig terug. Het percentage whisky in mijn bloed doet mij buigen als een jap. Mijn hoofd raakt mijn knieën en mijn bovenlichaam zwiept als vanzelf weer omhoog. Weliswaar schiet het iets te ver door, maar ik balanceer als de beste.

Waarom binnengaan en het laatste restje zakgeld spenderen als ik deze vriendelijke uitsmijter kan vragen of hij de voortvluchtige minnares van wijlen Raymond Portier naar binnen heeft zien gaan?

Ik beschrijf de ex-buurvrouw van Dians moeder alsof ze mijn geliefde is, ik benadruk de mooie moedervlek op de juiste plek in haar gezicht en ik noem haar naam. Zoals ik al dacht: de moedervlek en haar naam, die combinatie kan niet missen.

De jongeman, met voor een Indonesiër tamelijk brede schouders en desalniettemin tenger gebouwd, zegt in een Indonesisch dat verraadt dat hij er een universitaire studie op heeft zitten, maar dat het hem ontbrak aan connecties om aan een baan te komen: 'Jazeker, mijnheer. Zij is ongeveer twee uur geleden in haar eentje gekomen en nog niet vertrokken.'

Platzak loop ik iets te nonchalant door de ruimte, langs de tafels. De moedervlek. De vlek is groter dan ik dacht. Samen met andere prachtige dames en een Chinese heer eet ze sushi. Ze zit iets afzijdig van de anderen, diep gebogen over haar bord. Ik benader de tafel niet charmant, ik interrumpeer zonder beleefd excuus, en ik weet dat ik eruitzie als een dronkelap, als ik in haar oren fluister: 'Ik kom namens Dian, de zoon van wijlen Raymond Portier. Mag ik u even spreken?'

Zonder uitleg of verontschuldiging staat ze op. Ze pakt haar Chanel-handtas en bekommert zich niet langer om de Californian roll, die mij toelacht. Het is te veel uren geleden dat ik die heerlijke Jalan Jaksa-sateh ayam kampong at.

Ze neemt me mee naar buiten. Daar pakt ze een Amerikaans pakje sigaretten uit haar handtas en houdt het voor mijn neus.

Ik schud nee. 'Ik rook alleen nog kretek,' zeg ik.

Zij rookt zelf niet.

'Ik nooit,' lacht ze. 'Ik heb het om uit te delen.'

Bezorgd dat ze mij voor een klant aanziet, terwijl ik te weinig cash op zak heb om alles wat ik nu bedenken kan dat ik met haar zou willen doen, te betalen, leg ik haar stotterend uit wat ik kom doen.

'De zoon van Raymond Portier wil u dringend spreken over zijn vader. Ik heb hem beloofd naar u op zoek te gaan.'

'Wacht even,' zegt ze. Een lieve stem.

Ze loopt terug naar de uitgang, praat met de bewaker. Ikzelf zoek steun bij de muur. Ik overweeg of ik een rare indruk zal wekken als ik op mijn hurken ga zitten. Die houding lijkt mij op dit moment aangenamer. Dag in dag uit zie je in Jakarta mannen gehurkt langs de weg zitten, alleen vannacht niet, nu ik de hurk-houding honderd keer meer prefereer dan hier te staan.

'Te veel gedronken?' vraagt ze, zoals Indonesische vrouwen dat alleen maar kunnen, zonder enige beschuldiging in haar stem, met een mengeling van medelijden en spot.

Ik knik. 'Ik ben in alle nachtclubs van Jakarta geweest om u te zoeken,' zeg ik in mijn beste Indonesisch. 'Dus eigenlijk bent u de schuldige.'

Ze lacht breeduit. Ik heb het ijs, mocht het er zijn geweest, voorgoed gebroken.

'We gaan naar een vriendin van mij,' zegt ze.

Er rijdt een taxi voor, we stappen in, en ze lacht als ik me zonder enige gêne op de achterbank laat vallen.

'Je bent wel moe, hè?'

Ik schud heftig nee. Ik probeer overeind te komen. Een rechte rug te maken. Ze moet niet denken dat ik een ouwe man ben. Maar ze tutoyeert mij, wat geruststellend is.

'Wel te moe om je aan mij voor te stellen?' glimlacht ze ondeugend.

Ik schaam me. Ik voel mijzelf blozen.

Onmiddellijk steek ik mijn hand uit en zeg: 'Ik ben Bodo.'

Ze schiet in de lach.

'Ja, dat ben je,' zegt ze.

CARI UANG

Met een brullende tijger in mijn kop en naast mij een Ooit Bijna Miss Indonesia die al haar hoop op mij gevestigd heeft, bevind ik mij in de trein naar Surabaya, op weg naar Sidoarjo. Indische mannen moeten van de whisky en de wodka afblijven want we worden mak als een lammetje en vergeten dat het woord 'nee' bestaat.

Het wordt mijn langste treinreis ooit, naar een stad die volgens Narisha inmiddels een grote gevaarlijke modderpoel is. Ik wist het niet. In Nederland is het vast geen voorpaginanieuws geweest. In elk geval zie ik, bij het horen van de naam Sidoarjo, mezelf met mijn vader in zo'n goedkoop eettentje zitten, slurpend aan de soto. Een man in zo'n wit gewaad met zo'n Mekkapetje op, zat vanaf de straat strak naar ons te kijken. Onbeschoft lang. En opeens stevende die vent recht op ons af.

Ik schrok me rot. Hij omhelsde mijn vader, die zich liet overdonderen. Die snapte er evenmin de ballen van en had aanvankelijk geen idee wie de man in die jurk was.

Hij noemde zichzelf Angin. Hij had zijn naam van Albert in Angin veranderd toen hij voor de eerste keer naar Mekka was geweest, en was er trots op een hadji te zijn geworden. Ik begreep, toen hij zo aan het praten was, dat hij, onder die pet en die jurk, een doodgewone indo was en dat stemde me rustig. Mijn vader herkende hem zodra de man zijn nieuwe naam had uitgesproken. Hij was perplex, dat was me wel duidelijk. Hun conversatie was eigenaardig, ze praatten volkomen langs elkaar heen. Mijn vader bleef, ongeacht wat Angin aan het vertellen was, herhalen: 'Potdomme Albert, dat uitgerekend jij niet alleen Indonesiër, maar ook nog eens fanatiek moslim bent geworden.'

Ondanks mijn liefde voor dit land heb ik me nooit zo in hun godsdienst en hun politiek verdiept. Als ik hier zo rondreisde hoorde ik het een en ander, maar de *Jakarta Post* heb ik nooit gelezen. In Nederland heb ik de artikelen over Indonesië nooit gespeld.

De koppen in de kranten ontgaan me niet. Die zie ik wel. En als journaalbeelden over Indonesië verschijnen ga ik meteen rechtop in mijn stoel zitten. Maar met politiek en al die flauwekul heb ik niks. Wanneer er grote rampen in mijn geboorteland plaatsvinden, wordt dat wel min of meer in mijn geheugen getatoeëerd, maar vooral uit zelfbehoud. Als dode vulkanen weer gaan leven hoef ik er niet meer naartoe. Zo heb ik een tijdlang Bali niet meer willen bezoeken. Die restaurants daar in Jimbaran hoeven van mij niet meer. Als je ziet hoe onverschillig ze daar de zaak bewaken, terwijl er al van die rugzakjongens aan het werk zijn geweest, eet je je gegrilde visje niet meer met plezier.

Alles wat ik over het huidige land weet, heb ik gehoord van de mensen hier, of zelf ervaren. Ik hoef geen avonturen te beleven, en zeker geen desastreuze. Die tsunami heeft mij afgeleerd om aan het strand te liggen. Dat is sowieso iets wat een Indische jongen zoals ik niet graag doet. Toen ik nog een aardige borstkas had liep ik er natuurlijk wel te paraderen. Maar je kon mij daar niet zonnebadend betrappen. Mijn oefeningen deed ik bij zonsopkomst, als er op het strand alleen nog honden en vissers rondliepen. Maar die doe ik tegenwoordig op mijn hotelkamer. In de koelte van de AC.

Als ik niet zwaar beneveld was geweest, had ik mij, zodra Narisha over de modderstroom en zwavelgassen begon, schielijk teruggetrokken. En gedacht: Lieve kind, zoek jij je broertje maar met een dapperder held aan je zijde. En: Dian, beste jongen, accepteer dat je vader een man was van vlees en bloed, troost je moeder door een betrouwbare zoon voor haar te zijn, en laat het verleden verder met rust.

Angin had ik gelaten voor wat hij in mijn brein al was: een mistige herinnering. Zo ben ik gewend te doen met ervaringen die mijn oude soldatenpet te boven gaan.

Die dag in Sidoarjo met mijn vader is altijd een raadsel gebleven. Angin klaagde over de corruptie in het land. Hij zette zich in voor de arme bevolking, zei hij. 'Het geloof geeft de bevolking wat de president ze niet geeft: hoop.' Ik geloof dat hij zelfs een eigen moslimschooltje had opgericht.

De man praatte en praatte bij ons aan het tafeltje, en we nuttigden niet meer dan lauwe slappe *teh pahit*, terwijl het wat mij betreft allang siësta had moeten zijn. Toen ik zei dat ik naar het hotel wilde om het vuile zweet van mijn lijf te wassen, nodigde hij ons bij hem thuis uit en daar gebeurde er iets vreemds. We komen binnen, drinken koffie toebroek met suiker in het voorhuis, een soort ontvangstkamer zoals die Indonesiërs vaak hebben, en die man vervolgt als het ware zijn speech over de oorzaken en de gevolgen van het slechte beleid van de regering. Ik doezel een beetje weg, maar mijn vader lijkt nu wel aandachtig te luisteren.

Na een tijdje komt er een dame binnen, licht gesluierd. Ik spring als eerste op uit mijn stoel en schud haar de hand. Een vrouw aan wie je kan zien dat ze ooit erg mooi is geweest, met nog steeds een karakteristiek gezicht. Wat me bij staat zijn haar wenkbrauwen. Niet geëpileerd, dik, recht, maar niet streng. Erg lange volle wimpers.

De doek die losjes om haar hoofd geslagen was en deels haar gezicht bedekte, gleed omlaag. Geraffineerd, zo'n lap om je hoofd, dacht ik, want eerst dwingt ze je haar ogen te bekijken en daarna volgt de rest: een tamelijk rimpelloos klassiek Javaans gezicht. Ze was ongetwijfeld van dezelfde leeftijd als Angin, al was dat niet aan haar huid te zien, haar blik verraadde geschiedenis.

'Ik ben Sita,' zei ze. Geen mevrouw of iboe Angin. Haar stem klonk zacht. Ze was nauwelijks te verstaan. Voordat ik zelf iets kon zeggen voegde zij er nog zachter achteraan: 'Ik ben getrouwd met Bapak Angin.'

Dit allemaal in accentloos Nederlands.

Mijn vader stond na mij op. Hij had, vol aandacht voor zijn jeugdvriend, nauwelijks gemerkt dat de gastvrouw was binnengekomen. Pas toen ik opzij stapte kon hij Angins vrouw, die haar neus en mond niet meer, maar haar haren wel goed bedekt hield, zien.

Zodra hij recht tegenover haar stond en haar in het gezicht keek, nog voordat hij haar de hand schudde, en zij haar slanke arm naar hem uitstak, draaide hij zich echter abrupt om en liep weg. Het huis uit. De straat op.

Ik schaamde me dood. Het was een onbeschofte onbegrijpelijke reactie. Mijn vader had er een handje van om impulsen te volgen zonder zich af te vragen of het wel gepast zou zijn. Ik excuseerde me, snelde hem achterna, en zag dat hij als een klein kind, in elkaar gedoken, aan het eind van de straat, vlak bij de moskee, zat te huilen. Van dat schokkerige huilen, met geluid nog wel.

'Pa, wat is er met je?' vroeg ik ongeduldig.

Hij wou niks zeggen. Maar hij wilde evenmin terug naar het huis van Angin, waar Angins vrouw voor ons de tafel al had gedekt.

Dezelfde dag zijn we op de trein gestapt. Hij wilde er geen nacht langer blijven.

Angin had, met een soort merkwaardige trots, verteld dat Sidoarjo er ook voor zijn geboorte al om bekendstond dat er rebelse jongeren waren die de overheersing van de Nederlanders niet wensten. Mijn vader bevestigde dat. Ze hadden elkaar veelbetekenend aangekeken en er was een gespannen stilte geweest voordat Angin opnieuw zijn verhaal oppakte over de gevolgen van multinationals en de corruptie van de familie van de toenmalige president.

Van mijn vader had ik, op weg naar Sidoarjo, gehoord dat hij er in de revolutietijd in zijn broek scheet van angst, toen hij daar gevangen was genomen en niet wist of ze hem de moeite vonden om te ruilen tegen een Indonesiër.

Gek om mijn vader te horen zeggen dat hij ooit bang was geweest. Hij was een opschepper. Een uitslover. Hij duldde niet dat wij huilend thuiskwamen. Angst was er om te overwinnen, zei hij altijd. Angst is een kronkel in je hoofd. Alleen voor de dood mag je bang zijn en om niet te sterven moet je handelen. Altijd je angst de baas blijven. En ik had geloofd dat hij dat was.

Veel meer zei hij er niet over. In die revolutietijd was wat hij meemaakte beroepsgeheim en mocht hij er met niemand over praten, ook niet met zijn vrouw, zei hij. Maar hij had nog vaak nachtmerries over die tijd.

Ik heb erover gedroomd. Zojuist, hier in deze trein. Ik zag mijn vader lopen met de ouwe Portier en nog een paar militairen. Angin was er ook, maar die kwam van de andere kant. Ik liep er net zo tussen. Ook als militair. Opeens moesten we bukken omdat er een enorme stroom gloedhete modder op ons afkwam. De gore blubber sleurde ons mee. Mijn huid schroeide. Ik raakte bedolven, dacht dat ik stikte, dat ik wegsmolt, en probeerde om hulp te roepen, maar er kwam geen geluid uit mijn keel.

Ik werd wakker en zat hier in de trein. Daarna kon ik niet meer slapen.

Veel kan ik me niet herinneren van vannacht. Ik weet wel zeker dat ik niet met die prachtige meid, die nu met haar hoofd op mijn schouder geleund als een tevreden kat in haar slaap zit te spinnen, naar bed ben geweest.

Narisha gaf mij, behalve een kopje slappe te zoete thee dat naar rubber smaakte, een college over Sidoarjo, haar geboortestad. Ze sprak zonder pauze. Ik kon er niet tussenkomen om te vertellen dat ik er heel lang geleden met mijn vader ben geweest en dat ik nooit zal weten wat hem daar zo van streek maakte.

Haar verhaal was *the same old story*: corruptie, ondeskundigheid en gemakzucht schijnen ertoe te hebben geleid dat duizenden families werkeloos en dakloos zijn, kampongs bedolven onder brandbare modder, honderden hectaren platteland en fabrieken door de giftige modder verwoest, drinkwaterbronnen vervuild.

Narisha praatte vol emotie over haar geboortedorp en LUSI, zoals de Indonesiërs, dol op afkortingen, de modderstroom die hier huisgehouden heeft, en die naar het schijnt nog niet klaar is, hebben genoemd. Een beetje fout boren en er is er weer een modderfontein bij.

Met tranen in haar ogen zei Narisha: 'Waarom laat Allah dit soort dingen gebeuren?'

Ik voelde me schuldig dat ik zo veel keren na de reis met mijn vader op Java ben geweest en dat het allemaal aan mij voorbij is gegaan.

'Waarom heeft Allah uitgerekend Sidoarjo uitgekozen?' zei ik, omdat me niks beters te binnen schoot. Maar daarna kreeg ik een interessante gedachte die ik niet hardop zei: misschien had mijn vader een voorspellende gave en maakte hij daarom daar in Sidoarjo opeens rechtsomkeert. Ik heb wel eens eerder gehoord dat mensen soms een voorspellende blik hebben, maar dat ze niet weten of die voorspelling dezelfde dag nog of pas na vijftig jaren uit zal komen.

Narisha vertelde me alle details van haar privéleven die ze dacht nodig te hebben om mij ervan te overtuigen dat ik met haar mee moest gaan. Ik hoef echter geen gave te hebben om te voorspellen wat zo'n familie die in het rampgebied woont, gaat doen.

De ouders vluchtten met kinderen en kleinkinderen naar Jakarta, wilden bij hun dochter intrekken, maar Narisha's beschermheer stond dat niet toe. Haar familie kwam in een krottenwijk terecht.

BODO

Ik ken die buurt. Daar heb ik aan het begin van mijn bezoek, namens bevriende indo's die ik ken via de band van mijn zoon, geld gebracht. Het ging om een ver familielid van de bassist. Een kleindochter van de nicht van een tante of zo. Die Indische familiebanden houden nergens op. Wij trekken geen grenzen. Ik kon geen nee zeggen want mijn ouders hebben vlak na de oorlog, in Jakarta, tijdelijk bij de broer van de oom en tante van die bassist ingewoond. Al was ik toen nog in mijn moeders buik en daarna een lieve baby, zoiets schept verplichtingen.

Voor de taxi om er te komen was ik meer geld kwijt dan ik moest afgeven bij die vrouw met drie kinderen, die door haar echtgenoot in de steek gelaten was. Een treurige bedoening. Er schijnen heel wat van die wijken te zijn die af en toe worden schoongeveegd en dan moeten die mensen weer ergens anders een krotje proberen op te bouwen.

Narisha zelf is het leven in de Jakartaanse krottenwijk bespaard gebleven. Vanwege haar bijzondere schoonheid, gesteund door haar familie, is ze op haar zeventiende mee gaan doen met missverkiezingen. Om te winnen moet je de machtige heren vertroetelen. Aangezien het kind jarenlang een hele familie in Sidoarjo van gerechten bij de rijst moest voorzien, heeft ze gedaan wat van haar verlangd werd. Maar de echte top heeft ze desondanks niet gehaald.

Toen de familie in Jakarta woonde moest ze, zoals ik al vermoedde, er extra heren bij nemen om het gezin te onderhouden. Ze kon niet voorkomen dat haar familie in grotere armoede leefde dan ze gewend waren in Sidoarjo. Haar jongste broer, gefrustreerd en boos over wat hun is overkomen, is sinds enige tijd vermist. Narisha, die deze naam uitkoos sinds ze voor een schrikbarend laag bedrag door zo'n machtswellusteling in Jakarta ontmaagd is, vreest dat haar broertje gerekruteerd is door geloofsfanaten.

'Mijn broertje is gevoelig voor brainwash,' zei ze. 'Bapak Raymond had mij beloofd hem te vinden en daar weg te halen.'

Mijn taak is eigenlijk al voltooid. Raymonds onschuld is onmiddellijk door Narisha bevestigd. Zij en Raymond hadden geen geheime affaire. Als Bapak Raymond had gewild, had hij haar kunnen krijgen zoals hij wilde, maar Bapak Raymond was een goeie vent en wilde haar alleen maar helpen uit medelijden. Voordat hij iets had kunnen doen, stak die denguefever de kop op. Ze waren haar broertje bijna op het spoor. Bapak Raymond zei dat het niets ernstigs was, ze mocht niet naar zijn huis bellen, zijn vrouw zou hebben gewild dat hij thuiskwam, en hij wilde eerst haar broertje vinden, omdat hij Narisha dat had beloofd.

Mocht ik met mijn dronken kop, toen ze me bij Blowfish in een taxi meenam naar het huis van haar vriendin, heimelijk gehoopt hebben op een triootje, Narisha's vriendin was er niet bij vannacht. Ik denk dat het appartement voor tijdelijk gebruik aan Narisha is aangeboden, nadat ze door de man die haar onderhield, op straat is gezet.

Overigens houdt ze ook die ex-beschermheer de hand boven het hoofd. Hij was nooit slecht voor haar geweest. Ze kende de regels, zij had ze verbroken, al was het niet met Bapak Raymond geweest. Ook hij kon niet geloven dat Bapak Raymond geen geheime minnaar was, en ze kon hem niet verklappen waarom ze met Bapak Raymond in Sidoarjo was, want dat kon slecht aflopen voor haar broertje en voor haarzelf. Je wist nooit wie je kon vertrouwen.

Als ik nuchter was geweest had ik Dian opgebeld, en die twee met elkaar in contact gebracht. Soedah! Maar nee, ik laat me meeslepen door de tranen van een mooie Aziatische meid.

'Zonder begeleiding durf ik niet, hoe moet ik hem redden uit handen van zelfmoordterroristen? Zij hebben geen respect voor een vrouw als ik.'

Nu weet ik zelf nog steeds niet welke baan ik zal kiezen, en mijn bedenktijd is al bijna om. Ze wond mij als een vaatdoek om haar vinger. Vanaf het moment dat ik haar moedervlek zag, was ik in principe al verkocht. Daaroverheen een zielig verhaal waar ook de jongste zoon van mijn vriend Portier klaarblijkelijk ingestonken is, en Bodo doet zijn naam eer aan.

Het begint als een van de vele verhalen van elke willekeurige ayam die je in Blok M of op de Jalan Jaksa tegenkomt. Arm gezin. Ouders hopen in de stad het geluk of in elk geval geld te vinden... Zo zei ze het ook, zoals Indonesiërs het altijd zeggen: Mijn ouders kwamen naar Jakarta om geld te zoeken.

Die taal van hen is helder. Ik zoek een leuke baan. Zij zochten geld. En hebben het niet gevonden.

KETEKUNAN

Na pakweg tien uren in de trein huren we, op initiatief van Narisha, een motorfiets. Zij wil rijden en ik moet als een androgyne flapdrol bij haar achterop. Daarmee ga ik vanzelfsprekend niet akkoord. Omdat ik het gevecht, waarin ik een gentleman wil blijven, dreig te verliezen, stel ik voor dat we eerst even ergens iets gaan eten, ook al heb ik in de trein zitten schransen als een beest. Zolang ik kauwde voelde ik mijn kater niet.

We zitten tegenover elkaar, als ze fluistert dat ze nu met mij in het Engels wil praten. Of ik daar bezwaar tegen heb? Uitleggen waarom ze dat wil, doet ze niet. Druk is het hier evenmin. Er loopt wel veel personeel rond, dat ons nieuwsgierig aan staat te gapen.

'Lach me niet uit, beloof je dat?' vraagt ze.

Ik denk dat het vanwege haar slechte Engels is dat ik niet mag lachen. Haar Engels is perfect. Beter dan dat van mij.

'Ik lach niet,' beloof ik, met een glimlach. Ik zou haar willen zoenen. Een gevoel dat ik allang niet heb gehad. Een vrouw haar jurk van haar lijf rukken, een vrouw in haar tepels knijpen, een vrouw haar slipje stuktrekken, een vrouw van achteren nemen, een vrouw in haar dijen bijten, een vrouw berijden, een vrouw met mijn tong bevredigen, dit soort aandrang voel ik vele malen per dag, of zelfs per uur. Maar de behoefte om te kussen, om mijn volledige tong in haar mond te duwen en ermee langs al haar prachtige parelwitte tanden en kiezen te glijden, en haar speeksel op te slurpen opdat haar en mijn mond één worden, heb ik nauwelijks nog.

Ik kijk naar haar volle lippen. Naar haar moedervlek. In haar ogen, die de mijne zoeken. Mijn blik streelt haar wimpers, haar neusvleugels, het kuiltje in haar linkerwang.

Als mijn ogen rust vinden in de hare zegt ze: 'Ik kan overledenen zien. Ik praat met de doden.'

Ik schiet in de lach. Spontaan. En luid.

Ze slaat me. Zonder aarzelen mept ze mij met haar vlakke hand in mijn gezicht. Linkshandig. Mijn rechterwang gloeit. Geschrokken reageer ik als in een reflex. Nog net op tijd voorkomt mijn zelfbeheersing dat mijn eigen handen haar automatisch een lesje leren.

'Sorry, sorry,' mompel ik. Niet alleen tegen haar, ook tegen de ouwe Portier, bij wie ik negen maanden heb moeten lopen zeuren voordat hij mij als leerling wilde accepteren en die ik heb moeten beloven nooit iets van wat hij mij heeft geleerd in het gewone leven in praktijk te brengen. Hoe hij zijn hoofd schudde en zei: 'Beuken kan iedereen, maar zelfbeheersing verraadt de meester', zal ik nooit vergeten. Het is alsof hij hier bij ons aan tafel zit met die blik van: leer je het dan nooit?

'Je beloofde niet te lachen,' zegt ze. Ze kijkt gepikeerd uit het raam. Ze lijkt volstrekt niet geschrokken.

Portier had het goed gezien. Hij keek dwars door me heen. Hij kende me beter dan mijn eigen vader. De dienst was niet goed voor mij, en ook dat wist Portier. Ik verdroeg geen mensen boven mij. Ik liet mij de les niet lezen. En als het op vechten aankwam kende ik mijn grenzen niet. Daarom wilde hij mij de pentjak silat niet leren. Van anderen had ik gehoord dat hij veel leerlingen had, maar mij wilde hij er niet bij. Als ik bij hem kwam was het altijd praten, praten, praten. Over niks. Alleen wat losse flodders over het oude Indië. Over zijn oom die hem alles leerde. Maar niet over wat die oom hem dan wel leerde. Over alles wat hij miste van dat land. Over lekker eten. Omdat ik vol bleef houden en me niet liet wegsturen, en elke keer weer aan zijn kop kwam zeuren, stemde hij uiteindelijk toe.

'Een paar lesjes,' zei hij, 'maar niet alles, want jouw aard is niet geschikt.'

Ik weet niet wat hij mij onthouden heeft, maar ik ben hem dankbaar voor wat hij mij wel heeft geleerd.

Hij was streng. De eerste les deed hij voor hoe ik me moest opdrukken. De armen achter mij op de grond.

'Doe dat deze week elke dag tweehonderd keer,' zei hij.

En daarmee was de kous af. Ik had de pest in. De les had niet langer dan vijf of zeven minuten geduurd. Niks geleerd, niks gedaan, en vervelend huiswerk mee.

Na een keertje voor het ontbijt twintig maal achterstevoren opdrukken hield ik het voor gezien. De rest van de week deed ik wat ik gewend was, ook opdrukken, maar niet volgens de methode van Portier. Een week later kwam ik bij hem voor de tweede les. Hij legde zijn hand op mijn schouder en vroeg: 'Heb je de oefeningen gedaan?'

Ik, met mijn schijnheilige smoel, knikte braaf.

'De volgende keer doe je ze echt!' zei hij.

Daarmee was ook deze tweede les ten einde.

Lang heb ik gedacht dat hij mystieke krachten had of zo. Pas toen ik zelf jongens trainde, begreep ik dat mijn spieren onder zijn vriendschappelijke aanraking zachte eitjes waren. Om dat te voelen heb je geen goenagoena nodig.

Hij werd nooit kwaad. Als hij ontevreden was zweeg hij, of hij liep weg. Ik was verwaand, ik wilde hem laten zien wat ik allemaal al op eigen houtje her en der van andere vechtsporten had geleerd. Ik ging me aan hem ergeren. Dat was ook omdat ik erachter kwam dat hij mijn vader in Indië had gekend. Ik snapte niet waarom hij mij daar nooit iets van had laten merken.

Mijn vader beweerde dat hij Portier in zijn leven maar twee

163

keer had zien vechten: een keer *met* hem en een keer *tegen* hem. In mij groeide de behoefte om me met hem te meten. Het was raar, want ik bewonderde hem, maar het irriteerde me dat hij nooit iets van zichzelf liet zien. Nooit eens een robbertje voor de lol met een van ons. Ik begon hem uit te dagen.

Hij liet mij altijd sparren met een laffe betweterige indo, zo'n magere lat, die het nooit zou leren. Die jongen had noch ambitie noch doorzettingsvermogen. Portier vond dat ook, want hij had al eens tegen hem gezegd, terwijl hij de typisch Indische beweging maakte met zijn duim en wijsvinger: 'Ik hoef alleen maar dit te doen en jij valt om.'

Na veel zeuren, met het argument dat ik van zo'n dunne lat niks kon leren, mocht ik tegen Portier zelf. De afspraak was, had ik geëist, dat wij er vol tegenaan zouden gaan. Maar eenmaal op de vechtvloer, tegenover elkaar, verdedigde hij alleen. Ik had alles wat ik kon dankzij lesjes hier en daar in kungfu, Thais boksen en meer van dat, al uit de kast gehaald en begon mijn repertoire zelfverzekerd, met stevigere klappen, te herhalen.

Opeens had ik van hem een dreun te pakken. Zijn hand had ik in mijn overmoed niet zien aankomen. Ik ging door die eerste en enige klap meteen knock-out.

Het eerste wat Portier zei, toen ik bijkwam en hij ongerust boven mij hing, was: 'Sorry Bodo, kassian, dat had ik niet bedoeld. Ik vergeet mijn kracht soms. Daarom houd ik niet van vechten.'

In al die jaren heb ik hem maar één keer kwaad meegemaakt. Dat was een andere keer. Toen had ik het voor de zoveelste keer aan de stok met een meerdere. Portier was nog maar net adjudant. Hij had al veel eerder promotie moeten krijgen, maar ze waren hem zogenaamd vergeten, en hij was er de man niet naar om daartegen in protest te gaan.

Hij lachte naar me als ik expres de kast openzwaaide net als de kapitein eraan kwam. Zo'n geintje kon hij wel waarderen. Die kapitein was hypocriet. Hij sloop rond alsof zijn belangrijkste doel in het leven was Indische ondergeschikten ergens, het gaf niet waarop, te betrappen.

'Sorry, sorry kapitein, ik had u niet gezien.'

Dat was de vaste grap. Die vent kon nooit bewijzen dat ik hem steeds expres achter de kast drukte.

Er waren op de basis twee indohaters. De ander, met wie ik het regelmatig aan de stok had, was een sergeant-majoor, een alcoholist die boven mij stond en mijn leven als *flight-chief* zo zuur mogelijk probeerde te maken. Op een dag was ik zo kwaad, dat ik van plan was hem een flink pak slaag te verkopen. Ik stond tegenover hem in zijn kamer. Hij zat achter zijn bureau. Ik draaide de sleutel van zijn kamerdeur om en smeet die onder zijn bureau.

'Kom maar op,' zei ik, 'ik ben niet bang voor jou.'

Portier had me in de gaten. Door het raam, vanaf de gang, had hij gezien dat ik de deur op slot deed, en hij wist meteen hoe laat het was. Hij klopte op het raam. Zijn blik was razend. Maar ik was niet te stoppen. Die majoor zou zijn pak rammel krijgen, al moest ik er de bak voor in.

Portier klopte op de deur, en tikte iets feller op het raam. Natuurlijk wist ik dat ik de dienst zou worden uitgezet of in Nieuwersluis terecht zou komen. Het adrenalinegehalte in mijn bloed pompte mijn drift echter nog meer op als ik daaraan dacht. Ik verwenste Portier, dat hij mij dwarszat nu ik eindelijk die alcoholist zou geven wat hij allang had moeten hebben. Deze sergeant-majoor, die rechtstreeks boven mij zat, probeerde mij en de andere Indische jongens voortdurend te kleineren. Hij dronk stiekem en naarmate hij meer dronk pestte hij erger. Dit was al maanden aan de gang. Niemand kon er wat aan doen. Ik had er genoeg van om ondergeschikt te zijn aan een watje met achterbakse manieren.

Toen hoorde ik een knal. Portier had met zijn blote vuist een gat in het glas geslagen, probeerde de deur te openen, zocht met zijn hand naar de sleutel die er niet meer in zat, en beval: 'Open die deur.'

De dreiging in zijn stem sprak boekdelen.

Ik wees in de richting van de sleutel die ik vanuit mijn positie in de kamer niet kon zien, maar die ergens onder het bureau van die sergeant-majoor moest liggen. Daarop volgde mijn triomf. Een pak slaag werd overbodig. De sergeant-majoor moest bukken om de sleutel, die onder zijn bureau terecht was gekomen, op te rapen. Hij moest op zijn knieën voor alle Indische jongens in de dienst die hij getreiterd had. Zonder dat we er ooit iets over hebben hoeven zeggen wist ik dat ik die triomf deelde met Portier. Hij had mij gered van ontslag. Ik had hem het genoegen gegeven te zien hoe zo'n indo-hater voor ons moest kruipen.

Het euvel had tot gevolg dat de alcoholist om overplaatsing vroeg. Dubbele triomf voor ons. Portier heeft er nooit meer iets over gezegd, maar hij leerde me na dit incident hoe ik mijn innerlijke kracht moest gebruiken, in plaats van toe te geven aan de impuls om op de vuist te gaan.

'Ik wil iets met je delen,' zei hij.

Hij leerde mij mediteren. Zo noem ik het maar. Er hoort van allerlei geprevel bij om jezelf te kalmeren. Als je het goed doet, kun je ervoor zorgen dat de ander jou respecteert zonder dat je er iets voor hoeft te doen. Pure concentratie. Dankzij hem heb ik mijn jaren in de dienst nog volgehouden totdat ik eervol weg kon gaan.

Narisha en ik zitten al een tijd zwijgend tegenover elkaar. De bediende van dit kleine restaurant met meer bedienend personeel dan cliëntèle, zet voor elk van ons een soto madura neer. Deze soto heb ik liever dan die van mijn moeder, vroeger. Zij deed er geen santen in omdat haar moeder dat ook nooit deed. Maar de moeder van mijn vader deed dat wel, net als hier.

'Lekker, ayam,' zeg ik, met een stoutmoedige blik om haar aan het lachen te krijgen.

Narisha negeert mijn opmerking. 'Ik hoopte dat Bapak Raymond aan mij zou verschijnen, maar dat doet hij niet,' zegt ze in het Engels. Ernstig.

Mijn antwoord geef ik in het Indonesisch: 'Lieve schat, ik geloof daar niet in. We gaan allemaal dood en dan zijn we weg. Als jij kunt praten met mensen die niet leven, dan praat je met de schimmen in je hoofd.'

Opnieuw heb ik een mep van haar te pakken. Nu met haar rechterhand.

'Je hebt een sterke linkse, of een rechtse, ben je links of rechts?' vraag ik, en ik probeer niet aan mijn wang te voelen, die nu nog harder nagloeit dan de rechter zo-even. En dus weet ik meteen het antwoord dat ze me weigert te geven.

'Laten we snel die soto opeten en op de motor stappen,' zeg ik, 'en je moet me niet meer slaan hoor, want anders gaan mijn handen ook los, en dat wil je niet meemaken.'

LUMPUR PANAS

Het is goed dat Narisha rijdt. Mijn maag brandt weg. In mijn hoofd slaat een smid hete ijzers plat. Mijn hart gaat tekeer.

Lang geleden vergaapte ik me hier aan de groene rijstvelden met karbouwen, de mannen en vrouwen die tot aan hun knieën tussen de rijstplantjes door banjerden, de juichende spelende kinderen die op je af kwamen rennen en om snoepgoed of pennen zeurden. Hier liet mijn vader de chauffeur ineens stoppen omdat hij met zijn handen visjes wilde vangen in de watergeul langs de sawa's.

Nu lijken we af en toe door een maanlandschap te rijden of ergens op Mars, met gaswolken die uit een stinkende modderzee opstijgen. Ik herken niks meer. Er is niets meer over van de kampongs waar ik met mijn vader heb rondgereden.

Als Narisha stopt en de motor afzet, en ik sta te wankelen op mijn met whisky gevulde benen, bel ik Dian. Zijn moeder hoeft hier maar een kijkje te komen nemen om te weten dat Raymond Portier, als hij zin had om haar ontrouw te zijn, heus een romantischer oord zou hebben uitgekozen.

Mijn schone gezelschap, want ook met een helm op doet ze haar bijna-titel als Miss Indonesia eer aan, is aan dit tragisch landschap al gewend. Ze wil meteen aan het werk met drie namen op een lijstje dat Raymond Portier al voor haar opgemaakt had.

De bewoners zijn gewend aan ramptoerisme. Ze kijken niet van ons op. Ook vertellen ze graag hun verhaal en de gevolgen voor hun leven. Ik luister niet echt, laat het langs me heen gaan. Het zit me dwars dat ik Dian niet bereiken kan. Hij geeft geen gehoor.

Terwijl Narisha de namen van haar lijstje aan de omstanders voorlegt, vraag ik anderen die om ons heen zijn gaan staan, naar hadji Angin. Leeft hij nog? Hij is erg oud, zegt een vrouw, die meteen van de gelegenheid gebruikmaakt om bij mij te bedelen: '*Kassih uang, tuan.*'

Maar ik betaal al alles voor Narisha sinds ik een vermogen kwijtraakte aan de whisky die nu in een te hoog gehalte door mijn aderen stroomt. Zolang ik nog niet aan mijn nieuwe baan ben begonnen, kan ik beter niet elke vrouw die me aanspreekt gaan onderhouden, dus ik zeg: '*Maaf ibu, tidak punya uang.*'

Angin leeft nog. Er komen meer mensen bij me staan. Vier vrouwen, een baby en een kleuter. De dames praten met respect over hem. Tussen dit onderwerp door lukt het ze om mij nog stiekem te gebaren dat ze gebaat zouden zijn bij een paar duizendjes om eten van te kopen. Ik negeer dat allemaal met moeite. Ik schaam me dat ik niks geef, maar ik geef niks, hoe ze me ook toelachen.

Angin is lid van een milieuvereniging die beloofd heeft hen te helpen. Maar hier is hij niet meer. De moskee is weggezakt.

Ik loop mee om de verzakte moskee te zien, maar kan niet eens met zekerheid zeggen of die wel de moskee van Angin was. Was het daar dat mijn vader in elkaar gedoken zat te huilen?

De namen op het lijstje helpen ons niet verder. Er is wel iemand die reageert op de foto van haar broer. Een jongen van een jaar of vijftien. Hij fluistert tegen een ander, die een aantal malen knikt en dan zegt: 'Deze jongen heeft hier vroeger in de buurt gewoond. Meer weten we niet.'

Terwijl Narisha met omstanders praat, bel ik Dian nog een keer. Ditmaal met succes.

'Waar zit je?' vraagt Dian als ik hem vertel dat de naam van

zijn vader gezuiverd is, dat hij zijn moeder kan zeggen dat die
goeie man echt niks heeft uitgespookt, maar dat hij alleen iemand in nood heeft willen helpen.

'In de modder,' antwoord ik.

'Waarom heb je niet even op mij gewacht voordat je naar
Sidoarjo bent gegaan?'

'Ben je op de hoogte van de natuurramp hier?'

'Wie niet?' antwoordt Dian. 'Maar het is geen natuurramp
hoor, het is de schuld van...'

Hij ratelt door. Typisch iets voor jongens van die leeftijd. Ze
twijfelen nergens aan, ze hebben iets gehoord of gelezen en ze
denken dat ze het weten. Hij woont en studeert in Amsterdam,
maar hij praat alsof hij meer dan wie ook op de hoogte is van alle
details van dit land, de politiek, de schuldigen, het corrupte vervolg, de rechtszaken...

Ik kan niet meer luisteren. Mijn benen worden zwaarder dan
ze zijn, de stank hier onverdraaglijker dan hij al was. De bedelen-
de vrouwen opdringeriger dan ze al waren. Ik hoor niet meer wat
die jongen verder nog zegt, nadat hij als dader van de ramp de
maatschappij noemt die mij de keuze heeft voorgelegd tussen een
prachtig contract als hoofd van bewaking in Jakarta, of als hoofd
bewaking van een hotelcomplex op het mooiste eiland van deze
aardbol.

'Hoe weet je dat allemaal?' onderbreek ik hem. Ik snauw hem
af. Mijn stem is nors. Ik ben het me bewust. Ik kan het niet helpen, maar ik voel mijn kleurrijke toekomst wegglijden in een hete stinkende blubberzee .

'Je kunt alles op internet vinden,' zegt hij.

'Ik heb zo mijn twijfels over wat er op internet te vinden is,'
zeg ik.

'Dat is jouw zaak,' zegt hij, en met een andere intonatie vervolgt hij: 'Denk je dat Narisha haar getuigenis over mijn vaders
onschuld op papier wil zetten voor mijn moeder?'

'Ik denk dat Narisha op dit moment belangrijkere dingen aan

haar hoofd heeft,' is mijn antwoord. Expres bot. Het liefst had ik hem een dreun verkocht. Natuurlijk zou ik het niet gedaan hebben als hij naast mij had gestaan, maar ik voel de impuls, de adrenaline die stijgt, en ik snak even naar adem. Straks, met mijn blackberry, zal ik dat allemaal wel even opzoeken.

Na een paar keer diep ademhalen beloof ik hem Narisha ertoe over te halen voor hem een soort getuigenis op papier te zetten waarmee hij zijn moeder zal kunnen overtuigen van zijn vaders onberispelijk gedrag. Dian is gerustgesteld.

Waar we lopen is de modder verhard. Narisha wil het gebied in waar haar ouders gewoond hebben, maar dat deel is verzwolgen in de hete modder. Ze is ervan overtuigd dat ze haar broertje daar ergens zal vinden.

Ik deel haar mening niet. Ook betwijfel ik of we wel moeten blijven zoeken. Moeten we die jongen niet met rust laten en hem zijn ding laten doen? Zou ikzelf niet ook woedend zijn als dit mij en mijn ouders was overkomen? Zou ik niet net als haar broertje zinnen op wraak? Waarom zou die jongen daar in die bubbelende modder gaan zitten?

En als we hem ergens vinden, is hij nog wel tot wat dan ook te overreden? Wie weet loopt hij op dit moment al ergens als zelf-moordterrorist een van de gebouwen binnen die ik zojuist heb besloten, dankzij het relaas van een student die enkele artikelen heeft gelezen op internet, niet meer te bewaken. Hoe stop je zo'n jongen die onder invloed van een stel fanatici niet meer voor re-de vatbaar is?

Natuurlijk zeg ik alles wat er door mij heen gaat niet hardop. Ook zeg ik niks over Dian en ons telefoongesprek, of iets over de getuigenis die hij van haar wil.

'Ik ken een hadji,' haal ik haar over. 'Hij is erg politiek bewust. Wie weet heeft hij jouw broertje wel gerekruteerd. Laten we hem zien te vinden.'

Dit helpt, alhoewel ik het zelf een absurde gedachte vind, want de man moet nu ver boven de tachtig zijn en wie weet is die ouwe, geholpen door de giftige gassen die met de modder vrijkomen, wel onlangs de pijp uitgegaan.

Narisha ziet heil in dit plan. We vragen nu alleen nog naar hadji Angin.

Bij elke voorbijganger informeren we naar de jeugdvriend van mijn vader. Sommigen wijzen vaag een kant op, anderen schudden hun hoofd. Er zijn er die hele verhalen met ons willen beginnen van *apa kebar* en *mau kemana*, maar Narisha reageert koel en gedecideerd.

We parkeren de motor. De straten zijn voor verkeer niet meer geschikt. Ik voel, behalve de restanten drank in mijn bloed, de hitte en het gebrek aan slaap aan mijn conditie knagen. Ook als voetganger kun je niet moeiteloos een weg vinden tussen dan weer stromende en dan weer geharde modder, de verzakte woningen, en onverwachte modderpoelen met bubbelende grond, alsof je door een kratermond wandelt.

Een jongetje, mager en armoedig gekleed, is heel toeschietelijk. Hij rent voor ons uit en telkens staat hij stil om te zien of we hem nog wel volgen. Hij gaat ons voor naar een van de talrijke krotten van plastic en bilik tussen in elkaar gezakte ingestorte woningen. Het heeft geen deur. Die moeten ze misschien nog maken. Er hangt een doek voor de ingang. Daar gebaart hij ons te blijven staan.

Hijzelf gaat er naar binnen en komt even later weer tevoorschijn met een jongeman in de leeftijd van Dian, die zich aan ons voorstelt als de kleinzoon van hadji Angin. Die jongen heeft op het eerste gezicht niks Indisch meer, is gewoon als een volbloed Indonesiër. Alleen zijn bouw verraadt dat er Europees bloed door zijn aderen stroomt.

Zijn opa kan niet meer praten, zegt hij. Hij is ernstig ziek.

Maar we mogen hem zien, als we vrienden zijn. Zijn we vrienden uit Holland? Of familie?

Narisha en ik aarzelen. We kijken elkaar aan. Ik zie haar denken: wat hebben we eraan te gaan praten met een man die niet meer praten kan? Nu weglopen is onbeleefd, vertel ik haar met een strenge blik. Narisha maakt met een minimale beweging met haar oogleden duidelijk dat ze er absoluut vandoor wil. Ik geef haar gelijk, wat moet ze bij een zieke oude stomme vreemde, maar ik volg de jongen naar binnen.

Ikzelf wil die Angin graag zien. Ik hoop dat de aanblik van die man mij op een of andere wijze antwoord zal geven op de vragen waarmee mijn vader mij de vorige keer in Sidoarjo liet zitten, en waar hij tot aan zijn dood niet meer op teruggekomen is.

Met Angins kleinzoon ga ik de donkere vochtig ruikende woning binnen. Narisha niet. Of toch wel... Ik meen haar te horen. Omdat ze toch liever bij mij in de buurt blijft? Omdat ze hoopt dat Angin bij het zien van haar schoonheid toch nog spreken kan? Omdat ze verwacht dat hij omringd zal zijn door doden die haar vertellen waar haar broertje is?

Mijn ogen moeten wennen aan het donker. Ik tuur rond. Er branden een paar kaarsen. Het is een sobere ruimte. Het enige meubelstuk in de ruimte is een houten bed waarop Angin ligt te slapen. Hij lijkt een lijk, maar als ik goed kijk zie ik dat hij geruisloos ademt.

Op de grond, naast het bed, zit een andere jongeman, een erg knappe kerel, gekleed in zo'n witte jurk en met een beginnende baard. Hij kijkt naar mij, en dan mij voorbij.

'Wat doe jij hier?' vraagt hij in het Indonesisch.

Ik hoor Narisha achter mij. Ze fluistert terug in het Javaans, stapt voor mij langs, en trekt haar broertje aan zijn witte jurk mee naar buiten.

Ik ga op mijn hurken zitten, dicht bij Angin. Met de bovenkant van mijn wijsvinger strijk ik langs zijn wang, die koortsig voelt.

BODO

'Waar is Sita, Angin?' fluister ik.

Angin gromt als een hond die op zijn staart wordt getrapt, maar houdt zijn ogen gesloten.

'*Sita sudah mati*, Bapak... *Sudah lama*,' zegt zijn kleinzoon, en de toon verklapt dat zijn oma al heel erg lang geleden gestorven is.

Senne

En dat onder hen geen afgunstigheid noch jaloezie was

Geheel onverwacht ontdek ik dat OPA in zijn rechterhand nog heel wat meer kracht heeft dan ik kan vermoeden. Misschien dat OMA toch gelijk heeft dat hij best in staat is om zelf zijn beker vast te houden, of dat het richten het probleem is, niet de kracht.

Van OMA mag ik OPA niet optillen. Dat moeten de verpleegsters doen, die daarvoor zijn opgeleid. Achter OMA's rug maak ik grappen dat ik sterk ben, door mijn spierballen te laten zien, en als reactie zie ik OPA, langzaam, ook een vuist maken.

'Kijken wie de sterkste is, opa?' daag ik hem uit, om een lachje te scoren.

Ik grijp zijn hand. Dat deden we vaak. Als we ergens moesten wachten in een restaurant, als er maar een tafel stond en we even niks hadden om over te praten, vroeg ik hem: 'Opa, kijken wie de sterkste is?'

Hij lacht niet, maar neemt de uitdaging aan. Zoals vroeger voelt zijn hand in eerste instantie slap, om je te laten geloven dat je een kansje maakt. Ik geef hem een nog slapper handje terug en daar reageert hij op door meer kracht te zetten, waarop ook ik weer meer kracht zet, en uiteindelijk voel ik hoe zijn hand steeds krachtiger wordt. Geleidelijk merk ik hoe sterk hij nog is, en dat hij nog altijd meer kracht in zijn rechtervuist heeft dan ik.

'Ik leg het af, opa,' lach ik, vol blijdschap dat er nog zo veel leven in mijn opa is.

Hij glimlacht ondeugend, alsof hij wil zeggen: niet verklappen! Zijn ogen gaan in de richting van de keuken, waar OMA voor hem een bordje havermout aan het maken is.

Gestimuleerd door onze krachtmeting draag ik OPA's laatste nog onvoltooide schilderij naar beneden en leg het voor hem neer. Zijn schilderspullen haal ik van zolder, en ook die spreid ik voor hem uit op een stuk zeil dat ik daar gevonden heb.

Als ik een paar glazen met water vul om de penselen in uit te spoelen, vraagt OMA geërgerd: 'Wat ben je aan het doen?'

'Opa kan deze nog afmaken,' zeg ik.

Met een blik van afkeer zegt ze: 'O, dat schilderij!'

De nadruk op het woordje 'dat' zegt evenveel als haar vernietigende blik.

'Toch leuk als hij dit afschildert,' zeg ik met mijn liefste stem, 'ik zal wel zorgen dat er niks geknoeid wordt.'

Ik weet hoe neurotisch ze is over vlekken op het beddengoed. OPA krijgt een slabber om zo groot als haar schort als ze hem een stukje melkchocola met noten voert. Wanneer ik in de keuken een van haar keukenschorten van de haak neem om hem om te doen als extra bescherming voor zijn kleding, grist ze die uit mijn handen en hangt het terug.

'Gooi die vreselijke vrouw maar weg,' zegt ze kwaad. 'Ik zal dat toch nooit ophangen!'

Naar mijn idee overstijgt OPA zichzelf juist met dit schilderij. Alhoewel er op zijn andere doeken vaak vrouwen met ontblote borsten voorkomen, is dit zijn eerste echte naakt. Het gezicht van de geschilderde dame ontroert. Ze heeft een warme sensuele dwingende blik. De ogen volgen je, welke kant je ook op loopt, en het is alsof ze je vraagt: waar ga je heen?

Het lijkt of OPA vanaf de buitenranden naar het centrum is gaan schilderen. Alles is af, behalve het binnenste, dat raar wit is gebleven. Onder de grote blote borsten van de vrouw tot aan haar venusheuvel is het doek nog net zo wit als hij het ooit in de winkel heeft gekocht.

De naakte vrouw, die Aziatische trekken heeft maar ook Europese, is tot en met haar knieën te zien. Haar kuiten konden er niet meer op. Onder de onbehaarde venusheuvel, waardoor ik me ga afvragen of OMA zich daar ooit geschoren heeft, heeft hij in een driehoek, die bovenin fysiologisch gesproken schaamlippen zou moeten onthullen, een miniatuur tropisch kraterlandschap geschilderd. Deze vondst, want door dit onderdeel van het schilderij ben ik ervan overtuigd dat mijn OPA, als hij in een ander milieu was geboren, een kunstenaar zou zijn, is niet te interpreteren als het driehoekje van een tanga, omdat het driehoekje met de punt naar beneden tussen de dijbenen hangt, dus net andersom.

Ik houd het doek schuin voor OPA's neus, zodat het hem niet veel moeite kost om daar zijn rechterhand naartoe te brengen. Ik verwacht dat het bibberige streken zullen zijn, maar omdat het eigenlijk alleen om een bruinbeige buikpartij gaat, denk ik dat het hem moet lukken om met de kracht die ik nog niet zo lang geleden in hem voelde, dit werk te voltooien.

OPA pakt het penseel aan, krachteloos, alsof het te zwaar voor hem is, en verder doet hij niks.

'Opa, toe nou,' fluister ik.

Hij schudt nee. Een kort nee. Maar zijn rechterwijsvinger gaat bewegen en daarmee wijst hij naar mij.

'Wat moet ik, opa?' fluister ik.

'Jij,' fluistert hij. Dan sluit hij zijn ogen en slaapt.

Hij slaapt nog steeds, als ik na één uur het doek en de verf bij hem weghaal, omdat die spullen, volgens OMA, te zwaar op zijn lichaam drukken.

Zo zult gij komen tot een zorgeloos volk

Ze zijn vriendelijk, hartelijk, omhelzen me innig als ze binnenkomen, helpen me met koffiezetten en zijn al bezig met de afwas als ik overal in huis naar vieze glazen, gebruikte kopjes en vuile borden zoek. Als ze op visite komen, dan weer overdag, dan weer 's avonds, dan weer in het weekend, helpen ze met het opwarmen in de magnetron, vullen de elektrische rijststomer, doorzoeken het vriesvak naar voedsel dat de uiterste datum heeft overschreden, en helpen met het ophangen van de was.

Vooral omringen ze OPA toegewijd: masseren zijn voeten, aaien zijn hoofd, kammen zijn haren, scheren zijn nek, kin en wangen, geven hem te drinken, tonen hem foto's, knuffelen hem voorzichtig en houden zijn hand liefdevol vast.

Mij vragen ze hoe het gaat, wat de dokter heeft gezegd, of de verpleging lief is en of OMA het een beetje redt. Maar tot nog toe heeft niemand mij mee uitgevraagd.

Zo-even, toen ik op verzoek van OMA kroketjes ging kopen bij de shoarmasnackbar, bood TANTE, de oudste dochter van mijn grootouders, aan om mij die kleine tweehonderd meter in haar BMW te brengen. Ik had zin om te lopen, even weg uit die overvolle huiskamer, met alleen mijn eigen gedachten, maar zij stond erop, aangezien het buiten koud en miezerig was.

Vroeger zou OMA mij niet om een boodschap wegsturen als haar dochters in huis waren, maar nu vraagt ze het aan mij en nooit meer aan haar dochters. Het lijkt een degradatie, alsof ik niet langer een familielid ben, en voortaan deel uitmaak van het bedienend personeel. Toch is het een promotie. OMA, die nu volkomen afhankelijk is van mij en van het THUISZORG-personeel, deelt met die vreemden en met mij haar diepste en urgente zorgen.

Haar dochters behandelt ze als belangrijke gast, dus op dezelfde wijze als ze het overige bezoek ontvangt, dat hier soms alleen maar komt omdat het te lui is thuis zelf een kop koffie te zetten en even de zeurverhalen spuien moet die OMA allang kan dromen, maar die ze geduldig aanhoort, omdat ze weet dat die mensen net zo eenzaam zijn als zij.

Op de terugweg, met niet alleen kroketjes, maar ook in transvet gefrituurde patat, shoarma van varkensvlees, en een kaassoufflé voor een aangetrouwde vegetariër, ontving ik mijn eerste uitnodiging. 'Kom nou toch eens bij mij op bezoek, als mijn moeder je een keertje kan missen.'

TANTE's echtgenoot bevindt zich, als oorlogsverslaggever, meestal in het Midden-Oosten. Ik wist niet wat die man van haar deed, maar het viel me al op dat hij zich nooit liet zien. Ik schreef dat toe aan een slecht huwelijk, maar tijdens die korte rit heeft ze me tweemaal ongevraagd verzekerd dat ze zesendertig jaar geleden de beste man van de wereld op de school voor journalistiek heeft leren kennen en dat hij de school afmaakte, maar dat zij afhaakte omdat ze moeder werd.

Ze zal wel eenzaam zijn. Ze is zo'n vrouw met opvliegers, die telkens in haar hemdje zit als iedereen een trui of vest aan heeft. Al ziet ze er goed uit, ik denk niet dat ze veel aan seks doet, met die man altijd op pad. Ze heeft een baan in een of ander kneuterig museum, en doet research voor een homepage over Indisch erfgoed, of iets in die geest... Ik liet haar een beetje praten en precies begreep ik het allemaal niet.

Ik heb allang in de gaten dat de familie grote vreugde verbergt achter koel zwijgen, omdat ik hier een oogje in het zeil houd, nu

OPA meer dood dan levend is. De drang om mij te logeren te vragen, mocht deze op een of andere manier vanwege onze bloedverwantschap bestaan, wordt door hun zorg om die twee oudjes vermoedelijk stevig in de kiem gesmoord.
Iedereen werkt of is druk met eigen dingen. De ene TANTE heeft borstkanker, is aan de chemo en ondergaat nog meer van die ziekmakende therapieën die heil moeten brengen op de lange duur. Een andere heeft een cateringbedrijf van Indische hapjes en werkt twintig uur per etmaal, en dat laatste hoorde ik van haar kinderen, die zwaar tabak hebben van die toko. Dan is er ook nog een TANTE die haar man dreigt te verliezen aan een of andere treurige kanker, alsof die ziekte onze familie niet al voldoende teistert.

TANTE, die zich als oudste zus van mijn vader het meest om mij bekommert, vroeg hoe het voor me was om in Nederland te wonen, nadat ik mijn leven lang in Azië heb gewoond.
Eigenlijk had ikzelf nog niet eerder op deze manier naar SEN-NE PORTIER gekeken. Ik dacht dat ik hier logeerde totdat ik voldoende zou hebben nagedacht en in staat was tot het maken van een plan waarmee ik het bestaan van SENNE PORTIER zin kon geven. Maar door haar vraag moest ik mezelf bekennen dat mijn aanwezigheid in dit vergrijzende dorp, zowel objectief als subjectief, niets meer had van een gezellige logeerpartij.

Is dit dorp
a) uw logeeradres?
b) uw tijdelijke verblijfplaats?
c) uw woonplaats?
d) anders, namelijk...

Spontaan, en waarschijnlijk pissig, was mijn antwoord: 'Nou, van Nederland merk ik natuurlijk niet veel, in het huis van opa en oma.'
En zo is het. Journaal kijken ze niet, de krant hebben ze opge-

zegd, ik kom in dit dorp alleen bij de supermarkt, de bakker, heel
af en toe bij de snackbar of de Chinees, en regelmatig aan het loket van de huisartspraktijk, niet alleen voor OPA, maar inmiddels
ook voor OMA, die van ellende allerlei kwaaltjes is gaan krijgen.
   Wat er hier aan huis komt is een verlengstuk van mijn grootouders. Het bezoek is hun cirkel, die hun enerzijds tragische, anderzijds ook interessante identiteit versterkt. Ik leer het leven
van twee Indische oudjes in Nederland van heel nabij kennen.
Hun visite, ongeacht hun leeftijd, voorziet mij nauwelijks van
kennis over dit land. Alles wat er in huis verbaal of non-verbaal
aan informatie en ervaring mee komt met de mensen die hier
om professionele, functionele of sociale reden binnenstappen,
draagt echter wel bij tot een breder en boeiender beeld ofwel een
triester beeld van mijn grootouders. Ze komen krachtiger uit de
verf dan wanneer de klok in stilte tikt, elk kwartier de BIG BEN-
melodie als enige de kamer vult, en er in dit huis niks gebeurt behalve de herhaling op televisie van bijna uitgestorven roofdieren
die een kudde zeldzame herten besluipen.

Naast wat er in dit huis gebeurt, is er een ander veel groter land
waarin ik me bevind, en waarin ik me al jarenlang vertrouwd
voel, waarmee ik ben opgegroeid en waar ik mijn weg redelijk
goed kan vinden, maar dat helaas ook zijn beperkingen en grenzen heeft: C-LAND.
   In dat land raak ik op de hoogte van de beëdiging van de eerste
zwarte president, door een rechter die het als je het mij vraagt,
maar wie vraagt mij ooit nog mijn opinie over wereldzaken, niet van
harte deed, waardoor het ultieme onderdeel van de ceremonie
niet vlekkeloos wilde verlopen en de beëdiging in kleine kring
voor de zekerheid werd herhaald.
   Ik miste HIQ die ongetwijfeld, op de campus met zijn vrienden, hierover scherp zou hebben uitgehaald. Ik had op eigen initiatief de natuurrampen weg gezapt en de beëdiging gevolgd via
de televisie. OMA, die gelukkig niet verontwaardigd terug zap-

te naar de ijsberen, keek net zo geboeid als ik, en was zichtbaar trots dat er nu een niet-blanke president, die bovendien in Jakarta naar school was geweest, wereldleider werd.

Met haar had ik een heel andere gedachtewisseling dan ik met HIQ gehad zou hebben naar aanleiding van wat er daar in Washington gebeurde. Toch viel ze me mee.

We zaten gevoelsmatig voor het eerst eens op dezelfde lijn. Er liepen tranen over haar wangen tijdens zijn speech. Even was ze OPA en zijn ziekte helemaal vergeten, zo ging ze op in de plechtigheid. En voor het eerst noemde ze mijn vaders naam. 'Dit had Mond moeten meemaken,' hoorde ik haar fluisteren, alsof de woorden haar ontglipten doordat ze mijn aanwezigheid net als die van OPA vergeten was.

Toen ik OPA het heuglijke nieuws meteen na de uitslag van de verkiezingen vertelde, was hij iets spraakzamer dan hij, helaas, inmiddels is. Hij keek nog vaak televisie. Met een stevige bokspartij op de buis kon OMA hem nog makkelijk wekken als ze wilde dat hij at.

Tijdens de maandenlange strijd om het presidentschap was OPA naar mijn weten nog precies zoals altijd, want hij reageerde blij en niet verbaasd, toen hij van mij hoorde wie de verkiezingen had gewonnen. Zijn gezicht begon te stralen. Twinkelende ogen. Hij keek mij een tijdje met die ondeugende ogen aan en zei: 'Senne, jij kan ook president worden, als je wilt tenminste.'

De laatste vier woorden kwamen aanzienlijk zachter, bijna onverstaanbaar uit zijn mond.

Nergens, op geen enkele nieuwssite kan ik nog iets vinden over die Indonesische terrorist die de naam PROFICIAT draagt van geboorte en die, misschien wel dankzij die naam, eerst twee keer op Java is ontsnapt en naderhand zelfs uit de best bewaakte gevangenis van Singapore. Hij vroeg: 'Mag ik even piesen?' En een paar minuten later was hij door het wc-raam weggevlucht. Al mijn JIS-vrienden die Singapore al vreesden voor het geval hun jas of tas per ongeluk naar hasj zou ruiken, waren verbijsterd dat een zware terrorist makkelijker kan vluchten uit de zwaarst bewaakte gevangenis dan een JIS-leerling uit ons schoolgebouw.

Hoe of ik ook google, behalve dat ze iemand van straat pikten omdat hij de voortvluchtige zou zijn, maar hem weer lieten lopen omdat ze het mis hadden, nergens lees ik nog iets over die terrorist die heel wat geld op zijn hoofd heeft staan.

Wel lees ik op internet over de terechtstelling voor een vuurpeloton in Indonesië van drie BB-terroristen die liever onthoofd werden, maar in het hart geschoten zijn.

Op JIS hadden we het met elkaar over die ontsnapping van de Indonesiër met de mazzelnaam. Het liet ons niet los. De neef van HIQ zou die man hebben gekend. Ergens in Maleisië, waar HIQ meer familie heeft. Zoiets stond in zijn verhaal.

Ik had over die feiten eigenlijk eerder niet willen denken, maar ver van HIQ zocht ik op de computer van mijn grootouders of ik een spoor van HIQ's neef kon vinden. Ik kwam uit bij rare filmpjes van YOUTUBE, die studenten maakten om de politie en de gevangenisbewakers van Singapore op de hak te nemen. Ook van studenten uit Maleisië trof ik in C-LAND filmpjes aan naar aanleiding van deze ontsnapping, die mijn brein evengoed alle kanten op stuurt.

Ik krijg heimwee naar HIQ als ik door C-LAND slenter en ik slenter daar de hele tijd. Vooral YOUTUBE kan ik niet aan zonder een schrijnende pijn in mijn borststreek. Hij en ik hadden ook een filmpje willen maken toen we van de ontsnapping hoorden, maar we waren te druk met de examens. Toen wist ik nog niet van het bestaan van zijn neef, en nog minder van wat die neef voor idealen had door frustratie over zijn jeugd en zijn westerse vader die hem in de steek gelaten had.

Intussen weet ik, dankzij GOOGLE, dat iets opzoeken op GOOGLE evenveel energie kost als een uur een spaarlamp laten branden, en dat een dagje googlen naar de neef van HIQ evenveel energie kost als er nodig is om dit vergrijsde dorp een uur van licht te voorzien. Al zoekend ontdekte ik ook dat het eten van een biefstukje grotere gevolgen heeft voor het broeikaseffect dan het rijden in een auto. Totaal niet ontmoedigd door de kennis over het energieverbruik heb ik via GOOGLE toch alles gedaan wat mogelijk is om iets uit te vissen over DIAN's mogelijke stageplek in Maleisië. Het enige wat ik vond was dat vissen veel intelligenter zijn dan mensen, met een imposant aantal sterk ontwikkelde pijnreceptoren, en dat ze mogelijk meer pijn ervaren dan OPA, bij wie de minste geringste beweging tot een nieuwe breuk kan leiden.

Omdat ik vooral de internationale nieuwssites lees, maakt het niet veel uit of ik nu in Jakarta, in New York of hier bij mijn grootouders woon. Dit huis staat weliswaar op Nederlandse grond, maar wat zich hier binnen afspeelt, of in elk geval wat ik hier binnen beleef, zou ik in elk land kunnen beleven. Twaalf uur van de dag slenter ik rond in C-LAND, waar je geen paspoort nodig hebt, alleen een internet i.d.

C-LAND is waar ik woon, en waar ik me thuisvoel, ook al ga ik al een tijdje mijn honderden JIS-vrienden op FACEBOOK en PLAXO en in alle andere c-community's uit de weg. GOOGLE is mijn energievretend kompas. Mea culpa, mea culpa. Ik google, dus ik ben.

Ik heb geen moeite gedaan om TANTE uit te leggen dat LAND in de eenentwintigste eeuw een relatief begrip geworden is.

Toch ken ik Nederland zoals mijn TANTES hun eigen land niet kennen. Zij wisten niet dat een THUISZORG-bed na enige maanden wordt weggehaald om vervangen te worden door precies zo'n zelfde bed, omdat het de ene keer door de ene en de andere keer door de andere instantie wordt betaald. Een wettelijke bepaling, naar het schijnt. Alleen zoiets al overtuigt me nooit de politiek in te gaan.

'Sorry, opa, je kleindochter wordt geen president.'

We hebben voor de beddendans extra hulp nodig van de organisatie die in het leven is geroepen om de kneusjes en oudjes van onze samenleving te ondersteunen in hun moeizame reis naar de dood.

OMA klaagt op Skype over de bedwisseling bij haar dochters en die kijken haar vol verbazing aan. Ik zie aan hun blik dat ze er niks van begrijpen, omdat hun hoofd al vol zit met eigen sores, zei mijn vader altijd in soortgelijke situaties.

'Kan Senne u daar niet bij helpen?'

De TANTES hebben het gevraagd aan OMA, allemaal op dezelfde toon, want Senne, de assistente van SUPERMAN, RAMBO en BATMAN, verricht wonderen.

'Zal ik dan toch maar een brief aan de minister-president schrijven?' reageerde ik van een afstand, met het bescheiden cynisch stompje onder de gordel dat HIQ altijd wel begreep.

'De vorige regering heeft dit klaarblijkelijk besloten en zoiets draai je daarna dan niet meer terug,' zei een van de TANTES in alle ernst. De anderen lachten me hartelijk uit.

'Ik zou mezelf de wandeling naar het stemhokje besparen als de nieuwe regering niks van de oude regering kan veranderen,' was mijn bescheiden nichtjes-zijn-onschuldig-antwoord. Daar stopte de conversatie. TANTE moest weer aan het werk.

Mijn oom, die niet op de hoogte is van mijn positie in zijn ouderlijk huis, stuurde OMA niet na een diepe zucht terug naar mij, maar schudde zijn hoofd en zei: 'Nu weet ik weer waarom ik uit dat land ben weggegaan.'

Niemand kan precies zeggen wanneer het ene bed wordt verwijderd en het andere wordt gebracht. OMA raakt op van de zenuwen. Ik durf er mijn hele hebben en houwen, dat boven op zolder tussen OPA's schilderijen staat, om te verwedden dat OMA het makkelijker vond om op de boot naar Nederland te stappen en Indonesië voorgoed vaarwel te zeggen, dan zich te verzoenen met OPA's migratie van het ene naar het andere matras.

Ik beloof de verzorgers op te bellen zodra ze het nieuwe bed, via de smalle gang, in de toch al overvolle krappe huiskamer plaatsen. Die waarschuwen me uitgebreid: de ene verzorger is dan waarschijnlijk twintig kilometer ten noorden van ons een invalide dame aan het wassen en de andere verzorger stopt op dat moment zeven kilometer ten westen van ons bij een seniele man misschien een zetpil in de anus, maar ze zullen beiden zo goed en zo kwaad als het gaat, toesnellen om OPA te versjouwen. Alhoewel bij zo'n beddendans goeie timing is vereist, valt er verder niets te regelen. OMA piekert wat we zullen moeten beginnen als het oude bed al wordt opgehaald terwijl OPA nog niet in het nieuwe ligt. Ikzelf ben vooral ongerust over de ruimte in de kamer. Met één bed is het hier al krap. Hoe kunnen we twee bedden naast elkaar plaatsen, en hoe kun je een zevenentachtigjarige, die uit zo veel brokjes breekbaar bot bestaat, heelhuids overhevelen als de THUISZORG-bedden in dit kleine pokkenhuisje niet strak tegen elkaar kunnen staan?

Ik heb me voorgenomen om me bij alles wat ik niet kan veranderen neer te leggen. OMA maakt zich in haar eentje immers al wekenlang druk voor twee. Als er geen verzorger in de buurt is om tegenaan te praten, richt ze zich tot mij, en als ik me oostindisch doof houd, zegt ze tegen zichzelf keer op keer: 'Waarom kan dit bed niet gewoon blijven?'

Haar stemming is als een elastiekje dat te strak gespannen staat. Bang dat ik het slachtoffer word van haar drift, trek ik me terug in C-LAND, met mijn rug naar haar toe, en houd ik me klein, met mijn schouders naar voren, mijn rug gekromd. Daarom gaat ze tekeer tegen OPA die voor deze beddendans op de laatste plaats verantwoordelijk is.

Elke keer als hij zijn luier vol heeft, grijpt ze zoals gewoonlijk naar de telefoon. Het is een dankbare gelegenheid om de opgekropte woede vanwege de verregaande bureaucratie in het kader van bedverwisseling te spuien via de ontlasting van haar man. Heftig moppert ze: 'Ja, met mevrouw Portier. Hij heeft alweer gepoept!'

Er is niets meer over van de welopgevoede grootmoeder die ik altijd heb gekend. 'Ik zeg hem telkens dat hij een grote moet doen vóórdat ze hem komen wassen, en niet erna, maar hij luistert niet.'

Aan het eind van de dag, voordat de nachtverpleger komt, meet ze de geslaagdheid van de dag af aan de frequentie van OPA's grote boodschap en hoe lang het per keer duurde voordat er iemand was.

Elke dag dwingt ze hem een laxerend middel te drinken, maar dat het drankje zijn werk doet staat haar eigenlijk niet aan. Met dezelfde tegenstrijdigheid hebben mijn grootouders ongetwijfeld hun kinderen opgevoed. Die moesten zich aanpassen aan de Nederlandse cultuur, maar juist als hun dat goed lukte, raakten die twee oudjes gefrustreerd.

Zodra OMA hoort dat de dichtstbijzijnde verzorger twaalf kilometer bij ons vandaan een bejaarde aan het douchen is, en dat deze zich verplaatst per streekbus, wat betekent dat die desbetreffende persoon tweemaal moet overstappen met bussen die toch al niet te regelmatig rijden, wil ze dat ik haar help om OPA dan zelf maar te verschonen.

Ik voer, terecht, het argument aan dat we bij één foute beweging een breuk veroorzaken met gevolgen die ik niet kan overzien. Als meisje van achttien, vol hoop en verlangen naar mogelijk gespierde prinsen die zonder schimmel mijn leven in zullen galopperen, sta ik niet te juichen om op haar down-to-earth-voorstel in te gaan.

Zogenaamd op zoek naar vochtige zwitsal-babydoekjes die ik expres achter een stoel verborgen heb, drentel ik door het huis, terwijl zij een waskom vult met lauwwarm water. Als ze met twee brandschone washandjes komt zeg ik snel: 'Ik geloof dat ik iemand bij de voordeur hoor.'

Ik open de voordeur, loop naar buiten, en zeg: 'Gos, ik dacht toch echt dat ik iemand hoorde bellen.'

Dat kan ik rustig zeggen want oma's gehoor gaat hard achteruit. Zo kan ik, inventief als ik ben, die verschoning met allerlei ondermijnende activiteiten nog enige tijd rekken.

Ik pak de telefoon, druk de herhaalknop in, zeur die mensen van dat thuiszorg-kantoor aan de kop hoe lang ze denken dat het nog zal duren, skype de tantes om ze te melden wat er gaande is in de ijdele hoop dat een van hen zal toesnellen om hun eervolle taak als dochter op zich te nemen, moet opeens zelf naar de wc waar ik mijn dagboek mee naartoe neem en een stapel roddelweekbladen, waarin van alles staat over artiesten die ik geen van allen ken en wier liefdesleven me voor geen millimeter interesseert, en moet opeens heel erg nodig iets eten, liefst iets wat lang in de echte gasoven moet, omdat ik gek word van de honger.

oma slikt alles als kue putu. Maar uiteindelijk, als na uren nog niemand is komen opdagen, moet ik eraan geloven en duwen we opa, die probeert niet te kermen van de pijn, op zijn kant, en wrijf ik samen met mijn grootmoeder de billen van de man bij wie ik ooit op schoot zat schoon.

'Gaat het, opa?'

Hij houdt zijn ogen net niet dicht, kijkt tussen de spleetjes van zijn nog altijd volle wimpers door, en zegt mij zonder woorden: Het geeft niet, senne, het is goed zo, als zij het zo wil dan doen we het zo. Fysieke pijn is geen pijn.

En dat land is wijd van ruimte

Ook al bood ze aan om me op te halen, ik verkoos het openbaar vervoer. Ik had zin in avontuur, ondanks mijn schuldgevoel dat ik OMA alleen met OPA achterliet en OPA alleen met OMA, wat misschien nog erger is...

Met alleen mijn Nepcalvinklein, mijn iPod en mijn telefoon reist het heel anders dan met die hoeveelheid bagage die ik vanaf het vliegveld mee moest sjouwen. Toen reisde ik met te veel bagage, maar nu was de temperatuur rond het vriespunt en moest ik OMA's laarzen lenen omdat een fatsoenlijke schoenenwinkel in het dorp ontbreekt en mijn gympies de strijd met sneeuw en hagel zouden verliezen.

Het wachten bij de bushalte was onaangenaam, maar eenmaal op het station voelde ik me een ware reiziger. Wat zou mijn vader trots zijn geweest op zijn door en door verwende dochter en haar koloniale leventje.

OMA had me genoeg euro's meegegeven voor een retourtje naar Rome. Hoewel ik een ontsnapping aan de familie gedurende een aantal seconden serieus overwoog, leek het me wijzer om gewoon naar TANTE te gaan, zoals ik had afgesproken.

Ik vroeg een knappe jongeman met een gitaar om hulp bij de kaartjesautomaat, maar die haalde zijn schouders op en zei: 'Gewoon indrukken waar je naartoe moet.' Vervolgens rende hij weg om zijn eigen trein te halen.

Verder ben ik op het perron tal van pokdalige pubers en oude kale mannen tegengekomen. Quasionverschillig liep ik de hele trein door, van het begin tot het eind, in de hoop dat er een coupé was met een bronstige hiq-achtige student. Tevergeefs, misschien was het te vroeg voor studenten, of juist te laat, in elk geval zat er voor mij niks bij.

Ze wacht op me in haar BMW, en rijdt eerst nog langs de stomerij om een D&G-kostuum op te halen en langs de schoenmaker voor haar Gaultier-laarzen. Die moesten worden opgerekt, lacht ze, vanwege haar Aziatische kuiten.

Ik lach spontaan mee: 'Heb ik die dan van jou?'

'Alle Portiers hebben die kuiten, man of vrouw, het maakt niet uit.'

'Opa niet.'

'Opa niet meer, omdat hij niet meer beweegt, de spieren verdwijnen en op den duur worden zijn botten ook pap en is er alleen een velletje over.'

Dan zijn we allebei even heel stil, maar niet lang.

Ze begint over de auto die een beurt moet hebben, de garage die haar al twee keer belazerd heeft, de telefoon die ze vergeten was op te laden waardoor ze bang was dat ze mij was misgelopen, en over de vakantie die ze niet durft te boeken vanwege OPA, omdat zij in dit land de oudste is.

En nu zitten we tegenover elkaar aan haar keukentafel. Ze heeft sushi gekocht omdat ze zich herinnerde dat ik dat als kind erg lekker vond en ik zulk eten bij OMA niet krijg. Ik vind dat zo attent van haar, dat ik na de warme sake de cappuccino ook opdrink, terwijl ik geen alcohol lust en mijn hele leven alle melkproducten heb gemeden omdat ik volgens mijn moeder aan een lactose-intolerantie lijd.

Ze ontwijkt krampachtig me te vragen over mijn studie, over mijn moeder, over de dood van RAY. Ze houdt het gezellig, overlaadt me met complimenten over mijn tas, herkent de honderd

jaar oude laarzen van haar moeder, biedt een oud Sergio Rossi-
paar van haarzelf aan, omdat ze dezelfde maat heeft en haar kast
uitpuilt van de overdaad aan schoeisel, en dan opeens zegt ze,
zonder aanleiding en zonder van toon te veranderen: 'Mijn vader
zegt dat je een boek over hem schrijft.'

'Nee, ben je gek,' hoor ik mezelf antwoorden, 'ik schrijf alleen
een beetje op wat ik beleef.'

Ik bloos. Ik krijg het warm. Te veel sushi, de sake en de melk,
kortom, ik ren naar de gang, en de melk, de sake, de zalm, tonijn,
zeewier, alles komt met de kracht van een tsunami naar boven
voordat ik de wc-deur heb bereikt. Daar buig ik me over de pot,
want het wil niet stoppen. Het is alsof alles wat me in de afgelopen maanden dwarsgezeten heeft als gal naar buiten komt.

Uitgeput laat ik me vallen op de koude tegelvloer. OMA's laarzen zijn geraakt, verder ben ikzelf redelijk schoon gebleven. De
gang zie ik straks wel. Daar denk ik liever nog niet aan.

TANTE klopt op de deur, ook al is hij half open, en vraagt:
'Meis, gaat het weer?'

Man en vrouw schiep hij ze

Ze heeft de gang in haar eentje schoongeboend, nadat ze mij beval op de sofa in de huiskamer te gaan slapen. Moederlijk wikkelde ze me in een grote kleurrijke stola die OMA ooit voor haar heeft gehaakt, stak de haard aan, zette van die temazepammuziek op waar mijn moeder haar yoga bij doet, en voordat zij aan de ravage die ik in de gang veroorzaakt had begonnen was, was ik al in slaap.

Bij het open haardvuur op het Perzisch tapijt masseert ze enige tijd later mijn rug, nek en schouders. Terwijl ze mijn spieren soepel kneedt en ik voor het eerst sinds mijn ruzie met HIQ, of eigenlijk voor het eerst sinds we het telefoontje kregen van mijn vaders kantoor, mijn denken stop, vertelt ze over RAY's geboorte.

OPA, die bij elke eerdere bevalling tot verdriet van OMA was gevlucht voordat de weeën goed waren begonnen en pas weer opdook als hij babygehuil hoorde, had de geboorte van zijn benjamin wel van begin tot eind bijgewoond.

Ze had haar moeder al maandenlang bij het avondeten horen klagen dat hij er nooit was bijgebleven, terwijl elke andere aanstaande vader wel getuige van zo'n wonder zou willen zijn. OPA zweeg dan altijd, keek naar buiten, of rolde een sjekkie.

Met haar oor tegen de wand probeerde hun oudste dochter elk geluidje in de echtelijke kamer op te vangen. De waterkraan, gemompel van de vroedvrouw, gekreun van haar moeder, geschuifel van haar vader van de kamer naar de badkamer. Ze miste geen enkel detail.

Toen haar moeder met enige regelmaat kermde, hoorde ze de traptreden kraken. Door de kier van haar kamerdeur zag ze hoe haar vader stiekem de trap af sloop. Nooit zal ze vergeten hoe vervolgens de vroedvrouw, luid als een marktkoopvrouw, alle kinderen wakker bulderde: 'Mijnheer Portier, als u het waagt om weg te lopen, ga ik er ook vandoor en dan zoekt u maar uit hoe die baby van u ter wereld komt.'

TANTE's anekdotes over hoe het toeging in haar jeugd, als groot gezin in dat kleine huisje, het delen van de slaapkamers, het vechten om de kant van het tweepersoonsbed, wie er boven of onder mocht in het stapelbed, en hoe RAY bij haar in bed kroop omdat hij bang was in het donker, maken me aan het lachen. Als ik grinnik stopt ze met masseren, maar haar handen blijven bijna gewichtloos rusten op mijn huid. Haar vingers wrijven weer krachtig verder als ik uitgelachen ben.

Mijn vader masseerde me ook, als ik ziek was of als ik tegen hem aan kwam zitten op de bank om samen een film te kijken. Zijn handen waren groter, maar verder lijkt het of RAY er weer even is. Ik heb mijn ogen gesloten, verbeeld me dat hij teruggekomen is om mij zoals vroeger te masseren. Ik mis zijn stem. Als hij me masseerde was dat ook het moment waarop hij met me sprak, altijd in flarden, met veel pauzes, en dat samen was toch een soort verhaal.

Ze zegt dat OPA hen altijd masseerde, en dat ze het allemaal van hem hebben geleerd. Dat RAY als jongetje van vier het al heel goed kon en dat hij de liefste was van allemaal, een kind dat nooit in zijn leven ooit stout is geweest.

Ze neemt me mee van haar jeugd naar haar eerste vriendjes, naar haar eigen kinderen die allemaal het huis uit zijn en dan, wat ze misschien van het begin af aan, meteen toen ik op het station aankwam al wilde, vertelt ze over OPA, het geheime verbond tussen vader en dochter, dat ze graag met mij wil delen. Halverwege haar verhaal kom ik overeind. Zij leunt tegen een grote leren versleten poef, ik leg mijn hoofd op haar bovenbenen. Het haardvuur knettert licht en heeft alleen een enkele vlam. Buiten wordt het donker. Binnen zijn geen lampen aan. We zitten in het donker, bij de rode gloed van de sluimerende haard, als ze haar laatste zinnen over haar geheim met OPA heeft gezegd en vraagt: 'Zal ik het even voor je pakken?'

Alhoewel ik liever met de trein zou gaan om alles wat ze heeft verteld te laten bezinken, voordat ik weer bij OMA en OPA de vele huishoudelijke taken op mijn schouders neem, staat ze erop mij te brengen met haar BMW. De hele rit zijn we elk in onze eigen gedachten verzonken. Ze mijdt de snelweg, kiest een slingerweg langs grote plassen en ander water dat alleen maar zwart weerkaatst en heeft slecht zicht door een onverwachte zware sneeuwstorm. Door de miljoenen witte vlokken die tegen de voorruit dwarrelen in de lichtbundels van haar koplampen wordt de wereld een sneeuwbol die door God is geschud.

Waarom heb ik nooit met mijn moeder kunnen praten zoals vandaag met haar, vraag ik me af, terwijl TANTE en ik plezierig zwijgen. Zij turend naar buiten, ik turend naar binnen. Altijd als mijn moeder haar mond opendeed begon bij mij de ergernis. Het is, voor zover ik me kan herinneren, nooit anders geweest. Terwijl DIAN uren met haar kan bomen over wat dan ook, en het hem nooit lijkt te irriteren als zij haar eigengereide mening te berde brengt, gaan bij mij de haren al overeind zodra ze haar eerste zin maar net is begonnen.

Ik denk na over wat TANTE mij heeft verteld: het geheim van OPA. Het is geen toeval dat ze juist aan mij hierover heeft verteld. OPA heeft mij lang geleden in Jakarta ook papieren gegeven en mij gezegd dat ik het nooit aan iemand mag laten lezen. Als OMA met mijn moeder aan het tennissen was, zat hij te schrijven met potlood op achterkanten van papier dat RAY had weggegooid. Toen had ik hem geleerd hoe hij op RAY's computer kon werken, en die teksten voor hem uitgeprint. Hij wilde dat ik het voor hem bewaarde. Ik had sommige blaadjes wel gelezen, maar aan het langste verhaal kwam ik nooit toe.

Ik weet zeker dat RAY nooit heeft geweten dat OPA schreef, ook al is RAY, zoals ze allemaal zeggen, zijn lieveling geweest. En ik ben ervan overtuigd dat mijn vader ook nooit heeft vermoed dat zijn moeder jaloers is om zijn vaders woorden.

In mijn Nepcalvinklein heb ik een opgerold papier dat niet handgeschreven is, maar getypt op een ouderwetse typemachine. Sommige letters zijn rood, sommige zwart, soms is een letter van boven zwart en van onder rood.

Ik mag het hebben. TANTE heeft het gekopieerd voordat ik kwam. De inhoud kan ze zich nog goed herinneren omdat ze het verhaal, dat OPA op behangpapier heeft getypt, niet zo lang geleden meer dan één keer heeft gelezen, uit schuldgevoel, en wroeging dat ze eerder zo nonchalant met haar vaders verhalen was geweest.

Zoals ze voor de open haard sprak over haar vader, hield ze me een kapotte scheerspiegel voor. Ik werd door haar herinnerd aan mijn eigen vader, die meer dan eens contact met mij zocht. Hoewel hij er door zijn werk al zo weinig was, ging ik ervan uit dat hij er tot aan het einde van mijn leven nog zou zijn, en was ik te ongeduldig om echt naar hem te luisteren. Alleen als hij me masseerde hoorde ik pas echt wat hij zei.

Op een dag, nu al erg lang geleden, ze dacht dat RAY nog studeerde en zijzelf nog met kleine kinderen zat, stond OPA onverwacht voor haar deur. Hij was de lange afstand komen fietsen. Hij keek bedrukt. Van onder zijn blouse haalde hij een pak papier tevoorschijn. Allemaal verhalen zei hij. Zijn leven, maar ook een beetje verzonnen, als hij het niet precies meer wist.

Heel expliciet vroeg hij: 'Wil je het voor mij bewaren. Goed verstoppen, want je moeder mag het nooit zien.'

Ze was erg verrast, verbaasd, pakte het boeltje aan, gaf hem thee en iets te eten, en toen vroeg hij opeens: 'Mag je de tijden verwisselen? Of moet het steeds hetzelfde zijn?'

'Wat bedoel je, pap?'

'Jij bent toch journaliste, net als je man? Ik wil alleen maar weten of je ik doe zus en zo kan schrijven en later ik deed zus en zo. Mag je de tijd zomaar veranderen?'

'Ik snap je niet, pap, maar ik lees het wel,' had ze geantwoord.

Bij het afscheid lagen zijn deels getypte, deels handgeschreven verhalen nog op tafel.

'Lees maar,' zei hij, met een licht gebaar naar wat er lag, 'maar niet alles is waar, en dat wil je moeder niet begrijpen, ze is jaloers, dus ik heb gezegd dat ik alles al heb weggegooid.'

En zoals dat gaat, zei TANTE, had ze maanden later nog steeds niets gelezen en stond hij onverwacht weer voor de deur. Zwaar hijgend. Hij had nog nooit zo hard gereden.

Hij zei: 'Als ze erachter komt dat ik het aan jou vertel, zal ze mij misschien vermoorden. Wat moet ik doen? Ik kan mijn vrouw toch niet gaan slaan. Hoe moet ik mij verdedigen?'

Zijn vrouw had geëist dat hij de verhalen bij haar inleverde. Ze wilde hem niet geloven, toen hij zei dat hij ze in de vuilnisbak gesmeten had.

'Geef alles terug,' zei hij tegen zijn dochter. 'Je moeder praat niet meer tegen mij. Ze is koppig. Ik heb geen leven. Ze heeft van alles naar mijn hoofd gegooid en midden in de nacht is ze met haar vuist op mijn hoofd gaan slaan. Ze timmert op mijn rug als ik slaap. Ze schopt en pakt wat ze grijpen kan. Telkens begint ze er weer over. Ik heb haar al gezegd: het is niet echt gebeurd, het is mijn fantasie. Maar ik krijg elke dag een kruisverhoor. Als ze weet dat ik ze aan jou heb laten lezen, praat ze nooit meer tegen mij en mag ik de slaapkamer helemáál niet meer in. Ik mag al maanden niks meer doen, sinds ze dat verhaal over dat losmaken van die kleine knoopjes heeft gelezen.'

TANTE moest zoeken, ze was vergeten waar ze zijn papieren had verstopt in dat grote huis met drie opgroeiende kinderen en altijd en eeuwig logees over de vloer. Hij wilde zijn jas niet uittrekken en zij rende van kamer naar kamer, opende alle laden.

Het was een rommelig geheel geweest van diverse soorten papier, soms ook met lijntjes, zei ze.

'Pap, ik kom het wel brengen,' probeerde ze nog, maar daar had hij geen oren naar. Hij moest het nu hebben, nu meteen, want haar moeder was tot alles in staat.

Ze bleek het in de la van een oude tafel te hebben geschoven, die door haar man op zolder was gezet. In de gauwigheid had ze het opgerolde verhaal, dat getypt was op behangpapier, en in de la meer naar achter was geschoven, gemist. Dat kwam pas vele jaren later boven water, toen haar jongste dochter cum laude afstudeerde, vlak na OPA's val, vlak na de dood van RAY. Ze las het toen pas voor het eerst. Daarna heeft ze het een keer of vijf herlezen en het verhaal in kleur gekopieerd omdat hij het had getypt op een kapotte schrijfmachine met een versleten rood-zwart lint dat te veel speling gaf. Die machine was al antiek toen zij daarop, zonder lint, stencils typte voor de schoolkrant van de middelbare school.

Haar vader pakte het pakket haastig van haar aan en stopte het weg in de binnenzak van zijn overjas om vervolgens zo hard als hij kon naar huis te fietsen.

Voordat hij vertrok zei hij: 'Je moeder mag nooit weten dat jij het had.'

'Maak je geen zorgen, pap.'

'Heb je het gelezen?'

'Ja, pap,' jokte ze.

'Kan het, dat ik de tijden verwissel?'

Ze knikte. 'Ja, papa, eigenlijk kan alles, als je je verhaal maar goed vertelt.'

Hij kwam een derde keer onaangekondigd op de fiets. Nu huilde hij. Van woede, dacht ze. Maar, zei hij, de tranen kwamen van de koude westenwind.

'Je moeder heeft al mijn verhalen verscheurd en verbrand. Ik heb niks meer. En ze is zo boos op mij, ze zegt dat ik niet van haar hou en ik heb haar al telkens gezegd: alles is verzonnen. Maar ze gelooft mij niet.'

TANTE aarzelt of ze me op de hoek zal afzetten en net doen of ik met het openbaar vervoer ben thuisgekomen, maar als ze op de rem heeft gedrukt en de sneeuwvlokken, in nog groter getale dan ervoor, tegen het raam dwarrelen, lacht ze hardop om zichzelf en zegt: 'Wat stel ik me aan! Ik ga wel even met je mee naar binnen.'

OMA heeft als belangrijkste nieuws dat ze vandaag drie keer om luierhulp heeft moeten bellen en dat het nu al de vierde keer is dat hij, 'een klein beetje maar, dus ik dacht ik bel niet en wacht op Senne', heeft gepoept.

TANTE en ik kijken elkaar aan. Overleg is overbodig. Het zal haar eerste keer zijn, maar met mij erbij durft ze het aan. We trekken de deken opzij. Zijn magere bleke benen liggen in de vorm van een K.

OMA zet alle nodige attributen klaar, en onder haar toeziend oog klaren we de klus.

Gaat en doorwandelt het land en beschrijft het

Zodra OPA en OMA slapen haal ik de zoldertrap naar beneden. Natuurlijk heeft ze me gehoord.

'Senne, wat doe je?'

'Ik moet even iets uit mijn kist pakken.'

Het is mijn kist geworden. Toen de kist, met de verhuisdozen, na een doelloze zwerftocht uiteindelijk hier werd bezorgd, had ze hem niet herkend en het leek me niet nodig dat ze wist dat OPA's kaaiman door mijn woedende moeder wit was gekalkt.

Ze zei wel: 'Zo'n kist hadden wij vroeger ook, die hadden we mee op de boot naar hier. Die was nog van mijn ouders, als ze met Europees verlof gingen. Mijn vader had een goede baan als ambtenaar in Indië en mocht elke vier jaar zes maanden op betaald verlof met het hele gezin.' Zo kreeg ik dan als vanzelf weer vele porties koloniale nostalgie door mijn strot geduwd.

De zolderlamp geeft te weinig licht om mijn weg goed te vinden tussen de opgestapelde schilderijen van OPA en mijn verhuisdozen die ik nooit heb uitgepakt. Ik zoek op de tast, stoot mijn hoofd, hoor van alles vallen, en kruip over de houten vloer, bezeer me aan harde tubes en niet te identificeren voorwerpen.

De kist is bedekt met een laag stof. Ik krijg hem met moeite open, maar de papieren die ik zoek heb ik snel gevonden. Ik wikkel ze in een paar jeans en sluip de houten trap af, zo zachtjes mogelijk. De trap gaat terug omhoog en het luik dicht.

'Heb je het licht weer uitgedaan?' vraagt ze.

Dus ze is nog wakker. Als ze maar niet opeens naast mijn bed staat wanneer ik lig te lezen. Ik sluit de deur van mijn slaapkamer. Daar heeft ze altijd commentaar op, want dat zou niet gezond zijn, vanwege het gebrek aan ventilatie, aangezien ik weiger het raam open te doen in de winter. De klik heeft ze gelukkig niet gehoord. Het is een gehorig huis. In Jakarta, los van de grootte, had je de eeuwige ruis van de AC die enige privacy garandeerde, maar in dit huis kan ik me niet voorstellen dat mijn ouders de liefde hebben bedreven als we hier op vakantie waren, want bij een beetje schudden in je bed, beweegt de vloer al mee.

Eerst lees ik wat ik van TANTE kreeg.

Het verhaal lijkt in haast geschreven, alsof hij bang was dat ze elk moment thuis kon komen en hem schrijvend zou betrappen. Alsof hij stukken heeft overgeslagen en het alleen bij de hoofdzaken heeft willen houden, maar al schrijvende niet altijd meer wist wat nu de hoofdzaak was.

Als ik het uit heb leg ik het onder mijn kussen en lees wat ik zelf van hem gekregen heb. De meeste blaadjes zijn outprints van teksten die hij op RAY's computer had getypt. De handgeschreven papieren moet hij stiekem, als OMA met mijn moeder tennissen was, of bij de tuinman in de garage hebben neergepend. Al lezende vermoed ik dat het stuk van TANTE slechts een heel klein deel is van een veel groter verhaal dat hij mij in zijn geheel in alle soorten en maten gegeven heeft.

Dat van TANTE verscheur ik in kleine snippers. Ik stop ze in de zak van mijn jeans en morgen verbrand ik ze op het plein.

Een aantal teksten van OPA had ik in Jakarta al gelezen voor mijn werkstuk, maar niet alles. OPA had mij die papieren niet allemaal tegelijk gegeven. Elke keer als hij bij ons logeerde gaf hij me iets. In het begin zette hij alles in dat indrukwekkende schoonschrift op papier, maar toen heb ik hem op de computer van RAY laten werken.

Wanneer ik geprint had wat hij tijdens de afwezigheid van OMA geschreven had, stond hij erop het bestand daarna te deleten. Altijd zei hij: 'Hier, bewaar voor mij. Laat aan niemand lezen.' Nooit vroeg hij mij of ik het zelf gelezen had.

De rest van de nacht ben ik bezig te sorteren, want er is een soort chronologie. OPA schrijft zoals hij praat, met de tegenwoordige en verleden tijd door elkaar, alsof het tijdstip er minder toe doet dan de gebeurtenis zelf. Als ik ze genummerd heb, komt de zon op. Ik hoor OMA uit bed stappen en naar de badkamer gaan. Snel prop ik de papieren in een zijvak van mijn laptoptas. Dan val ik in slaap en droom dat ik met OPA in Jakarta loop, door een steegje. Daar staat hij stil en wijst.

'Kijk, Senne,' zegt hij, 'zie je dat daar op die muur?'

Ik zie bloedspatten, of verf, of sirih... op een wand van bilik. Een muur van een of andere toko zoals je ze alleen nog in de kampong hebt.

'Bedoel je die rode vlekken, opa?'

Hij knikt. 'Dat is mijn hart, dat ben ik daar vergeten. Bedankt dat je mij hier hebt gebracht, dan neem ik dat nog mee, want ik moet vertrekken.'

Opa's fictie

1. Albert de Wind

Veel echte vrienden heb ik niet, toen ik nog een kleine jongen was. Ik ben liever alleen met de geiten, of ik help mijn oom met zijn vechthanen. Die moet je steeds aaien, anders winnen ze niet. En al streel je hem urenlang en huil je bijna als hij tot bloedens toe vecht en toch verliest, een vriend is hij niet.

Ik ben dan weer hier, dan weer daar, en praat met die, of speel met deze. Er zijn er veel die mij kennen. Soms zie je iemand elke dag, jarenlang, hij noemt zich een vriend, maar als je hem nooit meer ziet heb je geen hartzeer of je voelt je stiekem opgelucht. En je weet dat je juist door die persoon een bepaalde weg bent ingeslagen.

Een van de jongens die altijd om mij heen draaien heet Albert de Wind. Hij is net als ik de zoon van Indische ouders, maar zijn beide ouders leven nog. Zijn vader werkt op een houtfabriek. Ze hebben het niet breed, want toen mijn vader nog leefde hadden wij een auto en een motorfiets en een huis met twee galerijen en Alberts vader heeft alleen een fiets.

Alberts vader is half Moluks, half Nederlands en zijn moeder is een beetje Soendanees en een beetje Chinees en Duits, zoals ik ook van alles een beetje heb. Ik heb niks Moluks, maar wel Chinees, Javaans, Soendanees en Europees bloed. Misschien ook wel iets Madoerees, als ik mijn moeder moet geloven.

Met Albert ga ik, niet elke dag maar wel vaak, even vliegeren.

Hun huis staat aan de rand van de kampong, net als dat van oom Nap.

Mijn moeder woont aan een hoofdstraat, ongeveer een halfuur lopen hiervandaan. Een groot huis, maar wij jongens mogen niet meer bij haar wonen, sinds mijn vader is gestorven, alhoewel ik niet lastig ben. Mijn broers wel, en daarom kan zij ons niet meer verzorgen. Zo heeft zij mij uitgelegd toen mijn broers weer de hort op waren en zij en ik onder het bloed zaten, omdat het ons niet lukte om de kip te slachten die zij nodig had voor soep. Ik was pas zes. Ik verstopte mij toen ze zei dat ik voor haar de oudste kip achterna moest. Aan mijn oren trok ze mij uit de kist waarin we de pisangs laten rijpen. Ik moest vele keren hakken voordat de kip bereid was dood te gaan. Mijn moeder, die de kip voor me vast had gehouden, gilde alsof ze zelf werd geslacht toen de kip zonder kop rond bleef rennen.

Totdat zij weer trouwt, zijn wij bij de ooms geplaatst. Alleen af en toe bezoek ik mijn moeder. Dan sta ik bij haar in de keuken en help haar met het snijden van de groente en het plukken van de kip. Slachten heb ik inmiddels van oom Nap geleerd, maar ze wil, na die ene keer, niet dat ik het ooit nog probeer. Ze gelooft me niet als ik zeg dat ik het kan en roept de tuinman van de buren die de kip voor haar de nek omdraait. Maar veel kippen heeft ze niet meer. Vaak eten mijn zusjes alleen maar rijst met ketjap en *tjeplok*.

Geld voor bedienden heeft mijn moeder niet meer. Pas nadat ze hertrouwd is krijgt ze weer baboes en een djongos. En ook een tuinman en een waker voor de nacht.

Bij Albert hebben ze een tante als baboe, of misschien is zij een oma. Hij stelt haar niet aan mij voor, dus ik zeg niks. Naderhand merk ik dat zij familie van hem is, ook al behandelt hij haar als een bediende. Het lijkt wel of hij zich schaamt dat hij een inlandse als familielid heeft. Kassian die vrouw, ze eet alleen in de

1. Albert de Wind

keuken en loopt gebogen als ze ons passeert. Zij is altijd vriendelijk tegen mij, maar ik kom daar zelden.

Albert houdt van commanderen. Hij laat mij de vlieger bouwen omdat ik het beter kan. Dat heb ik van mijn vader geleerd en ik schilder de vlieger met veel kleuren, zodat ik hem altijd in de lucht herken. Ze kijken allemaal omhoog als die van ons boven de kampong zweeft.

'Kijk, die mooie is de vlieger van Boy,' hoor je ze roepen.

Ze noemen mij hier Boy, en van lieverlee is iedereen, ook mijn broers, mijn oom en naderhand zelfs mijn moeder mij Boy gaan noemen.

'Boy, maak voor mij ook zo'n vlieger,' roepen die kampongkinderen in het Maleis. Ze komen met rijst en papier en bamboe aangerend, en dan kan ik moeilijk weigeren. Ik maak ze zo goed als die van ons, die snel kan duiken en stijgen, maar mijn geheimen, over hoe ik het draad behandel, verklap ik ze niet. Er zitten gehaaide jongens bij met betere recepten dan ik, en soms trap ik erin, maak ik een perfecte duiker voor zo'n gladjanus en ben ikzelf later de pineut.

Al is de vlieger van ons beiden, eigenlijk doe ik alles, ook het glasgruis. Ik ben degene die de vlieger oplaat en die het touw vasthoudt en die weet hoe je moet vieren om de vlieger plots te laten duiken en de andere vliegers te snijden als ze er niet op zijn bedacht.

Dat heb ik van mijn oudste broer geleerd. Hij is de beste, maar langerlaatst heeft hij er genoeg van en gaat liever met mijn andere broer op vogels schieten. Hij houdt van schieten. Ook met de katapult.

Als er dankzij mij een vijand neerstort, staat Albert trots te kijken. Die kampongjongens kijken beteuterd. En als ik een vlieger omlaaghaal die ik zelf voor die knapen heb gemaakt, staan ze te applaudisseren omdat ik van mezelf gewonnen heb.

Albert wijst aan welke ik daarna moet aanvallen. Hij ziet zichzelf als kapitein die orders geeft. Winnen wij een gevecht, dan rent hij weg om de gevallen vijand op te rapen. Hij verzamelt de veroverde vliegers en neemt ze als een trotse overwinnaar mee naar huis. Meestal is de buit wit, want in die kampong versieren ze vechtvliegers niet zoals ik.

2. Boelie Stam

Boelie Stam is branie. Hem ken ik nog niet zo lang als Albert. Hij is iets ouder dan ik, of hij doet alsof. Hij komt vaak binnenlopen bij mijn oom, omdat hij van hem wil leren vechten. Oom Nap kan pentjak silat beter dan wie ook, maar aan Boelie leert hij niks.

'Die jongen heeft geen zelfbeheersing,' zegt hij, 'iemand als hij is niet geschikt.'

De mensen van de kampong zien oom Nap als een meester en een doekoen omdat hij mensen helpt met speciale kracht.

Met mijn broers zwerf ik van de ene oom naar de andere, sinds mijn vader gestorven is, maar bij oom Nap voel ik me thuis. Hij is goed voor mij. Hij leert mij van alles wat ik nooit meer vergeet. Hij behandelt mij als zijn zoon, of beter, vermoed ik. En zijn inlandse vrouw kan lekker koken. Ze spreekt geen Nederlands, behalve een paar woordjes, maar wel Maleis en Javaans. Als ik thuiskom van school zegt ze in het Javaans: 'Kom, Boy, ik heb wat lekkers voor je.'

Dan weer zoete kleefrijst met pisang in bananenblad, dan weer katjang idjo, of katjang manis of kroepoek van zwoerd. Zelf eet zij geen babi, vanwege haar geloof, maar voor oom maakt ze één keer in de week, meestal op zondag, of als oom Nap visite heeft, babi ketjap.

De vrouw van oom Nap wil geen godsdienstexamen doen om christen te worden en daarom zijn oom Nap en mijn tante niet getrouwd. Ze heeft haar eigen geloof, in Allah. God en Allah zijn gelijk, zegt ze, dus er valt niks te bekeren. Ze kan niet lezen of schrijven, maar je kunt haar niet voor de gek houden, want ze is pienter, mijn tante.

Achter het erf van mijn oom woont Sita, de dochter van een inlandse zonder man. Ze zeggen dat Sita's moeder het liefje is van een prins, maar ik ben er niet bij als ze bezoek heeft, dus ik kan er niks over zeggen. Sita heeft haar eigen geiten. Zo ken ik haar. Zij staat aan de ene kant en ik aan de andere kant van het hek. Haar jonge geitjes glippen regelmatig door het hek en ik help haar ze te vangen. We praten nooit, maar lachen tegen elkaar, en we groeten als we komen en gaan. Door mij kennen Albert en Boelie haar ook, en dat is jammer, want zij vinden haar lief, net als ik. Ze zeggen dingen over haar die je niet hoort te zeggen over een meisje.

Boelie woont in het gesticht omdat zijn Friese vader ook gestorven is. Hij is net als ik een halve wees, maar zijn moeder is een heiden, zegt hij, en daarom mag hij van de wet niet bij haar wonen. Zijn moeder is net als mijn tante een inlandse, die ook geen examen in godsdienst wil doen omdat ze al in Allah gelooft. Ooms heeft Boelie niet. Zijn vader was in zijn eentje uit Friesland naar Indië gekomen. Na de dood van zijn vader moest zijn moeder het huis uit en terug naar de kampong, en Boelie moest het weeshuis in.

De ouders van Boelie waren niet getrouwd, en zijn Javaanse moeder is erg arm, sinds de dood van zijn vader. Daarom heeft oom Nap haar als baboe aangenomen. Ze komt niet elke dag, ze doet de was en dat soort zaken. Hij heeft al genoeg bediening en mijn tante doet alles graag zelf, maar oom Nap heeft medelijden.

Soms staat Boelies moeder aan het hek van het gesticht en roept en huilt om haar zoon, maar ze laten haar er niet in. Hij zit er al sinds hij een kleine jongen was, en toen hij er binnenkwam hebben ze hem ontgroend. Al ben je een kleuter, zo gaat dat daar,

2. Boelie Stam

zegt Boelie. Ze slaan mekaar verrot, stoppen een nieuwkomer in een kuil en begraven hem met alleen zijn hoofd boven de grond. Daarna wordt hij het slaafje van de groten. Hoe langer je daar bent hoe meer je mag. Regels van het gesticht, zoals in het leger, ze harden elkaar. Jongens onderling.

Hij loopt vaak weg uit het gesticht om stiekem zijn moeder te bezoeken in de kampong, en dan voetballen we met de jongens van daar. De broer van Sita is er ook vaak bij. Die schijnt ook een kind van die Javaanse prins te zijn. Hij kan goed balletje trappen. Hij is ouder, maar een kop kleiner dan wij.

Die andere kampongjongens zijn even oud, ook klein van stuk en snel, maar Boelie is als een stier en loopt dwars door ze heen.

Meestal staan er van die kleintjes te kijken in de hoop dat ze van Boelie mee mogen doen. Hij speelt de baas en duldt niet dat een ander ook een mening heeft. Albert kan er niet tegen als Boelie alles wil bepalen, en dan draait het tussen hun op vechten uit. Ze zijn één pot nat, of water en vuur.

Als ze echt vervelend worden ga ik ervandoor. Ik help oom Nap. Ik let op zijn hanen, neem de geiten mee om ergens anders te grazen, waar het groener is, of ik ga schilderen, gewoon voor de lol. Tekenen en schilderen doe ik graag. Mijn tante koopt op de pasar verf en canvas en ze hangt wat ik schilder op onder het afdak aan de buitenwand van de keuken, zodat ze ernaar kan kijken als ze bij de put de was moet doen.

Ik teken meestal vulkanen en rijstvelden, maar ook wel eens een molen of een Hollandse koe, zoals ze in onze aardrijkskundeboekjes staan afgebeeld. Mijn tante vindt de bonte koe het leukst. Ze zijn grappiger dan onze karbouwen, zegt ze. Ik geef ze grote ogen zoals die van Sita. Eigenlijk lijken de ogen van mijn koeien meer op Sita dan op een Hollandse koe.

Een keer hebben we grote herrie. Boelie en Albert komen aangerend en zeggen dat ze samen hebben gegluurd naar Sita, toen ze in de mandikamer was. Ze praten over haar alsof ze op de pasar koopwaar aan staan te prijzen. Ik word mataglap. Ook al ben ik zelf ook een keer naar de bilikwand geslopen om te zien hoe Sita de knoopjes van haar kabaja losmaakte, hoe ze het water over haar glanzende bruine lichaam gooit, en denk ik nog elke nacht aan wat ik heb gezien, ik scheld die twee straatjongens verrot. Ze zijn smeerlappen zonder schaamte en zonder respect. Ik wil ze te lijf gaan met wat ik van oom Nap heb geleerd, maar wat ik niet in een ruzie mag gebruiken. Ik maak ze uit voor alles en nog wat en tril van top tot teen. Dan, als ik ben uitgeraasd, draai ik mij om, en ik loop weg. Al zie ik ze nog altijd elke dag, de ene op school en de andere omdat hij mijn oom blijft lastigvallen, vliegeren wil ik niet meer, en voetballen doe ik alleen als er anderen bij zijn en nooit meer met die twee alleen.

3. Oeroeg

Het lot brengt Boelie, Albert en mij weer bij elkaar. Tegen wil en dank. Mijn moeder hertrouwt en onder voorwaarde dat ik de technische school verlaat en een baan ga zoeken, mag ik thuis komen wonen. Dan heb ik eindelijk na tien jaar zwerven weer een kamer voor mijzelf.

Via oom Nap helpt Alberts vader mij aan een job. Er zijn weinig baantjes voor iemand met alleen drie jaar technische opleiding. De betere baantjes gaan naar Hollanders, ook als ze even weinig scholing hebben als een indootje zoals ik. Maar Alberts vader zal zijn Hollandse baas vragen of hij nog een goede Indische kracht gebruiken kan.

Oom Nap zegt dat ik dankbaar moet zijn. Ze nemen tegenwoordig liever inlanders aan. Die zijn goedkoper en werken harder. Ik mag aan de machine werken in de houtfabriek waar Boelie en Albert al veel eerder zijn aangesteld. Ze weten dat ik kom en hebben mijn komst voorbereid. De andere jongens die er werken zijn natuurlijk op hun hand.

Zij dagen mij uit omdat ik nieuw ben, dat is de gewoonte, en ik geef geen verweer. Ik gun ze hun lol als het zaagsel over mij heen valt, doordat ze mij de verkeerde knop wijzen. En het maakt mij niet uit dat ze mij van boven met water besproeien. Ik lach met ze mee. Ik geef niemand ervan langs.

De anderen laten mij daarna met rust, zij behandelen mij met respect, maar Boelie en Albert, die misschien doorhebben dat ik ze uit de weg ga, blijven me hinderen. Ik ga nooit uit mijzelf bij hun zitten, al loop ik niet weg als zij zich met mij bemoeien, want hoe dan ook, je deelt herinneringen.

Elke dag opnieuw treiteren ze mij. Kleine plagerijen en grote. Kwajongensstreken, zoals ze altijd doen. Albert houdt zich kalm, hij is eigenlijk geen plaaggeest, maar Boelie houdt van sarren. Hij probeert mij wijs te maken dat hij met Sita een afspraak heeft. Maar dat geloof ik niet, dus ik zeg niks terug, en haast mij, na het werk, naar oom Nap. Die zegt dat Sita die katjoengs nog steeds geen blik waardig gunt, dus dat ik Boelie niet moet geloven.

Ikzelf ga in mijn vrije tijd nog altijd graag naar mijn oom, en hang rond bij de geiten, maar Sita is daar zelden. Ze schijnt naar school te gaan. Iemand betaalt haar studie, een speciale school, iets nationalistisch zeggen ze. Oom Nap bevestigt dat. Ze is heel pienter, zegt hij, de bastaarddochter van een Javaanse prins. En haar broer wordt ook wel wat. Die wil voor dokter leren. Na de hbs wil hij naar Nederland om te studeren. Dat wordt betaald door die prins, al is hij een bastaardkind.

'Neem een voorbeeld aan die jongen,' houdt oom Nap mij voor, maar zelf is hij net zo goed jong van school gegaan.

'Andere tijden,' zegt oom, 'dat kun je niet vergelijken.'

Ik heb geen geld om te leren en ik ben blij met de baan bij het houtbedrijf. Ik verdien niet veel, en ik moet meer dan de helft aan mijn stiefvader afdragen, maar ik heb tenminste geld om tabak te kopen.

Langzamerhand raak ik weer gewend aan Boelies manier van doen. Soms, of ik wil of niet, moet ik om hem lachen. Hij kan erg grappig zijn, en gaat maar door. Hij kan het niet velen als je hem negeert, dus haalt hij alles uit de kast.

Waar ik ook ga zitten, al zit ik op het dak in de brandende middagzon, met schafttijd schuiven Albert en hij bij mij aan. Ze praten over van alles, meestal over meisjes. Veel opschepperij van Boelie, die niet zijn mond kan houden.

Ikzelf zeg niet veel, ik denk aan Sita en vraag me af hoeveel meer zij van haar hebben kunnen zien dan ik. Ik wil ze het niet vragen, maar nog altijd ben ik woedend dat ze in de tuin van mijn eigen oom naar het meisje zitten te gluren dat ik eerder kende dan zij.

Voor hun is zij een van de velen, maar voor mij is er geen ander dan Sita. Aan haar alleen denk ik als ik in bed lig, als ik op de galerij van het achterhuis een sigaretje rook, en als ik hier in de fabriek beu ben van de blokken hout die blijven komen, en even in de verte staar.

Zij hebben het altijd over hun veroveringen. Hun monden staan niet stil. Boelie spendeert al zijn geld aan meisjes en laat zich daarna door ons trakteren. Albert praat net zo goed over meisjes, maar niet zo grof als Boelie, die de grenzen van wat past graag overschrijdt.

Op het dak kunnen die twee niet met elkaar stoeien, zoals ze graag doen, voor de lol of voor de echt, het maakt niet uit. We zitten op onze hurken en het dak is schuin. Zodra we onze buik vol hebben wordt Boelie onrustig. Natuurlijk moet hij weer amok maken. Zo niet met ons, dan met de arbeiders beneden.

Hij gooit etensresten op de hoofden van de inlanders, die beneden aan het pauzeren zijn. Ze zitten te smullen van wat ze bij de toekan bami of de toekan petjil hebben gekocht. Boeli gaat door totdat er een reactie komt. Proppen papier, pisangschillen, en wat hij uit zijn neus kan halen als er niks meer om te gooien is. Wanneer ze omhoog kijken heeft hij de grootste lol. Elke dag opnieuw heeft Boelie van die spelletjes.

'Mag ik jouw schillen?' vraagt hij.

En ik zucht: 'Hou toch op, man, laat die lui rustig eten.'

Dan begint Boelie over die ene inlander met die flaporen, die niet reageert als hij djeroekschillen op zijn hoofd krijgt, en die zich nooit iets aantrekt van Boelies getreiter. Hij zegt dat hij die vent met Sita samen op de begraafplaats heeft gezien.

Ik geloof hem niet. Ik ken zijn streken, dus ik doe of ik hem niet hoor. Maar hij gaat maar door. Hijzelf was er met het buurmeisje van zijn moeder, en hij kon zijn ogen niet geloven, dat Sita daar zat met zo'n katjoeng, zo'n mooi meisje als zij. Zo'n halve prinses met zo'n lelijke houtarbeider.

'Die inlanders pikken onze baantjes al in en nu ook nog de mooie meisjes,' moppert hij.

Ik geloof er echt niks van, ik weet dat hij een stoker is, en toch word ik kwaad. Op Boelie en op al die kerels beneden. Het idee dat een van hen al naar Sita kijkt staat mij niet aan.

'Jij weet er toch ook van, Albert?' zegt Boelie.

Albert zegt niks, maar als Boelie aanhoudt, hoor ik hem mompelen dat het zou kunnen, want die flapoor woont vlak bij Sita en hij zag ze een keer samen praten bij de waringinboom. Toen dacht hij ook al: wat ziet zo'n lief meisje in zo'n lelijke vent?

Dan kan ik het niet helpen, mijn hoofd wordt warm, misschien ook van de zon, en als Boelie voorstelt dat we met ons drietjes op de hoofden van die mannen beneden zullen plassen, heb ik als eerste de knopen van mijn gulp al los.

Een van hen kijkt omhoog en roept uit, in het Maleis: 'Die honden urineren op onze hoofden!'

Boelie probeert grappig te zijn en roept terug: 'Boekan anjing! Angin, jang bikin!' Hij lacht zelf als enige.

'Ga jij maar liever bidden,' snauwt Albert, 'straks pies je in je broek van angst.'

Daarna begint inderdaad de ellende. Ze pakken hun gereedschap: pikhouwelen, messen, harken, hamers, alles wat je bedenken kan. Wij vluchten weg, waar naartoe weten we zelf nog niet. Albert naar hier, ik naar daar, Boelie weer een andere kant op. We moeten als de bliksem van het dak af, maar zij zijn met twintig of dertig. Er zijn nog meer inlanders naar buiten gekomen.

3. Oeroeg

Ze komen van alle kanten, ook van de sawa's, om hun vrienden bij te staan met hun gereedschap in de hand, en omsingelen de fabriek.

Wij kunnen nergens nog naar beneden zonder in handen te vallen van die schreeuwende inlanders, die met hun gevaarlijk gereedschap zwaaien. De hele kampong is uitgerukt, allemaal driftig, en enkelen klimmen het dak op om ons te lijf te gaan.

Boelie knielt neer op de rand van het dak. Hij roept: '*Minta ampoen.*'

Maar medelijden hebben ze niet met ons.

Die flapoor roept dat we expres hun adat hebben geschonden, en dan schreeuwen ze dat allemaal. Ze roepen allemaal hetzelfde. Dat geroep is angstaanjagend, want ze raken in een trance, en dan moet je oppassen, dan weten ze niet meer wat ze doen.

Albert, die een paar jongens kent, roept: 'Het was maar een grapje.' Hij noemt enkelen, die hij kent, bij de naam om ze tot kalmte te manen, maar hij komt niet boven het geschreeuw van de razende bevolking uit.

Ik kijk rond om hulp, want tegen zovelen, met dergelijke wapens, kunnen we niet op. Hier op het dak vechten tegen die enkelen die ons als lenige apen tegemoetkomen, zal niet goed aflopen. Wie er ook van het dak af zal vallen, doden mogen er noch aan onze, noch aan hun kant vallen. Alles wat mijn oom mij ooit geleerd heeft zou ik nu wel mogen gebruiken, want dit is een noodgeval, maar het zou niet baten tegen deze opgewonden massa.

Door aan mijn oom te denken geschiedt een wonder. In de verte zie ik een leerling van mijn oom. Ik noem hem maar Oeroeg. Eigenlijk heet hij anders, maar zijn naam weet ik niet meer. Hij is ook een inlander, maar hij heeft aanzien zowel bij de Indische mensen als bij zijn eigen volk. Ik mocht het een paar keer tegen hem opnemen, als training, een beetje sparren. Je voelt de cirkel van zijn kracht als je tegenover hem staat. Ik leerde van hem hoe je moet ademhalen, en nu doe ik wat hij mij heeft geleerd. Ik zeg de woorden, en de rust in mijn lichaam keert terug.

Ik tril niet meer. Ik zie geen woedende massa meer, maar heel veel gewone mensen, zoals je ze op de pasar groet in het voorbijgaan, die zich nu hebben laten opstoken door die ene flapoor. Ik zie ook onszelf daar op het schuine dak staan, als drie Indische jongens, die niet alleen die ene flapoor maar een heel dorp hebben gekwetst. Ik zie die vier inlandse jongens op ons afkomen, die net zo goed angst in hun ogen hebben, nu ze zoveel meter boven de begane grond oog in oog met ons staan.

Ik hoef geen tolong, tolong te roepen. Hij ziet van ver meteen wat er aan de hand is, en hoe hij het doet weet ik niet, maar opeens staat hij tussen hun en ons in. Hij is niet bang, die vent. Ik weet, hij hoeft maar te blazen en wij vallen van het dak of zij vallen om.

Hij kalmeert ze: 'Het is fout wat die Indische jongens gedaan hebben, maar jullie kunnen beter niet gaan vechten, dan wordt het van kwaad tot erger, toch? Uiteindelijk eindigen jullie allemaal in de bak en zo verliezen jullie het alsnog. Dien maar liever een klacht in bij hun baas.'

De jongens op het dak laten zich er weer af glijden, terug naar hun vrienden die gestopt zijn met roepen. Ze draaien zich allemaal om en gaan weer aan het werk. De inlanders die van de sawa kwamen, lopen terug naar hun karbouwen. Ze kijken nog wel naar boven, naar ons, met vuile blikken, als wij de vriend van oom Nap bedanken. Vooral die flapoor kijkt vals, hij lacht alsof hij wil zeggen: Sita is van mij en wordt nooit van jou.

Opgelucht gaan wij terug naar de machines waar wij aan het werk zijn gesteld, maar daar staat onze baas klaar, een Hollander die in Holland geboren is, dat hoor je aan zijn praten. Nooit eerder heb ik die man van dichtbij gezien. Voor elk van ons heeft hij zo'n briefje en een envelop.

4. KNIL

Zonder baan, met ons laatste loon, staan we op straat, en die inlanders lachen in hun vuistje. Vooral die flapoor. Ik voel zijn ogen in mijn rug. De opluchting dat we nog leven is al weer weggezakt. Ik ben nog steeds kwaad op die kerel die met Sita naar het kerkhof is gegaan. Ik zin op wraak. Die flapoor is de schuld van alles. Hoe moet ik mijn stiefvader zeggen dat ik ben ontslagen? En oom Nap zal nooit meer ergens een goed woordje voor me willen doen.

Als we over straat lopen, zwijgend omdat we elk denken aan wat we moeten doen, stel ik voor: 'Zullen we die flapoor te grazen nemen?'

Albert kijkt op. Hij kent mij zo niet. Dat weet ik wel. Ik zie dat hij denkt: wat bezielt Boy? Maar ik wil mij wreken, en dat heb ik nooit eerder van mijn kleine teen tot in mijn oren gevoeld, dat ik iemand voor zijn kop wil slaan totdat hij niet meer overeind kan komen.

Boelie zegt: 'Zullen we ons laatste loon opmaken op de hoek?'

Ik ben nooit in een café geweest, en meer dan een enkel klein biertje heb ik nooit gedronken. Met een lege envelop, zonder baan thuiskomen is erger dan met een volle envelop en werkeloos. Toch ga ik akkoord.

We zuipen tot laat. In het begin drink ik met tegenzin. Naderhand gaat het vanzelf, niemand hoeft mij nog aan te sporen. Het gaat gelokgelokgelok en klaar.

Boelie wordt luidruchtiger, Albert wordt steeds stiller en ik word steeds kwader. Albert omarmt mij en zegt lallend: 'Nu ben ik zat genoeg om mijn vader straks niet terug te slaan.'

Hij heeft zijn vader te schande gezet, maar ik ook, net als Boelie, en omdat ik dat besef, wil ik ook naar huis. Maar Boelie houdt mij tegen. Hij heeft geen boze vader thuis.

'Blijf, blijf,' haalt hij mij over. Hij hangt over mij heen met zijn zware postuur.

'Mijn maandloon is bijna op,' antwoord ik.

'Ik heb nog geld, ik beloof je, ik betaal voor jou en ik neem jou mee naar mooie meisjes.'

Dat sla ik niet af, want hij heeft al vaak van mij geleend en nooit iets terugbetaald. En ik wil niet alleen wraak op de flapoor, maar ook wraak op Sita en zoeken naar andere mooie lieve meisjes die mij willen troosten omdat ik mijn hele leven van iemand heb gehouden die met de eerste beste flapoor naar de begraafplaats is gegaan. Er zijn er zo veel, zeggen mijn broers altijd, meisjes bij de vleet, hartzeer om een vrouw is overbodig. Zij ruilen de een voor de ander. Maar ik ben niet zo, ik ben een sukkel, een schijtlaars, een domme hond.

De eigenaar zegt dat we moeten vertrekken, want we hebben genoeg gehad. Ik wil net gehoorzamen als Boelie de man een dreun verkoopt. Het wordt een gevecht waar meer mensen zich mee bemoeien. Eerst probeer ik me erin te mengen, maar ik kan niet tussenbeide komen, omdat het daar te vol is, en dus pak ik een stoel en smijt die tegen de lamp. Die gaat stuk. Het wordt duister in de zaak. Ik grijp naar een volgende stoel en gooi die op straat. Zo ga ik door, de ene stoel na de andere vliegt door de lucht. Ik pak ook een zware tafel met een marmeren tafelblad. Ik weet niet meer wat ik doe. Ik vecht met het meubilair, terwijl Boelie vermoedelijk de een na de ander beukt en ze hem niet kunnen raken, maar zeker weten doe ik het niet, want ik ben blind van drift.

Uiteindelijk ligt hij op straat. Met zijn weet ik hoeveel gooien ze hem eruit. Mij houden ze met evenzovelen klem in de hoek. Ik ruk me los en volg hem en voel in mijn rug hoe ze mij duwen alsof ik niet zelf al van plan ben weg te gaan. Dat maakt mij witheet.

Ik draai me om, kijk niet wie het is, maar verkoop degene die het dichtst bij mij staat een klap zoals ik nog nooit gegeven heb. Mijn eerste vuistslag ooit, en hij is raak.

Pas als hij op de vloer ligt, zie ik wie het slachtoffer is: mijn Hollandse baas. Ex-baas, sinds een aantal uurtjes. Joost mag weten hoe die hier opeens gekomen is. Hij is knock-out, dat zie ik wel. Iedereen buigt zich over die vent, en mij schoppen ze naar buiten, waar ik Boelie probeer te kalmeren, omdat hij opnieuw naar binnen wil en de boel nog meer kort en klein wil slaan.

Ik trek hem mee, zo ver mogelijk bij het café vandaan. Mijn geld is op. Ik heb alleen nog een lege envelop en het ontslagbriefje. Ik versnipper beide. De drift die op het dak van de fabriek is begonnen, is nog niet verdwenen. Meer dan ooit zin ik op wraak. Ik ben mijn meisje en mijn baan door die flapoorkatjoeng kwijt. En misschien kom ik in de bak doordat ik een Hollander buiten westen heb geslagen.

'Laten we die flapoor een lesje leren,' stel ik voor.

Maar Boelie wil liever naar een huis met lieve meisjes. 'Ik zoek troost, Boy,' zegt hij. 'Wat wil je toch met die flapoor? Die roept meteen de hele kampong er weer bij.'

'Die vent moet leren met zijn poten van Sita af te blijven,' zeg ik. Misschien is de duivel in mij gekropen, want mijn stem klinkt anders en de woorden komen er trager uit dan ik ze bedoel te zeggen. Ik kan niet meer praten zonder spuug.

Boelie lacht me uit. Hij schatert zodat ik in zijn mond kan kijken met zijn lelijke gebit waarin een aantal kiezen en tanden ontbreken.

'Jij gelooft ook alles,' zegt hij, 'denk je echt dat die flapoor kans zou maken bij dat meisje? Ze is de mooiste van Batavia, man!'

Ik kijk hem aan. Heeft Albert met die zak van een Boelie Stam mee staan liegen? Hebben ze mij net als de vorige keer weer op stang gejaagd?

'Kom,' lacht Boelie naar mij alsof het allemaal niks voorstelt, alsof hij mijn beste vriend zou zijn. 'Ik weet een huis met meisjes die het ook gratis willen doen als ze je leuk vinden. We hebben het verdiend.'

Dan verkoop ik hem de dreun die ik voor die flapoor in gedachten had. Ook hij valt knock-out. Twee man onderuit binnen een kwartier. Ik ben voor het eerst dronken en het zijn mijn eerste twee klappen buiten de les. Als oom Nap dit weet, leert hij mij nooit meer wat. Ik schaam mij en ik wil deze dag weggooien zoals ik het ontslagbriefje en de envelop heb verscheurd en versnipperd boven de goot.

Ik kijk naar Boelie die langzaam bijkomt. Hij knippert met zijn ogen. Als ik zie dat hij weer bij kennis is, ga ik ervandoor. Ik wil nooit meer vechten en ik drink nooit meer. Zelfs geen kleintjes meer. Dat zijn mijn voornemens. En als ik een nieuwe baan heb, neem ik Sita mee naar de bioscoop.

Met deze gedachten loop ik zeven kilometer naar huis. De ochtendzon schijnt warm al recht boven mijn hoofd. De transpiratiedruppels voel ik als regen over mijn rug glijden. Als ik thuiskom zal mijn stiefvader al weer naar zijn werk zijn en kan ik mijn roes uitslapen, voor zover ik die er niet al uitgeslagen heb. Morgen beken ik hem dat ik mijn baan kwijt ben, als hij het tegen die tijd niet al van veertig anderen heeft gehoord.

Van mijn stiefvader moet ik tekenen als vrijwilliger bij het KNIL, want andere baantjes zijn er niet. Meteen op mijn zeventiende verjaardag is het zover. Ik vind het best. Mijn weekloon is iets hoger dan wat ik in de fabriek kreeg. Daarvan kan ik af en toe een sigaretje kopen en Sita mee uit vragen naar de bioscoop. Voor dat laatste moet ik eerst nog moed verzamelen. Af en toe ga ik kijken bij de geiten of ik haar zie, aan de andere kant van het hek. Ik

doe of ik de geiten inspecteer, en als ze er is, wat zelden het geval
is, groeten we bij het komen en bij het gaan. Ze lacht altijd lief.
Maar meestal kom ik voor niks, wat jammer is. Als ik haar plotseling tevoorschijn zie komen, krijg ik een warm hoofd en kan ik
niet praten. Misschien durf ik het de volgende keer.

5. Junyo Maru

Het Koninklijk Nederlandsch-Indisch Leger gaf mij een nieuwe vriend. Een echt goeie jongen. Precies zo oud als ik. We zaten samen in krijgsgevangenkamp op Java. In het begin bof ik omdat we samen op transport gingen. Maar hem raakte ik na een paar mooie jaren al weer kwijt, tijdens een torpedering in de oorlog op 18 september 1944, toen wij als krijgsgevangenen per boot van Java naar Sumatra werden verscheept.

Behalve die vriend heb ik die nacht ook drie ooms verloren. Maar dat weet ik nog niet, als wij allemaal op een rij moeten staan in de felle ochtendzon, met ontbloot bovenlijf. Ze bekijken ons als vee. Wij moeten onze broek laten zakken, diep vooroverbuigen, en de Japanse arts komt langs met een bamboe lepel waarmee hij een beetje in onze anus wroet.

De arts zegt tot welke gezondheidsgroep ik behoor. Mijn vriend en ik hebben geluk. Wij horen bij A of B, de sterkeren. Wie gezond is moet mee op transport en ik ben blij dat ik samen met mijn beste vriend bij de sterkeren hoor, want verandering kan ook verbetering zijn.

's Morgens vroeg op 15 september, na het appèl, als wij met onze barang op de schouder, richting Kramat, richting station Senen moeten lopen, in marstempo, is het doel van de reis ons niet bekend. We zijn met meer dan duizend. Later, in Holland, hoor ik dat we met zestienduizend zijn. Maar daar weet ik alleen dat we met veel zijn. Onderweg laten velen delen van hun bagage achter, maar ik niet, want ik heb maar weinig. Vanaf station Senen worden we als varkens in geblindeerde treinen vervoerd. Waar we naartoe gaan weten we nog steeds niet. Door de spleten van de wagon gluren we naar buiten en met wat mijn vriend ziet en met wat ik zie, concluderen we beiden dat we richting Priok gaan.

Aan de haven, als we daar staan te transpireren, hebben we dorst, maar krijgen niks. Ik zie de straatverkopers en ruik hun pisang goreng en oebi goreng. We mogen twee uur lang alleen maar zo staan, op het hete asfalt, terwijl de Indonesische dwangarbeiders, die eruitzien als hongerige bedelaars, met zijn allen in de voorruimen van het schip worden gepropt. Op dat moment weet ik nog steeds niks, maar later hoor ik dat zij slavenarbeiders zijn, geronseld onder valse voorwendsels. Ze denken dat ze een stukje land krijgen om te bewerken. Toen heb ik geen medelijden met hun, maar ik heb wel in de gaten dat het er erg veel zijn. Zij zijn bijna allemaal omgekomen tijdens de ramp.

Van de andere kant komen ook honderden gevangenen van kampong Makassar, bij Depok. Ik sta daar en heb hoop dat het schip ons ergens brengt waar het beter zal zijn. Mijn vriend en ik kijken elkaar aan. Hij hoopt hetzelfde.

Pas als al het oorlogsmaterieel in het schip is opgeborgen worden wij, de krijgsgevangenen, met veel geschreeuw en stokslagen het schip in gejaagd. Mijn ooms komen terecht in de voorste ruimen en mijn vriend en ik moeten, vanwege ruimtegebrek, ergens op het dek blijven, waar de jap bamboeslaapplaatsen heeft gemaakt.

We hebben nog steeds geen idee waar de reis naartoe gaat. Kort nadat we zijn weggevaren springt er een Indische jongen overboord. De wacht schiet op hem, maar omdat hij nog leeft, gooien ze een sloep uit en halen hem op. Hij wordt opgesloten in het cachot. Als voorbeeld. Daar is hij nooit meer uitgekomen, vermoed ik.

Het schip wordt geëscorteerd door twee vliegtuigen, boten en een fregat. Ter hoogte van Palembang verdwijnen de vliegtuigen en wij varen, denkt mijn vriend, die vaak op Sumatra heeft gezeten, richting Padang.

Op 17 september worden we getrakteerd op een zware regenbui, en moeten we een droog plekje zien te vinden. Ik kan terecht bij mijn ooms, beneden in het ruim, en mijn vriend mag erbij omdat hij mijn vriend is, al is het erg krap. De volgende dag ben ik terug op het dek met mijn vriend, maar ik ga even een praatje maken met mijn ooms.

Die zeggen: 'Blijf toch hier bij ons.'

Maar ik antwoord: 'Nee, ik ga terug naar mijn vriend.'

Ik ben maar net boven bij hem op het dek als we een knal horen. De KNIL-officier gaat op de commandopost staan om ons gerust te stellen: 'Er is niks gebeurd, er is alleen een machine kapotgesprongen.'

Maar wij geloven hem niet. We gaan naar de reling om te kijken, en dan is er al een tweede torpedo afgevuurd. Dan weten wij niet hoe het zit, maar als ik in Holland ben, vijf jaar later, verneem ik dat een Britse officier een onderzeeër de opdracht heeft gegeven om ons schip tot zinken te brengen. Hun excuus is dat de jap niet goed had aangegeven dat het om vervoer van krijgsgevangenen ging.

Duizenden zijn verdronken die nacht, denk ik. Later hoor ik dat het de grootste scheepsramp ooit is geweest.

Zelf kan ik niet zwemmen. Nooit geleerd. Alleen als een hondje, drie slagen, maar daarmee red je het niet in een oceaan.

Ze proberen ons te kalmeren, en doen eerst of er niks aan de hand is, maar we zijn niet gek. De paniek breekt los na de tweede knal. Ze gooien alles overboord wat maar drijven kan: kisten, kratten, alles.

Hollandse en Indische jongens zingen het Wilhelmus, de Molukkers zingen een Moluks lied. Misschien om zichzelf moed in te praten. Er zijn ook Britten en Fransen onder ons, die laten zich ook horen.

Ik weet niet wat ik moet doen, maar mijn vriend is heldhaftig, en zegt: 'Kom mee.' Hij loopt naar het bovenste dek. Ik volg hem tot daar en zie hoe hij op een sloep afgaat. Daar slaat de jap hem met een bijl op zijn hoofd en hij valt dood neer.

Ik weet niet wat ik moet beginnen. Ik zie mijn vriend liggen, zijn hoofd gespleten. Natuurlijk staar ik naar hem, als verlamd. Ik denk bij mezelf: hij sterft een zeemansdood. Mijn vriend.

Veel geschreeuw om mij heen. Niemand blijft nog kalm op dat schip. Velen duiken erin, zij kunnen zwemmen, denk ik.

Ik ben beduusd. Ik zie mijzelf als kleine jongen, toen ik van mijn moeder een kip moest slachten en de hele ren kakelend op de vlucht ging, tegen het hekwerk aan vloog, en terug op de grond viel. Mijn handen vol bloed. Het geluid op het schip sterft weg. Ik word doof, alsof iemand proppen in mijn oren heeft gestopt.

Ik loop naar de reling en kijk naar de bruisende golven, maar durf niet te springen, en durf ook niet naar een sloep omdat ik dan net als mijn vriend zal worden doodgeslagen.

Dan hoor ik een stem: 'Wees niet bang, spring erin, je wordt gered.' De stem klinkt in mij en toch buiten mij. De stem klinkt vertrouwd, ik denk die van mijn vader. Er is alleen die stem, geen ander geluid.

Ik laat mij via de buitenboord-wc's zakken en glijd in het water. Precies op dat moment komt er een kist voorbij waar ik aan kan blijven hangen. De kist is als een vlot, en als ik het vastheb draait het rond. Ik weet dat ik van het schip weg moet drijven vanwege de zuiging, maar ik kan het vlot niet besturen. Dan komen er meer mannen aan hangen en lukt het ons gezamenlijk om uit de buurt van het schip te raken.

Het is zwaar. Mijn armen worden moe. Het is koud. Ik heb geen gevoel meer in mijn ledematen. Ik denk aan Sita, het mooiste meisje van Batavia. Voor haar moet ik volhouden. Ik probeer niet te denken aan mijn vriend, ik denk alleen aan haar, en hoe ik haar heb gezien toen ik stiekem door het bamboevlechtwerk van de mandikamer gluurde. De anderen bidden, hardop. Een jongen naast mij wil opgeven, maar ik praat hem moed in. 'Denk aan je vrouw en kinderen,' zeg ik.

De hele nacht hang ik met elf man aan die kist. En als een Brit zich bij ons wil voegen, telt hij ons: 'One... two... three... four...' En dan zegt hij: 'O no, I don't want to be number thirteen.'

Hem heb ik nooit meer teruggezien.

Vanuit de verte zie ik het schip zinken, met schreeuwende mensen die bovenin geklommen zijn, maar die met het schip meegaan, de diepte in.

In de nacht hoor ik ze in alle talen om hun moeder roepen. Dat is het ergste, die stemmen in het donker. In het water zie je bloed, dat ruiken de haaien en zo zijn er velen opgegeten, weet ik. Ook mijn vriend, vermoed ik.

6. Ruud

Later hoor ik van een andere jongen, Ruud, die in het kamp mijn vriend wordt, hoeveel mensen er minstens in die nacht verdronken zijn. Hij is tussen de drijvende lijken op zoek naar zijn vader gegaan, omdat zijn vader niet kon zwemmen. Zo is hij blijven rondzwemmen, de hele nacht, tussen die drijvende lichamen. Iedereen die hij op zijn buik ziet, tilt hij aan de haren op.

'Drie keer heb ik jouw gezicht gezien,' zegt hij tegen mij, als we naderhand in dezelfde barak terechtgekomen zijn. 'Toch heb je geen doorsneekop.'

Als hij dat zegt, vermoed ik dat mijn ooms verdronken zijn, maar zolang ik het niet zeker weet, houd ik liever de hoop dat ze nog leven.

Je ziet de zoeklichten van het fregat. Ze halen de jappen in de sloepen op. Wij proberen met ons vlot langs te drijven, maar ze negeren ons. Pas later mogen wij, als we dicht langs de zijkant komen, en ze ons een touw toewerpen.

De helft van ons kan zwemmen en is al op de boot geklauterd. Maar ik krijg kramp in mijn benen. Ik blijf zo hangen terwijl de anderen via mij omhoogklimmen. De kist drijft verder en ik hang daar aan het touw en roep naar boven, naar de jap, of hij mij op wil trekken. Maar dat doet hij niet.

Iemand had mijn voeten aan het touw geknoopt om mij te helpen, en pas naderhand hoor ik, niet van Ruud zelf, maar van een oudere heer die ook aan het vlot gehangen had, dat Ruud zo mijn leven heeft gered.

Als ik me na een tijdje beter voel, bij zonsopkomst, klim ik zelf omhoog en bereik de reling. Ik val voorover op het dek.
De jap schopt mij. 'Sta op,' beveelt hij.
Als ik overeind kom, slaat hij met zijn vuist precies op mijn voortand. Die blijft zitten, maar in Holland wordt hij groen en heb ik een stifttand nodig.

Iedereen die slaapt gooien ze terug in het water. *Mati*, zeggen ze. Dood. Terwijl die mannen nog leven. Ruud springt ze achterna, als hij ziet dat ze nog spartelen. Eerst wil de jap hun niet optrekken, maar Ruud geeft niet op. Ze willen alleen Ruud langs de touwladder binnenhalen, misschien omdat ze snappen dat hij een sterke kracht is. Maar Ruud zegt: 'Wij samen of geen van twee.'
Ruud draagt hem aan boord en de anderen slaan de drenkeling telkens in het gezicht, zodat hij wakker blijft, en niet opnieuw door de jap in de oceaan wordt gesmeten. Ruud duikt opnieuw in zee en redt al weer een ander. Wat Ruud ook doet, als iemand slaapt, gooit de jap hem meteen terug in zee.

Ruud begint met mij een kongsi. Hij kiest mij. Ik durf niemand te kiezen. Ik wacht af. Ik weet dat ik niet gauw een vriend zal vinden zoals de vriend die ik nog pas ben kwijtgeraakt. Ruud heeft lef, maar hij is betrouwbaar, geen ruziezoeker. De jap heeft respect voor hem, dat kan ik zien. Toch wordt ook hij gebeukt.
Een Koreaanse beul met drie horloges om ranselt hem als hij in de bres springt voor mij. Gelukkig heb ik veel van mijn oom Nap geleerd over wat eetbaar is en wat niet, en over kruiden en wat je moet doen als je een zweer hebt, of koorts of difterie. Dus ik heb hem van mijn kant ook iets te bieden, al is het niet veel.

6. Ruud

Ik draag alleen een lapje, zo'n driehoekje voor mijn geslacht. We zijn uitgemergeld. Ik ben blij dat ik er nog ben, dat ik niet ben gestorven aan de difterie, malaria, beri-beri of doodgemarteld. Wij hebben het slecht, maar niet zo slecht als de Indonesische dwangarbeiders, die niet eens een graf krijgen als ze gestorven zijn. Ik ben vaak lijken tegengekomen in het oerwoud als ik met Ruud op zoek was naar iets eetbaars. Hij en ik hebben er een dat al door de beesten was aangevreten, begraven. We werden gesnapt door de jap en kregen beiden klappen.

We moeten werken tot na zonsondergang en we moeten al beginnen voordat de zon is opgegaan. Hun straffen worden zwaarder. Wij kunnen nauwelijks op onze benen staan, maar we moeten steeds harder werken om de spoorlijn af te krijgen en we krijgen steeds minder te eten.

We helpen elkaar in dat oerwoud. Na verloop van tijd denk je nergens meer aan. Als ik opsta en tijdens het appèl in het duister van de vroege ochtend mijn nummer roep, hoop ik dat ik de dag zonder slaag doorkom. En als ik aan het eind van de lange dag mag slapen, denk ik aan Sita, en verder aan niks.

7. Soekarno

De spoorlijn is, na weet ik hoe lang we daaraan gewerkt hebben in dat oerwoud, klaar. Er wordt een goudkleurige spijker ingeslagen en wij kijken van een afstand toe. De jappen raffelen de ceremonie af. 'We worden bevrijd,' fluistert Ruud, 'ik voel het aan mijn water.'

Maar dat soort geruchten zijn al vaker verspreid en toch verandert er niks. Er zijn er steeds meer die beweren dat de jappen verliezen hebben geleden. Anderen zeggen dat de oorlog al voorbij is, maar ik durf het niet te geloven.

De jappen houden zich stil, ze zeggen niet dat ze zijn verslagen. Er zijn veel minder jappen en wij krijgen geen klappen meer. Ook hoeven we niet te werken.

Ruud, branie als altijd, stelt de proef op de som: hij buigt niet voor de jap. Ik kijk bezorgd toe en er gebeurt niks. Geen straf. Bij de barakken, waar roken verboden is, steekt hij expres een sigaret op. De jap kijkt hem aan. Er volgt geen slaag. Maar de jap zegt hem dat hij het niet moet doen, vanwege brandgevaar. Dan is Ruud overtuigd en ik denk dat hij gelijk heeft, maar pas als er kisten met voedsel uit de hemel vallen, weet ik het zeker: ik ga Sita terugzien.

We maken een Nederlandse vlag met de driekleur van verschillende lappen en hijsen die in een bamboepaal. In de kampong,

234

waar we naartoe lopen als we een beetje zijn aangesterkt, om chocola te ruilen voor fruit en groenten, zien Ruud en ik rood-witte vlaggen.

Ruud vraagt aan een van de kampongbewoners: 'Waarom die vlaggen?'

'O, dat blauw is er zeker afgescheurd of zo,' lacht die inlander, 'maar straks kan jullie regering dat er overal weer aannaaien.'

Omstanders schateren met hem mee.

Op de radio horen we Soekarno. Hij noemt ons de honden van de Nederlanders en roept de bevolking op te strijden voor hun vrijheid: 'Dood de honden!'

'Nou dat weer,' zucht Ruud. 'Krijgen we dan nooit eens rust?'

Het duurt nog lang voordat we het kamp kunnen verlaten en terug op Java zijn. Mijn familie zie ik ook niet meteen, wel hoor ik van Indische mensen die wel of niet onthoofd in de kali drijven. Vermoord door ploppors.

8. Kramat

Ik ga op zoek naar mijn moeder en mijn zusjes. Ze zijn tijdens de bezetting buiten het kamp gebleven. Waar mijn broers zitten weten we nog niet, ook niet of ze nog in leven zijn. Mijn stiefvader zit in een burgerkamp, is vaak verplaatst en ze denken dat hij in Birma terecht is gekomen.

Mijn zusjes zijn twee keer door mijn moeder in het kippenhok verstopt, omdat de jap op bezoek kwam op zoek naar mooie meisjes.

Vanwege de onlusten gaan ze nu vrijwillig het kamp in om veilig te zijn voor de ploppors. Albert kom ik daar tegen. Ik ben blij hem terug te zien, en hij mij. We informeren bij elkaar meteen naar Boelie, alsof er nooit ruzie is geweest. Albert bewaakt het kamp tegen ploppors en zegt mij dat ik me ook moet melden voor de dienst.

Ruud heeft dat al meteen gedaan. Hij is plichtsgetrouw. Hij heeft geen ouders meer, niet alleen zijn vader, ook zijn moeder blijkt te zijn gestorven in de oorlog. Aan difterie of zo. Hij heeft nog hoop iets over zijn vader te weten te komen, maar die schijnt nooit uit de oceaan te zijn opgevist.

Ik stel hem voor aan mijn familie en vooral aan mijn zusje, de mooiste van mijn zusjes, omdat mij dankzij hem een zeemansdood bespaard gebleven is. Binnen een week hebben ze zich verloofd. Mijn moeder is blij want ze voelt zich veiliger met een jonge sterke man in de buurt, zegt ze. Mijn broers zijn nog in geen velden of wegen te bekennen.

Ook ik krijg als taak het kamp op Kramat te bewaken en ik mag als korporaal meteen beginnen bij de infanterie. Op het veldje waar de meisje langskomen als ze in en uit het kamp gaan, moet ik Indonesiërs leren exerceren. Ik voel me gerust dat inlanders zich hebben zich aangemeld om tegen de oproerkraaiers te vechten. De vrijheidsstrijders doen via de radio of iedereen ons eruit wil, en zo lijkt het of alle inlanders ons haten omdat we de honden van de Nederlanders zijn. Gelukkig zijn er genoeg Indonesiërs die de Nederlandse vlag trouw blijven.

Via jongens die terugkeren van Pakan Baroe, hoort Albert dat Boelie net als ik aan de spoorlijn op Sumatra heeft gewerkt. Dat Boelie niet bij mij op de boot zat weet ik wel, je hoort hem altijd overal bovenuit, of er nu een jap bij is of niet, dus ook op zo'n grote boot had ik hem niet kunnen missen.

Maar aan die lange spoorlijn hebben duizenden en duizenden gewerkt, zeggen ze, en wij mochten ons niet verplaatsen van het ene naar het andere kamp. Je komt elkaar niet tegen. Er zijn er die hun eigen broer of vader daar nooit hebben gezien, en toch blijken ze vlak bij elkaar aan die spoorlijn te hebben gewerkt.

Boelie ruikt dat Albert en ik elkaar hebben teruggevonden. Opeens staat hij weer voor onze neus. Niet meer mollig zoals vroeger, maar mager net als wij, is hij verder nog steeds dezelfde. Hij is ruim voor de oorlog al getrouwd, pocht hij. Zijn vrouw zat in het vrouwenkamp en is daar gebleven, vanwege de ploppors. Hij heeft gehoord dat Indische families door die relschoppers in mootjes gehakt in een put zijn gevonden en wil ze wreken. Hij maakt zich zorgen om zijn twee kinderen, twee meisjes, omdat ze alleen nog maar oorlog hebben meegemaakt en de oorlog door die oproerkraaiers gewoon doorgaat, bevrijding of niet.

Ze hebben nog geen uniform voor mij. Mijn dienstkleding moet ik zelf betalen, al heb ik geen geld en al is er geen soldij voor de tijd dat wij als krijgsgevangenen voor de jap werkten. Ik leen een beetje van mijn stiefvader, die de trouwringen die mijn moeder samen met haar fotoalbums en antieke meubeltjes bij een Chinees in bewaring had gegeven, aan diezelfde Chinees verkoopt.

'Later, als alles weer normaal is, koop ik weer nieuwe voor ons,' zegt hij tegen mijn moeder, die bijgelovig is en denkt dat hij door deze handeling hun liefde op het spel zet.

Mijn broers keren heelhuids terug, de een was in Australië en de ander in Japan terechtgekomen. Eenmaal thuis geven ze zich meteen op bij de marine en zodoende zie ik hen na één keer niet meer. Beiden zijn ze getrouwd, vlug vlug, met meisjes die ze nauwelijks kennen. Mijn moeder en stiefvader zouden willen dat ik net als zij een eigen gezin begin.

'Ik ga op zoek naar Sita,' zeg ik mijn moeder, maar dan wordt ze kwaad.

'Wat moet je met een inlandse,' zegt ze, 'kijk naar je oom Nap, dan zie je wat er van jou terechtkomt als je verkeerde keuzes maakt.'

Boelie is, getrouwd of niet, nog altijd dezelfde. Hij praat over vrouwen en hij zeurt dat zijn vrouw door de oorlog veranderd is. Hij praat over scheiden en wordt door Albert voor verrotte garnaal uitgemaakt, omdat hij in deze tijd vrouw en dochtertjes wil verlaten. Ze gaan tegen elkaar tekeer. Albert gaat bijna met hem op de vuist, maar houdt zich in als Boelie opeens zwijgt. Hij staart in de verte, iets wat we Boelie nog niet eerder hebben zien doen, stil zijn als hij tot de orde wordt geroepen. Nog even foetert Albert door.

'Ik weet het nu wel,' zegt Boelie op rustige toon tegen Albert, 'hou nou je kop eens, man!'

Het lijkt erop of hij toch wel hart heeft. Over scheiden praat

hij niet meer. Maar over vrouwen praat hij niet anders dan voorheen.

Ik zie ze zoals vroeger, voor de oorlog, vaak, en noem ze mijn
vrienden, als Ruud vraagt wie ze zijn. Ruud kan meteen met ze
overweg. En alhoewel hij meestal met mijn zusje naar de bios
gaat, hangen we soms met ons viertjes rond.

9. Adinda

Bij mijn oom Nap, die buiten het kamp gebleven is, informeer ik naar Sita.

'Vergeet haar,' zegt mijn oom, 'ze is bij de vrijheidsstrijders gegaan, ze is niet meer hier. Zoek een leuk Indisch meisje.'

Dat kan ik niet geloven, dat ze ons als honden ziet. Misschien doordat we door de bilikwand van de kamar mandi naar haar hebben zitten gluren, dat ze het in de gaten had, van mij, en van mijn vrienden.

Die zeggen hetzelfde. Niet over Sita, maar dat het tijd wordt dat ik een Indisch meisje vind, dat een man van mijn leeftijd geen maagd meer hoort te zijn.

Ze nemen me mee naar zo'n huis waar jonge vrouwen zijn om mannen te plezieren.

Er is een oudere Indische dame die ons voorgaat naar een kamer waar ik in die donkere ruimte, verlicht met enkele kaarsen, zeven meisjes zie. Allemaal lief, de een anders dan de andere.

'Kies maar eentje,' zegt de dame. Mijn vrienden wachten omdat ik als eerste mag.

Er is er een met het liefste gezicht van allemaal, ik denk een Soendanees meisje, iets lichter van kleur dan de anderen, en ze lacht naar mij alsof ze me kent.

Ik durf niet te wijzen maar blijf naar haar kijken. Ze loopt op mij af, pakt mij bij mijn hand en leidt mij naar een klein kamertje,

eigenlijk geen echt kamertje, slechts een ruimte met gordijn en een rotan bed.

'Ik ben Adinda,' zegt ze.

Ze sluit het gordijn achter zich en gebaart mij plaats te nemen op het bed. Ze kleedt zich uit. Ik kijk hoe ze haar donkergroene kabaja opent, eerst de speld, dan van het kleine hemdje de knoopjes een voor een.

Als ik zo naar haar kijk denk ik niet aan Sita, maar alleen aan dit meisje dat mij haar lichaam wil schenken en ik word warm en koud tegelijk.

Dan schrik ik, want als haar kabaja openvalt zie ik haar buik. Zo glad, zo jong en stralend als de huid van haar gezicht is, zo verkreukeld en oud is de huid van haar buik. Het lijkt wel of ze het hoofd van een meisje op het lichaam van een oude vrouw hebben gezet. Ik kan er niet naar kijken, ik voel me behekst en word op tijd wakker uit een mooie droom die een nachtmerrie had kunnen worden. Ik ruk het gordijn opzij, ren door de smalle duistere gang, passeer de open deur naar de kamer waar de meisjes bij elkaar zitten om klanten te verwelkomen en ren de straat op, zo hard als ik kan.

Waar Boelie en Albert zijn kan me niks schelen. Eén ding weet ik zeker: in dat soort huizen dwaalt de duivel rond.

Pas in Holland, als ik getrouwd ben en mijn vrouw bevallen is van de eerste, weet ik wat ik heb gezien, en dat die vrouw die zich voor mij ontkleedde niet zo lang tevoren een kind heeft gebaard. Kassian, denk ik dan, dat zij zich moet geven aan vreemden omdat ze haar kind en zichzelf moet zien te onderhouden. Maar toen wist ik dat nog niet.

Aan Boelie en Albert vertel ik mijn ervaring niet. 'Ik was snel klaar,' zeg ik tegen mijn vrienden, 'en ik had een afspraak met mijn andere vriend.'

Ik vertel het die avond wel aan Ruud, die zegt dat in zulke huizen meisjes werken die niet deugen, die ziektes overbrengen, dus dat ik beter kan trouwen. Hij helpt mij wel, want ik heb hem ook geholpen, immers. Maar ik denk sinds die keer weer alleen aan Sita, en hoe ik ervoor kan zorgen dat ik haar weer zal zien.

10. Oom Nap

Albert, Ruud en ik maken deel uit van dezelfde groep die het kamp bewaakt. Boelie verliezen we uit het oog, wat we niet betreuren omdat Boelie is, zoals hij voor de oorlog was: een herrieschopper. Ik ben het vaak oneens met zijn optreden. Hij behandelt alle inlanders alsof ze allemaal ploppors zijn en vergeet dat zijn eigen moeder een inlandse is. Zij woont nog in de kampong bij oom Nap, maar werkt niet meer voor hem. Oom Nap is vaak op pad, waarheen weet ik niet, maar als ik bij hem aankeer, zegt mijn tante vaak: 'Hij is even weg.'

Als ik vraag wanneer hij terugkomt, blijft ze me een antwoord schuldig. 'Altijd druk, je oom,' lacht ze lief. Mijn tante is de liefste tante die ik heb. Als ik wegga, stopt ze mij zoete hapjes in pisangblad toe, en manga van eigen boom.

Een keer zie ik haar huilen als ik kom. Ze wil niet zeggen wat er is, maar als ik aandring zegt ze mij dat haar neefje is omgekomen in een gevecht.

'Wat voor gevecht, tante?' vraag ik haar. Ik weet dat ze veel familie heeft in deze kampong en in een andere, veel verder weg. Maar eigenlijk besef ik nooit dat zij van die mensen houdt, zoals ik houd van mijn broers en zusjes, en mijn moeder.

'Hij is branie,' fluistert ze. 'Je oom heeft hem al gezegd dat hij niet mee moet doen met rampokken en gewoon geduld moet hebben. Onze vrijheid komt wel, op een dag.'

Haar woorden laten me niet los. Ik durf er niet meer aan te

denken, maar doe dat toch, vooral als ik hoor vertellen dat ze in de kampong van mijn tante een paar ploppors hebben opgepakt en dat de jongens die op de vlucht gingen in de maïsvelden zijn gedood.

Ik heb me opgegeven voor orde en rust omdat ik verlang naar vrede. Met mijn oom Nap praat ik graag, maar juist nu is hij nooit thuis. Hij kent de mensen hier, hij weet antwoord op mijn piekerans.

Waarom wordt de bevolking opgestookt tegen ons, als we samen voor de onafhankelijkheid moeten knokken? Wij hebben uiteindelijk allemaal hetzelfde bloed. Wij hebben geen kans, door ons bij voorbaat als handlangers van de Hollander te zien.

Jarenlang kijk ik, gekleed in een lendendoekje met een hongerige maag, uit naar dit moment, en opeens ben ik vijand in mijn geboorteland en is de vrede ver te zoeken.

Ook ik wil de Hollander niet meer als baas. Ze zijn mij nooit goedgezind geweest. Ze trekken hun eigen mensen voor, ze behandelen ons als voetveeg. Ook in het krijgsgevangenkamp helpen ze alleen mekaar. Tenzij ze op ons zijn aangewezen, als er geen keuze is, en ze voordeel zien in een indo als vriend. Dan doen ze opeens vriendelijk.

Ik heb een kolonel het onderste uit de pan zien schrapen zonder te willen delen. Ik heb een luitenant zien kruipen voor een stukje vlees.

Vóór de oorlog had ik respect voor een meerdere uit Holland, je weet niet beter, hij is hoger in rang en hij is blank.

Na die keer voor de oorlog dat ik ontslagen en stomdronken was, zei mijn moeder: 'Je bent toch geen Hollander, je moet hun goede gewoonten overnemen, niet de slechte!'

Terwijl mijn stiefvader zei, nadat ik mijn roes uitgeslapen had: 'Neem een voorbeeld aan de Hollanders, zij zijn altijd op tijd, ze

zijn gedisciplineerd. Toon ze dat jij ook een goede opvoeding genoten hebt!'

Maar in het kamp heb ik anders gezien. Ze geven als officier
geen goed voorbeeld, ze denken net als ieder ander alleen aan
zichzelf en hun eigen kongsi. Ze stelen van jou als je het niet
goed weet te verstoppen. Ze keren zich tegen jou om daarmee
straf te ontlopen. Er is geen verschil in beschaving tussen een indo of een Hollander met een lege maag.

Iedereen kiest voor zichzelf, een enkeling uitgezonderd. Ruud
was anders, en dat vergeet ik nooit meer.

Vóór de oorlog kon het mij niet schelen, maar ik zie hoe een
Hollander met dezelfde scholing meer verdient, hoe een Hollander wel hogerop kan en wij niet, hoe wij de vervelende taken
moeten doen en de Hollander wordt vrijgesteld. De Hollander
maakt onderscheid, ook in de dienst. Molukkers en Menadone-
zen blijven altijd lager dan wij.

Ze hebben al die scheldwoorden voor ons, maar daar lach ik
om. Wat me wel dwarszit is dat wij in rang altijd onder de Hollander zullen blijven, hoe goed je ook je best doet, hoe dapper je
ook bent.

Als militair loop je gevaar, dat weet ik nu, maar toen mijn stiefvader mij beval de dienst in te gaan, had ik nog geen idee. Vóór de
oorlog was het leuk om militair te zijn. Maar als ik nu wachtloop,
is er een lijn van ongeveer vierhonderd meter langs de kali, van
Raden Saleng tot Gang Obat, waar *snipers* op mij kunnen mikken. Ik ben een wandelende schietschijf. Niet alleen ik weet dat,
die vrijheidsstrijder, die daar aan de andere kant van de rivier op
de loer zit met zijn geweer, weet dat ook.

Er zijn er al die daar zijn beschoten. Ze begraven je met militaire eer, maar verder kraait geen haan nog naar je.

Eindelijk tref ik mijn oom thuis aan. Met zwaar kloppend hart
begroet ik hem. Die keer ga ik in de avond naar hem toe, omdat

ik hem wil spreken voordat mijn wacht ingaat. Maar onderweg moet ik vluchten voor rampokkers die plots vanuit een hinderlaag tevoorschijn komen en op mij schieten terwijl ik in de *betjak* zit. Ik laat mij vallen uit de betjak, rol naar de kant en houd mij schuil in een greppel. Zo blijf ik liggen totdat ik niets meer hoor. Ze denken dat ik dood ben, vermoed ik.

Zwart van de modder kom ik bij mijn oom en tante aan. We praten niet. Ik vraag hem niet over Sita, ik vertel hem niet over mijn piekerans. Hij ziet meteen de angst in mijn ogen. 'Voortaan zeg je niet alleen mijn adres tegen de betjakker, maar ook mijn naam, en dat je mijn neef bent,' zegt hij, 'dan heb je niks te vrezen.'

Van de jongens in de dienst hoor ik regelmatig verhalen over mensen die 's avonds nietsvermoedend in een betjak stappen om naar huis te gaan, maar naar een donkere steeg worden gereden waar ploppors klaarstaan om ze te vermoorden.

'Als je naar de andere kant wil kan ik helpen,' zegt oom Nap, 'maar als je dat doet moet je alle contact met familie en vrienden verbreken. En je kan niet meer terug.'

Ik schud nee. Ik wil alleen Sita, wil ik zeggen, maar zoals soms in nachtmerries dat ik om hulp wil schreeuwen omdat ik word omsingeld en ze met pikhouwelen en zeisen en wat al meer mij willen slachten als een kip, kan ik geen geluid uitbrengen.

'Je hoeft niet bang te zijn,' zegt mijn oom, 'ik help je, wat je ook kiest.'

De rest van de tijd zitten we beiden zwijgend op zijn erf te roken.

Als ik terugga naar het kamp, om op tijd te zijn voor de wacht, loopt hij met me mee naar de hoek en zoekt zelf de betjakker uit die mij moet brengen. Hij praat met hem, dan kan mij niks gebeuren. Hij heeft aanzien, nog altijd.

Voordat ik bij hem de deur uit ga neemt hij mij mee naar een hoek van het huis waar niemand ons kan horen. Daar geeft hij mij de bescherming voor alle gevaar, voor nu en voor later, zodat niemand mij ooit iets kan doen.

Ik moet bepaalde woorden prevelen, die ik nooit aan iemand mag vertellen. Die houd ik geheim, ik neem de spreuk mee in mijn graf. Hij doet iets in mijn nek en hij stopt mij versteende bamboe, de nagel van een tijger, een stukje huid en nog wat spulletjes in mijn handen. Die draag ik met me mee in mijn portemonnee en op mijn hart. Dat toon ik niemand, zelfs Ruud niet.

Sindsdien tril ik niet meer als ik in het holst van de nacht met mijn geweer in de aanslag langs de kali loop. En één keer hoef ik maar te schieten, als ik in zwart iets zie bewegen aan de overkant. Voordat ik schiet denk ik: waarom?

Maar als ik niet schiet, schiet hij mij.

Ik prevel de woorden. In mijn hand voel ik de bamboe die van binnen niet hol is, maar gesloten, terwijl bamboe altijd hol moet zijn. Dan pas schiet ik, zoals mijn oom mij heeft gezegd. Ik zie die vent vallen. Daarna voel ik mij beroerd. Ik loop door, dezelfde pas, ik ben een militair, het is mijn plicht. Misschien heeft hij vrouw en kinderen. Wie zorgt er voor hen? Het was hij of ik.

Zoals ik voor mezelf houd wat ik van mijn oom gekregen heb, zo houd ik mijn twijfels ook verborgen. Ruud begrijpt die dingen niet. Hij haat Soekarno, net als Boelie. Albert is anders, hij praat graag over zijn eigen idealen en vergelijkt die met de idealen van Soekarno, hij legt uit in welk opzicht hij het met hem eens is en met welke punten niet. Maar als hij zijn positieve geluiden laat horen, worden de meeste jongens van onze groep kwaad. Ze noemen hem een verrader als hij zegt dat hij de vrijheidsstrijders kan begrijpen. Boelie en hij gingen elkaar daarover al weer een paar keer te lijf, net als vroeger, in hun jonge jaren. Van argumenteren wordt het al snel schreeuwen en in een mum van tijd beuken ze er beiden op los.

Boelie is ergens anders geplaatst. In het begin zien we hem

nog wel, op verlof bij zijn moeder. Ik hoor via via dat hij in de moeilijke gebieden zit. Dat kan geen kwaad voor iemand die zo graag vecht. Er zijn geruchten dat hij gevangengenomen is, maar er doen altijd allerlei verhalen de ronde, en wat er waar is weet je niet.

11. Tom

Alles wat ik doe is dienstgeheim. Dan weer een training daar, dan weer een stille missie ergens anders. Op een van die dienstreizen leer ik Tom kennen. Hij wordt later, als ik twee zonen en veel dochters heb, en ook al opa ben, mijn beste vriend.

Wanneer ik hem tegenkom in het struikgewas, bij nacht, op wacht, schrik ik hoe jong hij is. Of hij lijkt jong, vanwege weinig beharing en hij is klein van stuk. Hij is gestuurd als spion, vermoed ik, als verkenner, en draagt een jasje zoals ik, om ons om de tuin te leiden.

Ik reik hem de hand, stel me voor, en hij schudt mijn hand en zegt: 'Aangenaam, mijn naam is Tom.'

Hoe hij naar mij kijkt verraadt dat hij een vrijheidsstrijder met een eigen missie is. Het is geen angst, het is trots en zelfverzekerdheid. Ik ben niet bang als ik naar hem kijk, ik denk alleen: zo jong nog, kassian.

Ik heb het nooit verteld, ook aan mijn vrouw niet, maar op dat moment gaat door mij heen: zal ik hem laten gaan? Zal ik doen of ik hem nooit heb gezien?

Maar ben ik daarmee een landverrader?

Ik geef hem een sigaret. We roken samen. Ik stel hem vragen in het Nederlands en als hij antwoordt, vriendelijk, niet vijandig, weet ik dat hij een betere scholing heeft genoten dan ik. Hij spreekt zoals mijn leerkracht op de school waar ik rapporten haalde die eruitzagen als de voetbaltoto in Nederland. Zijn ogen verbergen niks. Hij bekent dat hij gestuurd is om te zien met hoeveel we zijn, en dat ze ons onder vuur willen nemen. Het is oorlog, hij weet het en ik weet het, en hij is over de grens.

12. Sita

Tom wordt geruild. Niemand weet zijn naam en niemand weet dat hij geschoold is. Ze behandelen hem als een rijstplanter omdat hij weigert te praten. Ze treiteren hem. Er zijn een paar in mijn groep die van sarren houden. We vermoeden dat hij veel voor hen betekent, want het verzoek om te ruilen komt van de andere kant. Ik weet dan nog niet wie wij moeten halen. We brengen hem gezamenlijk en zien hun komen van de andere kant.

Dan zie ik aan de manier van lopen dat het Boelie is die wij krijgen in ruil voor de jongeman die mij verklapt heeft dat hij Tom heet, maar die de anderen niks wil zeggen. Boelie heeft geen jasje aan. Ze hebben hem ook gemold, zo lijkt het, of hij is zelf begonnen met vechten misschien. Alles gaat officieel. Je mag geen onverhoedse bewegingen maken. Je mag niet tonen dat je blij bent hem te zien.

Dan schrik ik nog meer. Een van de vrijheidsstrijders is een vrouw. Al heeft oom Nap het met weinig woorden al gezegd, ik zie haar nu. Ze lijkt groter tussen die mannen, en in dat uniform van hun, zwart als van een tani. Er is nog een vrouw bij, maar die is lang niet zo mooi als zij.

Haar blik rust op mij. We kijken elkaar in de ogen. Zij glimlacht, alsof we niet tegenover elkaar staan als vijand maar tussen de geiten op het erf van mijn oom.

Na de uitwisseling draaien wij ons om, rechtsomkeert, zoals de dienst dat eist.

Terug op onze basis vergeet ik Boelie. Ik denk alleen aan haar glimlach en dat ze nog net zo mooi is als altijd.

Boelie beweert, naderhand, als Albert bij ons is, dat zij hem haar borsten heeft laten zien. Albert draait zich om en loopt weg. Ik weet dat Boelie liegt en toch moet ik mijn ogen sluiten, tot tien tellen om hem niet voor een tweede keer bewusteloos te slaan.

Ook ik keer die vent de rug toe. Ik heb voor altijd genoeg van die kerel. Nooit meer praat ik tegen hem. Jaren later, in Holland, als ik hem op straat tegenkom, negeer ik hem ook. Gelukkig is hij bij de landmacht gegaan en heb ik niks met hem te maken. Een van zijn zonen, de oudste denk ik, tekent wel voor de luchtmacht en komt altijd bij mij een praatje maken. Zijn kop lijkt sprekend op zijn vader, al heeft hij blauwe ogen. Die jongen kan het niet helpen, maar mijn woede over Boelies vuile praat komt onmiddellijk terug als ik hem zie.

Maar na verloop van tijd krijg ik toch een band met die jongen, ook uit medelijden dat hij dezelfde aard heeft als zijn pa, want hij heeft zichzelf niet gemaakt. Ik laat nooit merken dat ik zijn vader heb gekend.

13. Slipi

Later, in Jakarta, als mijn oudste zoon wel al op BALI woont, maar mijn jongste nog studeert in Nederland, sta ik bij de bank in de rij om travellercheques te wisselen. In die tijd doe je alles met van die cheques. Wel twintig handtekeningen moet je zetten, op elk papiertje één. Tegenwoordig haal je geld uit de muur, net als vroeger de kroketten. We logeren in die tijd bij een kennis van mijn oudste zoon, tegen betaling, een kamer met fan en ze kookt voor ons. Zo'n oud-koloniale woning in Menteng, zoals mijn moeder had, maar de galerij verhuren ze per kamer aan mensen als wij. In een van die kamers zitten ook vier van die islamitische meisjes met sluier en alles, omdat ze in de stad studeren. Rijkeluiskinderen, zegt mijn vrouw, ze heeft met hun gesproken.

Mijn vrouw wil de deur niet uit, de dagen dat we in Jakarta zijn. Ze wil nergens naartoe, ze moet erg wennen en zit het liefst met de eigenares op de veranda te babbelen en te haken, verder niks.

Ik wil mijn tante opzoeken, de weduwe van mijn oom Nap, maar eerst moet ik wisselen, omdat ik haar geld wil toestoppen, ook namens mijn broers. Ik heb gehoord dat zij het moeilijk heeft.

Opeens tikt een Indonesiër mij op de schouder. Ik kijk geërgerd om. Ik denk dat het misschien een dief is, alhoewel ze de bank goed bewaken, niet zoals bij ons in Holland. Daar bij hun staat, ook in die tijd, altijd minstens één gewapende man bij de deur.

Hij herkent mij, zegt hij, al twijfelt hij door mijn reactie. Ik herken hem in eerste instantie niet. Hij weet mijn volledige naam, dus dan moet hij toch een kennis zijn. Ook als hij zich opnieuw voorstelt moet ik lang denken.

Hij helpt mij op weg en even later staan wij omarmd, als de beste vrienden, te huilen bij die bank. Wanneer ik mijn cheques gewisseld heb voor dikke stapels roepia's, praten wij nog lang op zo'n bankje in het bankgebouw, en we vergeten de tijd. Ik moet met hem mee naar zijn huis in Slipi, zijn vrouw ontmoeten. Hij wil niet dat we ergens aan vreemden betalen voor ons verblijf. Wij worden zijn gasten, en hij knipoogt ondeugend als hij zegt: 'Vanwege de goeie ouwe tijd.'

Voordat we onze vrouwen erbij betrekken zegt hij dat Sita hem had verteld dat één van de militairen van de groep die hem voor Boelie had geruild, haar eerste en enige grote jeugdliefde was, een geheime liefde, omdat ze het die jongen nooit heeft verteld. Ze wilde hem niet zeggen wie, maar hij wist meteen wie dat was, zegt hij. Dat kon niet missen.

Toen heeft hij Sita verteld hoe goed ik hem had behandeld, anders dan de rest. Ze had tranen in haar ogen, zei hij, terwijl ze een harde was, een dappere strijder, flinker dan sommige mannen die nu corrupt zijn en alleen hun eigen zakken vullen.

14. Suharto

Tom is niet veel jonger dan ik. Drie jaar maar schelen wij. Ik ben al grijs, hij is nog zwart. Hij ziet er nog steeds jonger uit dan hij is, en toch sterft hij eerder dan ik, in armoede.

Het is ongeveer vijf jaren na de massamoorden op Chinezen en communisten, of misschien iets langer, als ik voor het eerst mijn geboorteland terugzie. Ze hebben een nieuwe president. Mijn oom Nap is tijdens die bloederige slachtingen op straat door een opgehitste groep vermoord, al was hij geen Chinees en geen rooie. Mijn tante stuur ik sindsdien regelmatig geld en omdat ik Tom tegenkom, juist als ik naar haar toe wil gaan, gaat hij mee.

Mijn tante huilt en huilt. Ze is kleiner dan ik me herinner, en misschien ook gekrompen. Tom schrikt, net als ik, hoe zij leeft in een krotje van plastic, karton en een dak van golfplaten. Ze moet wat ze van mij krijgt verstoppen, zegt ze, want haar zonen maken het op aan middelen die hun gek maken, waardoor de duivel bezit van hun neemt. Eén zoon is goed, maar die is naar een klein eiland bij Sumatra gevlucht, toen de helft van de bevolking mataglap werd, en werkt daar. Transmigratie, zegt ze.

Ik blijf haar geld sturen, en Tom bezoekt haar regelmatig tot haar dood. Na die eerste keer dat we daar zijn geweest zegt hij mij, voordat onze vrouwen elkaar ontmoeten: 'Jouw oom Nap is tijdens de revolutie een held geweest.'

Ik wil hem niet geloven, al weet ik dat mijn oom geliefd is bij de bevolking; ik heb nooit geweten dat hij betrokken was bij de vrijheidsstrijd.

'*Betul*,' zegt Tom, 'en nadien, toen de beloftes niet werden nagekomen en de armen arm bleven, werd hij kwaad. Daarom hebben ze met hem afgerekend.'

15. Megawati

Ik ben al met pensioen, dankzij de tropenjaren, als Tom nog in het leger zit. Hij weigert mijn steun aan te nemen, als ook hij gepensioneerd is en zo weinig krijgt dat hij niet eens genoeg heeft voor rijst, laat staan voor andere zaken.

Toch dring ik aan, ik weet dat het hem helpt, want Jakarta is duur. Eenmaal hebben we voor hem en zijn vrouw de overtocht betaald, want zijn vrouw droomt al sinds haar jeugd op een dag de Hollandse weiden met bonte koeien te zien.

Met de trein zijn we met hun naar toeristische attracties gegaan waar wijzelf in al die jaren ook nooit zijn geweest. In Volendam trokken hij en ik zo'n vissersspak aan, met klompen aan onze voeten, en zo'n mutsje op ons hoofd, voor op de foto. Die heeft hij vergroot ingelijst boven bij de deur in zijn huiskamer, erg hoog, vanwege de jaarlijkse overstroming.

Mijn zonen betaalden mee aan dat ticket, want meer dan mijn pensioen van onderofficier heb ikzelf ook niet. Ik geef wat ik kan missen.

Mijn zonen behandelen hem als familie en toch heb ik hun nooit iets over hem verteld. Wat gebeurd is, onze kennismaking, en de uitwisseling bij Sidoarjo, houden wij voor onszelf. Ook mijn vrouw vertel ik het fijne niet. Zij zou het niet aankunnen, dat van Sita niet.

Zij hebben al weer de zoveelste president achter de kiezen, en als er een vrouw aan de top staat, gaat Tom dood. Op zijn begrafenis moet ik iets zeggen. Zijn kinderen willen dat, als zijn beste vriend, zeggen zij, en als zijn trouwste vriend. Ik weet niet wat zij weten.

Zijn vrouw is al eerder gestorven, dus alleen zijn kinderen zijn daar, en van die gepensioneerde hoge pieten uit het leger, omdat hij als oud-generaal met die speciale eer wordt begraven. Maar ik weet hoe hij over die kerels denkt, al gedraagt hij zich altijd beschaafd. Ik ken niemand met zo veel beschaving als Tom, ook mijn vrouw en zonen denken er zo over. En toch kan je lachen met die vent.

Wat ik moet zeggen weet ik niet. Ik sta daar, zonder tijd om iets voor te bereiden omdat die islamieten hun doden snel begraven.

Mijn vrouw zegt dat ik zijn kinderen niet teleurstellen kan. Daarom ga ik naar voren.

Ik spreek gewoon Maleis, want hun Bahasa Indonesia heb ik nooit geleerd. Al kan ik ze wel verstaan, spreken is iets anders.

'Ik ken niemand zo eerlijk als Tom. Hij heeft alles gegeven voor de vrijheid van zijn land, maar het land heeft hem te weinig gegeven. Als er een hemel is krijgt Tom daar de beste plek.'

Daarna kan ik niet meer praten. Ik beweeg mijn mond, maar er komt geen geluid.

Zijn oudste dochter bevrijdt mij van de microfoon. Ze doet haar arm om mij heen en zegt in het Bahasa: 'Oom Boy was mijn vaders beste vriend tijdens de revolutie en ook daarna.'

Dan neemt zij mij bij de arm en leidt mij terug naar mijn vrouw, die huilt, net als ik.

16. Melanie de Krijger

Als ik die Indonesische jongens leer exerceren komen de Indische meisjes telkens langs. Ruud wil dat ik met een van hun aanpap, maar ik ben niet alleen verlegen, ik denk ook nog te veel aan de andere kant. Aan Sita.

Ze zijn allemaal leuk van gezicht, de een mooier dan de ander, vermoed ik, want ik durf ze niet echt aan te kijken, maar vooral vier zusjes vallen mij op. Ze lijken niet op elkaar, en toch kun je zien dat ze zusjes zijn, want ze zijn van verschillende leeftijd en gedragen zich zoals mijn zusjes met elkaar bezig zijn.

De oudste is blond, de tweede zwart, de derde rood en de jongste zwart, net als de tweede, maar met groene ogen. Zij is de mooiste, maar zij is nog veel te jong. Ze lachen en ik zie ze naar mij kijken. Als ze passeren doe ik extra mijn best. Ik schreeuw harder, ik sta rechter, mijn kin goed in de lucht, en ik ben er trots op dat ik die inlandse katjoengs kan leren hoe gedisciplineerd het Nederlands-Indische leger is.

Mijn jongens zijn ijverig, ze willen bewijzen dat ze onze vlag trouw blijven. Zij staan net zo goed als wij bloot aan wraak van ploppors. Misschien nog erger dan wij. Af en toe hoor je dat er eentje door een betjakker een foute steeg is ingereden.

Ruud regelt een gesprek. Ik heb gezegd dat ik niet wil, maar ik heb niks te vertellen.

De zusjes gaan naar het noodschooltje en hij neemt me daar

mee naartoe op een tijdstip dat hij weet dat zij naar buiten komen. Er zijn nog twee kameraden bij, en die drie grappen over van alles. Ruud heeft het hoogste woord, alsof hij niet al verloofd is met mijn zusje. Ik zeg niks, en ik durf niet goed naar de meisjes te kijken, nu ze zo dichtbij zijn dat ik ze kan raken als ik mijn armen strek. We staan in een kring, maar ik sluit hem niet, ik sta er iets buiten.

Een van de zusjes zegt, als er een vliegtuig overvliegt, en Ruud zijn praatjes ervoor onderbreekt: 'Mijn grootste wens is een keer een ritje te maken in zo'n vliegtuig, want ik zou piloot willen worden, maar ik weet niet of dat kan, vanwege mijn arm.'

Ik weet niet wie van de vier het zegt, want ik kijk het vliegtuig nog na, blij dat ik iets heb om me op te richten, met die mooie meisjes veel te dichtbij.

Ruud antwoordt onmiddellijk: 'Mijn zwager kan dat regelen, hij kent veel piloten.'

Hij trekt mij daarbij aan mijn bovenarm naar voren, meer naar het midden van de kring. Ik kan niet anders dan knikken, sta precies tegenover de zusjes, zo dichtbij dat ik kan ruiken dat allevier zich die ochtend met lavendelzeep gewassen hebben, maar vooral dicht bij de tweede, het meisje met de donkerste ogen, de amandelvorm zoals Sita, de huidskleur als Sita, maar verder een ander gezicht: een kleinere neus, een vollere mond, niet zo mooi, maar wel mooi genoeg om van te houden.

Mijn blik zakt, niet om haar lichaam te bekijken maar uit verlegenheid. Dan zie ik haar rechterarm, mismaakt, vervormd, alsof iemand er krachtig met een hamer op heeft geslagen.

'O ja?' vraagt ze, 'kan jij dat regelen?'

Wat moet ik zeggen? Ik heb medelijden, en ik ken geen piloten, maar misschien kent Ruud die wel.

Ik zeg daarom: 'Ja, dat kan.'

Toen denk ik nog niet dat dit het meisje wordt met wie ik zal trouwen. Ik loer op de oudste. Pas een paar uur later hoor ik van

Ruud dat zij al beloofd is aan een marinier, die op dat moment nog in Australië is.

De volgende dag zegt Ruud tegen mij: 'Je gaat vanavond naar de film. Ik heb een afspraakje voor je geregeld. Na afloop neem je haar mee naar het noodschooltje. Ze valt op je, man!'

Dat schooltje van *bedek*, dat weet ik, dat is 's nachts open en Ruud neemt mijn zusje daar ook regelmatig mee naartoe.

'Met wie ga ik?' vraag ik.

'Met de pilote,' lacht hij.

'Ik ga liever met de rooie of de jongste,' zeg ik, misschien ondankbaar, maar ik flap het eruit.

'Die rooie staat bekend als een afgelikte boterham. Die heeft alle Hollandse soldaten al van dichtbij bekeken. En die andere is te jong, man, dan slepen ze je voor de krijgsraad.'

'Heb je haar arm gezien?' vraag ik.

'Ze heeft prachtige ogen. En met zo'n arm blijft ze je altijd trouw.'

Ik word voor het eerst kwaad op Ruud. Ik voel de drift groeien. Hij is mijn beste vriend, en dan flikt hij me dit, alsof ik niet zelf in staat ben mijn favoriete meisje uit te kiezen. Als ik me wil omdraaien en weglopen, houdt hij me tegen, vriendschappelijk, maar met kracht.

'Ik wil je alleen maar helpen, man,' zegt Ruud, 'straks denken ze nog dat je van de verkeerde kant bent, grijp je kans, dat meisje is gek op jou en ze kan echt veel krijgen hoor, volgens haar zus lopen er sinds de bevrijding twee Chinezen achter haar aan.'

'Laat die Chinezen dan maar hun gang gaan,' zeg ik, 'die hebben vast betere connecties met piloten.'

Ruud wordt zenuwachtig. 'Je kan niet meer terug,' zegt hij. 'Ik heb haar een lange liefdesbrief geschreven en die met jouw naam ondertekend, omdat ik wist dat jij het nooit zou doen. En je had haar die belofte van het vliegen al gedaan, dus ik dacht dat je voor haar viel.'

Ik ben verbijsterd dat hij de vriend is die ik als mijn broer vertrouwde. Ik weet dat ik niet mag slaan, maar mijn handen jeuken om hem een dreun te verkopen. Ik tel in mijzelf tot tien en als ik bij acht ben zegt hij: 'Het lijkt wel of je bang voor vrouwen bent, man.'

'Je moet niet tegen mij liegen,' zeg ik.

'Ik lieg nooit tegen jou,' zegt Ruud, 'dat weet je toch. Vraag aan je zus, zij heeft de brief nog voor mij nagelezen op fouten. Ik heb er erg mijn best op gedaan, in schoonschrift nota bene. Je had moeten zien hoe blij ze ermee was. Ze gaf jou een compliment ervoor. Zelf is ze eigenlijk rechtshandig maar door die klappen van de jap kan ze met rechts niet meer schrijven. Toch leert ze snel, ze kan al bijna alles met links, ook vechten.' Hij grinnikt, en stoot mij daarbij vriendschappelijk aan, alsof hij en ik het al met elkaar eens zijn over hoe dit verder moet: 'Ze schijnt nogal sterk te zijn. Zo'n vrouw moet je hebben, man!'

Hij leent mij geld. Hij wil het mij geven, maar ik ben trots. Ik ga en ik betaal zelf de bioscoopkaartjes, omdat ik niet wil dat een meisje dat in het jappenkamp al zo veel heeft meegemaakt, voor schut komt te staan ten overstaan van haar zusjes en vriendinnen.

Na afloop, als we *tjendol* drinken in een tentje waar het veilig is, maar waar geen jongens van de dienst komen, zegt ze triomfantelijk dat ze de brief, vanwege mijn mooie handschrift, aan iedereen heeft laten zien. Vanaf het begin dat ik daar liep te exerceren, bekent ze, had ze haar oog op mij laten vallen, en haar zusjes hadden haar daarom uitgelachen.

'Neem een van de twee Chinezen, want hem krijg je niet, die kiest echt geen invalide,' hadden ze haar gezegd.

Ze haalt een enveloppe uit haar tasje, onhandig, vanwege haar rechterarm, waar ik nu voor het eerst pas echt naar durf te kijken, zoals haar pink en duim het werk van vijf vingers moeten doen. Ze opent de envelop waarop in prachtig schoonschrift staat: *Voor Melanie Krijger*. Zelf wist ik haar achternaam eigenlijk nog niet.

16. Melanie de Krijger

Ik kijk naar haar volle donkere wimpers, de kuiltjes in haar wangen, en haar erg beweeglijke maar mooie mond.

Ze graait onhandig in de keurig met een mes opengescheurde enveloppe, opent de brief, strijkt hem liefdevol glad en zegt: 'Dit is het mooiste cadeau dat ik ooit heb ontvangen.'

Het handschrift is zo keurig en helder dat ik ook op z'n kop kan lezen welke beloftes Ruud namens mij heeft gedaan.

Er is geen weg terug. Ze is niet dom, gaat nog naar school, wil verder leren omdat in het kamp de school door de jap was verboden. Ze praat veel, soms doet ze in haar manier van praten aan Boelie denken, want ze gaat maar door, alleen maakt Boelie je ook aan het lachen en zij is ernstig, alsof de oorlog nooit uit haar hart is weggegaan.

Ze haat de jappen, en ze haat de ploppors, is bang voor alle Indonesiërs, omdat je nooit weet of ze niet opeens ook een ploppor blijken te zijn.

Ze vraagt me haar te helpen met het schrijfwerk voor school. Schrijven met links wil haar niet lukken en met rechts krijgt ze kramp als ze meer moet schrijven dan één zin. Ik leer van Ruud, ijveriger dan ik ooit op school ben geweest, zijn schoonschrift en oefen in al mijn vrije tijd in schrijven zoals hij.

Ik begin met haar naam, duizend keer, precies zoals ik dat op de enveloppe had zien staan. Dan pas oefen ik andere zinnen.

Senne

Woon als een vreemdeling in dat land

Driehonderdenvijfenzestig dagen geleden zou ik toeristen nog vol overtuiging verzekeren dat er geen geschikter dag is dan 17 augustus, om je door de straten van Jakarta rond te laten rijden. Maar vanaf nu stel ik vast dat eenieder die zich op bevrijdingsdag uit vrije wil op straat begeeft, het niet verdient om vooruit te komen, noch in centimeters, noch carrièregewijs.

Dankzij een spontaan besluit zit ik ten tijde van *hari merdeka* in een kijang met een onvoltooid 70 x 1,20-schilderij van OPA op schoot, en naast mij de zware maar trouwe kunststofkoffer met nog maar één wieltje, KROKODIL, een door te veel gadgets uitpuilende laptoptas, twee plastic tassen van KUTA-AIRPORT gevuld met een dozijn plakken melkchocolade met noten en twintig kleuren nagellak, en drie handtassen, namelijk de gebreide paarse tas van OMA, mijn ouwe Nepcalvinklein en mijn spiksplinternieuwe Nepgucci.

We staan stil, met als schrale troost de constatering dat we omringd worden door ontelbaar veel motorfietsen die ook geen kant op kunnen. Miljoenen mensen zijn momenteel gevangen in de *macet* omdat er of ondanks dat er in deze stad tegen heug en meug bevrijding wordt gevierd.

Nu is mijn wil al een hele tijd niet meer vrij. Ik lijk, sinds ik OPA's as, op zijn uitdrukkelijk verzoek, in Sidoarjo heb uitgestrooid, gestuurd te worden door alles behalve wilskracht. Aangezien DIAN me tijdens de eindeloos durende receptie van OPA's crematie heeft uitgelegd dat ons bewustzijn feitelijk niet meer is dan een constructie van het onderbewuste brein, waar de wetenschap nog steeds geen zinnig woord over zeggen kan, voel ik me op geen enkele wijze meer verantwoordelijk voor welke keus ook die ik gemaakt heb, sinds we OMA naar een verzorgingsflat hebben verhuisd.

De wil van OPA, tot zijn laatste snik, werd daarentegen volkomen gestuurd door zelfbeheersing. De pijn die hij geleden moet hebben, de morfine die hij weigerde, en zijn onuitputtelijke stamina leidde ertoe dat de huisarts, verpleegsters en het hele THUISZORG-team graag als getuige hadden opgetreden, mochten we OPA hebben willen aanmelden bij GUINNESSWORLDRECORDS.COM als de dapperste patiënt met het grootste aantal botbreuken.

Hij wachtte tot iedereen rond zijn bed stond, ook mijn moeder, die als allerlaatste met DIAN kwam opdraven. Hij keek rond, alleen met zijn ogen, want zijn nek kon hij allang niet meer bewegen. Er rolde een traan uit zijn linkeroog, die naar zijn linkermondhoek gleed, daar even bleef hangen, toen traag over zijn kin verder gleed, en hij sloeg zijn ogen neer .

Een paar dagen tevoren was er een vreemde druif binnen komen vallen die zijn naam eer aan deed.

'Zeg maar Bodo,' zei hij, en hij verontschuldigde zich dat hij niet eerder al gekomen was, maar hij had in Indonesië rondgezworven omdat hij zich daar wil vestigen, en wist niet dat OPA in zo'n korte tijd zo achteruit was gegaan.

Hij zei dat hij Indisch was en dat zijn vader een goede vriend van OPA was geweest, maar volgens mij kende OMA hem niet, want haar stoïcijnse blik bleef ongewijzigd, toen hij zijn vaders naam noemde, en OPA reageerde niet verheugd bij het horen van die naam, terwijl hij af en toe nog altijd een grote glimlach kon ophoesten als ik een foto liet zien van een van zijn achterkleinkinderen.

Om het cliché dat de wereld klein is maar weer eens voor de dag te halen: BODO had in Jakarta onze ex-buurvrouw leren kennen, die hem had gezegd dat zijn overleden vader hem opdroeg naar de oude Portier te gaan, om namens hem excuses te gaan brengen voor zijn wangedrag.

Ik kreeg meteen de wens die ex-buurvrouw van ons op te zoeken en te vragen wat mijn vader via haar aan mij en mijn moeder en broertje zou willen vertellen. Niet zozeer over wat we in zijn opdracht moeten gaan doen, maar of ze toen met hem in hetzelfde hotel ook met de doden aan het praten waren, en zo ja, met welke doden dan, en waarom hebben die doden vervolgens mijn vader meegenomen naar, laten we hopen de hemel en niet de hel.

Ik kon het niet helpen, maar ik werd bevangen door een on-SENNE-drift en die BODO moest het ontgelden. Natuurlijk zei ik niks over mijn vader, maar ik maakte hem onomwonden duidelijk dat die doden die zo graag een kopje thee bij onze ex-buurvrouw komen drinken, zich dan maar tijdens hun leven wat sympathieker hadden moeten opstellen, zodat ze niet na hun dood anderen hoeven op te zadelen met opdrachten om her en der excuses te komen aanbieden. Ik had een woordenwaterval zoals mijn moeder, zoals OMA, of zoals DIAN, en het bracht me een voldoening die ik sinds mijn ruzie op het dak met HIQ niet meer had gevoeld.

Die BODO hoorde me zo'n beetje aan en knikte alsof hij op audiëntie bij de paus was en geen recht had om tegen te spreken, terwijl ik aan zijn blauwe ogen met de donkere wenkbrauwen erboven kon aflezen dat hij zijn inwendig groeiende irritatie de baas bleef dankzij een oncontroleerbare aangeboren koortsachtige geilheid bij de aanblik van mijn cup D. En dat ergerde me nog meer.

Omdat ik inmiddels geen enkel rukje aan mijn teugels voelde, ben ik als een dolle pony ook gaan afgeven op die ex-buurvrouw, terwijl ik eigenlijk niks van dat mens wist.

Dat ging hem te ver, hij verdedigde haar, zei dat ze een meisje was dat zich uit de sloppenwijken omhoog had gewerkt en dat ze niemand kwaad deed. Het lag op het puntje van mijn tong om te zeggen: 'Nee, ze sleept alleen getrouwde gezonde hardwerkende mannen mee naar een hotel in een of ander gehucht waar ze om onverklaarbare reden het loodje leggen.'

OMA kwam ertussen met lemper die BODO voor ze meegenomen had, en die ze in de keuken had staan stomen. Nu was OMA om een of andere reden duidelijk niet zo gek op die zogenaamde vriend van OPA, dus de conversatie wilde niet goed lukken, met bovendien de veel te warme lemper in onze mond, die BODO zelf gemaakt had en die, toegegeven, ook al brandde ik mijn tong, verrukkelijk was.

BODO stond op van de enige stoel in de huiskamer die nog een beetje prettig zit, en nam plaats op de kruk naast het THUISZORG-bed. Daar vroeg hij OPA niet alleen namens zijn vader, maar ook namens zichzelf om vergiffenis omdat hij zo lang niks van zich had laten horen, hield OPA's hand vast en streelde deze.

OPA zei niks terug, die sliep of deed alsof.

Nadat hij weg was vroeg ik OPA: 'Wie was dat nou?'

'De dienst,' zei hij, bijna onhoorbaar. Meer kwam er niet uit.

Ik stelde nog wel vragen, zoals ik vaker deed, maar hij keek alleen met die lieve hondenogen van hem, alsof hij wilde zeggen: SENNE, stop met vragen.

Toen ik het vragen had opgegeven, zei hij, en dat had ik hem nooit eerder horen zeggen: 'Ik ben moe.'

In al die maanden had hij verbaal nooit enig blijk gegeven van vermoeidheid, want als hij moe was vielen zijn ogen vanzelf dicht, dus ik zag dit als een signaal en ben zonder overleg met OMA de hele familie gaan bellen. Niemand aarzelde.

Aangetrouwden, kinderen, kleinkinderen, achterkleinkinderen kwamen uit alle delen van de wereld aangevlogen. Iedereen legde het werk neer of onderbrak de vakantie zonder aarzelen.

Mijn moeder opbellen vond ik lastig, omdat ik het nog altijd volgehouden had dat ik in Amerika studeerde, die paar keren dat we per telefoon of per e-mail contact hebben gehad, maar tot mijn grote verrassing vroeg ze me niks en verweet ze me niks, en toen bleek tot mijn onuitsprekelijke verbazing ook nog dat DIAN bij haar logeerde.

Totdat iedereen aan zijn bed stond had OPA alleen maar geslapen. OMA vertelde ik, zonder te laten merken dat ik erachter zat, dat iedereen zou komen. Het enige waar ze zich zorgen om maakte, was of iedereen die uit het buitenland zou komen, dan wel een slaapplek had. Ze zocht niks achter die spontane *selamatan* die ik voor OPA had geregeld.

We stonden allemaal rond OPA's bed toen DIAN en mijn moeder binnenkwamen en OMA opendeed. Toen ik ging kijken waarom het zo lang duurde bij die voordeur, zag ik OMA en mijn moeder in elkanders armen huilen.

Op de crematie leek het erop of niet alleen OPA maar ook RAY in de kist lag, want al in de eerste zin werd het overlijden van mijn vader telkens genoemd. Niemand hield een praatje zonder ook veel woorden te besteden aan hem.

Alleen een of andere oom van mijn vader, oom RUUD, die al een tijd weduwnaar is en volgens de TANTES sinds kort schijnt te hokken met een veel jongere Hollandse vrouw, hield een praatje zonder RAY erbij te halen. Eerst zei hij, met een onmiskenbare brok in zijn keel, dat OPA er aan het eind van zijn leven net zo uit had gezien als toen hij hem had leren kennen: vel over been. Daarna ging hij er prat op dat hij tussen OMA en OPA de postduif was geweest. Hij had de eerste liefdesbrief, zo beweerde hij, op verzoek van OPA aan OMA afgegeven.

De TANTE's hadden tijdens de ceremonie met powerpoint honderden foto's van OPA in alle leeftijden vertoond, vanaf de eerste jeugdfoto, zes jaar oud, met zijn linkerbil op de schouder van zijn ene en de rechterbil op de schouder van zijn andere broer, beide broers al overleden, en foto's van zijn meer dan veertig schilderijen. En juist toen die oom RUUD zat op te scheppen dat hij bij de familie van OMA een goed woordje voor OPA had gedaan, toonde het toeval een foto van OPA die meewarig zijn hoofd schudde. TANTE keek mij aan, verder was het niemand opgevallen.

OMA hield zich goed. Ik had sinds de komst van de familie minder op haar gelet. Het duurde even, zo met zijn allen rond het bed, voordat we zeker wisten dat OPA gestorven was. De laatste adem was niet zoals ik dacht. Geen schok. Hij ging er heel zachtjes, onhoorbaar vandoor. Niemand zei iets. We stonden prettig zwijgend rond het bed. Iemand streelde zijn haar, en aan elke kant waren er meer dan een die zijn hand of zijn arm vasthadden.

Opeens liep OMA, nietiger dan ik haar ooit had gezien, maar in aanwezigheid van de lange kleinkinderen en kinderen extra klein en krom, weg van het bed naar de telefoon, drukte met haar linkerhand op * en 1, waar het in maanden zo heilzaam gebleken nummer van THUISZORG onder de sneltoetskeuze zat, en zei: 'Ja... hier met mevrouw Portier... ik... mijn man...'

Aan de andere kant van de lijn moet de receptioniste gevraagd hebben: 'Wat zegt u?'

Want OMA schreeuwde daarna zo hard als ze kon: 'Help mij dan! Mijn man is weggegaan!'

De TANTES snelden op haar af, maar mijn moeder was de eerste die OMA beetpakte als een baby, en haar bijna wurgde in troost.

Dood en leven zijn in het geweld der tong

In een uur tijd zijn we nog geen centimeter opgeschoten. Ik heb geprobeerd mijn moeder te bellen, maar krijg geen signaal. Overbelasting. Ook de tekstberichten van de BIG DURIAN hebben macet. De uitlaatgassen die via de AC en de kieren van de auto binnensluipen, verklappen mij dat de meerderheid van het openbaar vervoer nog altijd geen CNG gebruikt. Mijn spontane besluit om BALI te verlaten, gedreven door de angst voor de verleiding HIQ expres tegen het lijf te lopen, wordt afgestraft door godweetwie, en was in elk geval niet lotbepaald, want anders hadden de Fata me nu in de macet wel wat meer geholpen.

Met in een of ander Hollands pakhuis vele verhuisdozen, bijna al OPA's schilderijen en RAY's kist die ik mijn kist mag noemen sinds mijn moeder hem heeft witgekalkt, met ergens in Jakarta minstens zo veel spullen waarvan ik me niet meer kan herinneren hoe ze eruitzien in de opslag, met losse bezittingen die ik in een paar maanden tijd op het eiland had verzameld in een kamertje in het huis van mijn OOM in Ubud, en mijn bagage in deze kijang die ik straks zal uitpakken in het logeerkamertje in mijn moeders appartement, is het alsof het onvoltooide schilderij dat ik vasthoud, met daarop die Aziatische en toch Europees aandoende vrouw, met dat grote witte gat dat onder haar borsten begint en boven haar venusheuvel ophoudt, mijzelf voorstelt.

De macet dwingt me na te denken over wie ik ben en wat ik wil, terwijl ik in het afgelopen jaar zo goed ben geworden in juist die gedachten vermijden.

Toen OMA bij het kiezen van wat ze meenam naar haar laatste woning aangaf dat ze alleen het landschap van de vulkaan met rijstvelden, het eerste wat OPA in Holland geschilderd had, wilde bewaren, en dat we allen mochten kiezen welke wij graag wilden voor in ons eigen huis, bleef het erg lang griezelig stil.

Daarom riep ik uit: 'Mag ik ze allemaal?'

Het leek of de rest zuchtte van verlichting, en waarschijnlijk was dat ook zo. Maar later dacht ik dat het gek is dat de enige zonder huis zich meer dan veertig doeken heeft toegeëigend.

Eentje koos ik uit om mee te nemen naar Sidoarjo. Waarom weet ik niet. Misschien omdat ik hoopte daar iemand te vinden met hetzelfde gezicht als de vrouw op dit doek. Maar dat is niet gebeurd.

Na Sidoarjo vloog ik naar BALI. De zwangere schoondochter van OOM had door de dood van OPA spontaan zo veel heimwee naar haar Balinese familie gekregen, dat ze na de crematie Californië de rug toekeerde om in haar geboorteplaats een tangodansschool te beginnen. De familie zat al een beetje met mij in de maag, nu OMA in een verzorgingsflat werd gestopt. En omdat ik op kosten van de familie naar Java vloog om OPA's as zoals afgesproken in Sidoarjo uit te strooien, lag het voor de hand dat ik in Ubud mijn aangetrouwde niet kwam steunen.

Mijn neef, die zich voor zijn huwelijk had bekeerd tot het hindoeïsme, en ermee akkoord gaat dat zijn kind straks volgens de Balinese tradities wordt opgevoed, reist voortaan zonder mopperen van LA naar BALI heen en weer, maar vertoeft vooral in c-land. Het is in c-land waar de kinderen, kleinkinderen en achterkleinkinderen van OPA en OMA elkaar vaker zullen ontmoeten dan in dat laatste station van OMA, in haar vliegdorp zonder vliegverkeer.

In Ubud, in een bilikhuis in de achtertuin van mijn OOM, leerde ik Balinese vrouwen, die als zelfstandig ondernemer redelijk hebben geboerd, met een buitenlander getrouwd zijn, of in een latrelatie verwikkeld, de menopauze door te komen met de tango. Op mijn droomeiland kon ik dansend geld verdienen, maar bij elke pas dacht ik aan de partner met wie ik de tango had leren dansen zoals niemand op die cursus ooit onder de knie zou krijgen.

JIS met alle groeiende maatregelen, hekwerken, regels om ons te beschermen tegen terroristisch geweld, was mijn wereld. JIS was mijn thuis. Alles wat ik kan en graag doe, alles wat ik weet heb ik daar geleerd. Op JIS hielden ze eens een loop waarbij je sponsors moest zoeken om voor elke mijl die je rende een bedrag te storten voor de kinderen van Sidoarjo, die geen dak boven hun hoofd meer hadden. Waarschijnlijk, zo besef ik nu, zat mijn eigen vader, of zijn organisatie, achter dat initiatief.

Waarom OPA zijn as daar wilde weet ik wel, maar de anderen denken vast en zeker dat OPA dat wilde omdat zijn benjamin daar gestorven is.

Mijn moeder had het nog over Sidoarjo. Ze zei dat ze mij haar excuses moest aanbieden om wat ze had geïnsinueerd over mijn vader, en wat hij daar met de buurvrouw zou hebben gedaan.

Ik heb haar aangehoord en verder niks gevraagd. In Sidoarjo ben ik alle hotels en *losmens* binnengegaan alsof ik een kamer zocht, en heb me afgevraagd waar RAY was gestorven. Natuurlijk had ik het aan mijn moeder kunnen vragen, maar ik was bang dat ik dan allerlei anders ook aan de weet zou komen, wat je als dochter over je ouders niet hoeft te weten.

DIAN vroeg me: 'Wil je weten waarom papa in Sidoarjo was?'
Ik schudde nee.

'Dan niet,' zei hij, zwaar gepikeerd, zoals hij kan zijn wanneer je niet doet wat hij wil.

Hij gaf toe dat zijn stage geen stage was. En vanwege gebrek aan gesprekspartners bij wie hij met betrekking tot dit onderwerp terechtkan, bekende hij dat hij door zijn laatste verblijf in Indonesië erachter kwam dat hij als hij in Nederland is, altijd valt voor Aziatische meisjes, en als hij hier is de voorkeur geeft aan blank.

Ik zei hem dat hij een kleuter was, een verwend stuk vreten, en dat zijn persoonlijke ontdekking alleen maar duidelijk maakt dat hij nog veel moet leren. Dat kan hij niet hebben, dat ik niet belangstellend knik en naar hem luister alsof hij de nieuwe president van Amerika is. Hij vindt zichzelf de grote broer die alles weet, vooral omdat ik na JIS niet meteen ben gaan studeren. Ik proef zijn minachting in de blik waarmee hij naar mij kijkt.

Hier in de kijang moet ik toegeven dat er ook voor mij nog veel te leren is, maar dat ik geen idee heb waar en hoe.

Al uren zit ik gevangen in de stad, waar ik ooit de tandenborstel deelde met iemand die mijn thuis zou kunnen zijn.

Ik was Ubud, met het hoge percentage bejaarde toeristen en het hoogste percentage muggen ter wereld als we alle krokodilparadijzen buiten beschouwing laten, ontvlucht, en hoopte op het strand van BALI eindelijk eens wat mensen van mijn eigen leeftijd te leren kennen. Opeens, bij het wakker worden, vond ik dat het tijd werd voor een *date* met hetkanmenietschelenwiezolanghijmaarheelgoeddansenkan.

Mijn koffer was in vijf minuten gepakt, de tassen vol, de laptop in de tas en OOM bracht me weg, omdat hij op de markt van Den Pasar weer voor een hele week fruit en groenten in moest slaan. Nog dezelfde avond begaf ik me naar de straat waar ik met HIQ als onnozele puber ooit zorgeloos gelukkig was geweest.

Onze confrontatie, in het uitgaansgebied dat niet alleen door een monument herinnert aan de BB's, zo onverwacht en tegelijk voorspelbaar, als je zijn en mijn bewuste en onbewuste motieven om naar dat deel van Kuta te gaan ontleedt en analyseert, heeft al mijn denken en handelen daarna vannacht en vanmorgen in de weg gezeten.

Student verlaat schuldbewust zijn honk in Amerika om zijn jeugdverkering terug te vinden.

Meisje verlaat het geboorteland van haar ouders om haar jeugdvriendje toevallig per ongeluk volkomen onvoorbereid op haar droomeiland tegen het lijf te lopen.

Veel hebben we niet gezegd. Er was harde muziek. Vooral ik zei weinig. Ik keek naar zijn ogen en vocht tegen mezelf, omdat het enige wat ik wilde was: zoenen, zoenen, zoenen, met mijn vingers door zijn haar, mijn vingers in zijn nek, onze lichamen aaneen. *Tot één vlees zijn.*

Ik heb zijn zinnen de rest van de nacht, tot in de ochtend, bij het inchecken, in het vliegtuig, tot nu toe in de kijang die aan de grond lijkt vastgemetseld, in mijn hoofd herhaald.

Ik had hem niet zien staan, hij mij wel. Opeens voelde ik iemand achter mij. Hij rook vertrouwd, legde een hand voor mijn ogen en dat liet ik toe, want die hand was mij bekend. Zijn andere hand legde hij om mijn linkerelleboog en zo leidde hij mij weg van de drukte naar een steeg of zo. Ik volgde gedwee, sloot zelfs meer dan gewillig mijn ogen. Ik dacht bij mezelf: dit kan DIAN zijn, RAY, of OPA, maar toch, ze zijn het niet, dus wie is het dan, met wie ben ik intiemer dan met hen? Niets in mij had de neiging om hem van me af te duwen of om te kijken wie hij was.

Ergens waar het geroep, gefluister, en gelonk van spamasseuses, Nepmarcopoloshirt-verkoopsters, taxichauffeurs en moneychangers verdwenen was, waar de muziek ver weg klonk, liet hij mijn elleboog los, en alhoewel ik zijn hand voor mijn ogen weg had kunnen duwen, bleef ik geduldig afwachten.

Een heel zachte kriebeling ging over mijn arm. Een streling alsof de vele muggenbulten die ik in Ubud opgelopen had opeens op een vriendelijke manier opspeelden. Mijn gedachten volgden de kriebeling zoals vroeger op JIS, de spelletjes die we in vertrouwen met elkaar deden met de ogen dicht, in de pauze, of als we eigenlijk huiswerk moesten doen. Toen trok hij opeens zijn hand weg bij mijn ogen, en bracht mijn arm tot dicht voor mijn neus.

Ik opende mijn ogen en zag een spinnetje dat over mijn arm wandelde. Ik gilde het spontaan uit, als een of ander dom bangig wicht.

Hij schaterlachte, en ik lachte blozend met hem mee.

'Ik schrok van jou, niet van de spin,' zei ik, terwijl ik nog lachte, en hij pakte mijn hand, kuste die niet, maar legde die zacht tegen zijn mond.

Daarna werden we allebei heel stil. Met zijn beide handen speelde hij met mijn tien willoze vingers en hij zei zijn allereerste zin: 'Begrijpen, invoelen hoe iemand tot een bepaalde keuze komt is iets anders dan sympathiseren met iemands daden.'

En daarna, na een diepe stilte waarvan ik de duur niet weet, fluisterde hij in mijn oor: 'Seks is overal altijd te krijgen, maar ik mis het meisje dat me wakker houdt.'

We hadden een soort dialoog, ook al zeiden we weinig. Wekenlang, elke dag, overdag en 's avonds, tot ver na middernacht, was hij deze straat van het begin tot het eind op en neer gelopen, zei hij.

Heel lang hebben we in een omarming die nieuw was, maar die als vanouds en natuurlijk voelde, in die onverlichte zijstraat gestaan. Ik vergat waar ik was. Ik was bij hem, en dat was thuis. Ons zweet vermengde zich. De druppels die over mijn blote benen gleden konden van mij zijn, maar ook van hem. Ik wist niet of het zijn hart was dat ik voelde kloppen of het mijne. Gedachten had ik niet. Al mijn wilskracht om zelf iemand te zijn was uit mij weggegleden.

Ons weerzien was geen toeval. Hij had geen andere bedoeling hier te zijn dan om mij te vinden. Misschien had hij er weken over nagedacht wat hij zou zeggen, want hij sprak af en toe een zin, terwijl ik geen woorden had. Mijn lichaam zei ja. Mijn lichaam knikte toen hij zei: 'Ik heb een jaar zonder jou nodig gehad om zeker te weten dat ik geen dag langer nog zonder jou wil zijn.'

Ik was de stilte van mijn opa. Mijn ogen voerden het gesprek. Misschien mompelde ik iets van 'ik zie je gauw' of 'ik zal erover denken', maar ik denk van niet, want mijn tong leek vastgeplakt aan mijn verhemelte.

Ik trok mijn handen terug, pakte de pen die uit zijn borstzak stak, en ik heb hem, op de blote arm waar eerder de spin had rondgekropen, over en tussen de muggenbeten die ik in Ubud opgelopen had, de naam van zijn hotel laten schrijven, het nummer van zijn Indonesische cellphone en die van zijn Amerikaanse, zijn huidig e-mailadres spidercatcher@gmail.com en 'I love you more than anything else'.

Toen ben ik weggerend, heb de eerste beste louche taxi genomen, en in mijn hotel mijn arm schoongeboend totdat het pijn deed en dientengevolge de muggenbulten, na de sluimerstand die ze maar net bereikt hadden, tot een ongekend hoogtepunt geactiveerd.

De volgende ochtend heb ik een vlucht naar Jakarta geboekt en daar zit ik nu, op het heetst van de dag, met OPA's onvoltooide schilderij op schoot in de ergste file ter wereld.

Te veel tijd om na te denken in deze *macet merdeka*.

Mijn eigen handelen, mijn eigen wil, mijn eigen denken, begrijp ik niet meer. En ik weet niet zeker of wat ik voel wel is wat ik voel. Ik ken zijn e-mailadres uit mijn hoofd, en in nood kan ik altijd nog naar onze ex-buurvrouw gaan om te vragen of zij de doden erop uit wil sturen om hem voor mij te vinden. Nu sta ik waarschijnlijk nog heel lang, gedwongen door de macet, verstoken van signalen in mijn blackberry en mijn iPhone, bij alles stil.

Stof en schaduw zijn wij

Het schilderij van OPA drukt zwaar op mijn schoot. Het mini-atuur tropisch kraterlandschap in het kleine mysterieuze drie-hoekje lijkt me te hypnotiseren. Ik verplaats mijn blik naar het witte vlak. Een taak waarmee OPA mij heeft opgezadeld. Starend in het ongeverfde linnen zie ik OMA, die bij ons afscheid uit haar oeroude uitklapbare naaidoos waarin ze knopen en bolletjes ka-toen, wol en garen bewaart, een pak papieren tevoorschijn haal-de en mompelde: 'Hier, voor jou, want jij schrijft immers een boek over je opa?'

Ik herkende het stapeltje meteen als dat waarover TANTE had gesproken: een gelijksoortig samenraapsel als ik van hem gekre-gen had, alleen slordiger, alhoewel ook de handgeschreven stuk-ken in schoonschrift waren, en wat getypt was had hij op zo'n typemachine gedaan die je alleen nog in letterkundige musea kunt vinden.

'Dankjewel, oma,' zei ik, ondersteboven van de vanzelfspre-kendheid waarmee ze die verloren gewaande spullen van OPA overhandigde.

En ik gaf haar een zoen op beide wangen, alsof ze me, zoals vaak, een briefje van honderd cadeau had gedaan.

Al die flarden verhalen op die verschillende papieren, die OMA al die jaren tussen haar handwerkspullen had bewaard, heb ik ver-brand, en samen met OPA's as in Sidoarjo, boven dat merkwaardige landschap uitgestrooid, waar onder die stinkende giftige grond, zo vermoed ik, ook andere mensen in asvorm zullen zorgen dat daar ooit weer groene rijstvelden zijn.

Verantwoording

In *Vervlochten grenzen* heb ik bij de keuze van de spelling van het pasar-Maleis en het Bahasa Indonesia rekening gehouden met het tijdstip waarop de tekst wordt uitgesproken of 'gedacht' en door wie dat gebeurt. Afhankelijk daarvan bepaalde ik van welke spelling ik gebruik moest maken. Daardoor kan het voorkomen dat een woord of naam volgens twee verschillende spellingen in het boek voorkomt.

Werk van Marion Bloem:

ROMANS
1983 *Geen gewoon Indisch meisje*
1987 *Lange reizen korte liefdes*
1987 *Rio*
1989 *Vaders van betekenis*
1992 *De honden van Slipi*
1993 *De leugen van de kaketoe*
1997 *Mooie meisjesmond*
1999 *Ver van familie*
2001 *Games4girls*
2004 *De V van Venus*
2009 *Indië voorbij*
2009 *Vervlochten grenzen*

VERHALENBUNDELS
1990 *Vliegers onder het matras*
1995 *Muggen mensen olifanten*

NOVELLEN
1988 *Meisjes vechten niet*
1995 *De smaak van het onbekende*

JEUGDROMANS
1978 *Waar schuil je als het regent?*
1984 *Kermis achter de kerk*
1986 *Brieven van Souad*
1990 *Matabia*
1995 *De geheime plek*
1996 *De droom van de magere tijger*
2004 *Zo groot als Hugo*
2005 *De kleine krijger*

BEELDENDE KUNST EN POËZIE
1992 *Schilderijen en gedichten*
1995 *Hoop op nieuwe woorden*
2001 *Voor altijd moeder*
2002 *Liefde is soms lastig, liefste*
2003 *Thuis*
2007 *In de kamer van mijn vroeger*

ONDER REDACTIE VAN MARION BLOEM
2005 *Een royaal gebaar*
2006 *Sawah Belanda*

OVER MARION BLOEM
1993 Saskia van Rijnswou *Marion Bloem*

www.marionbloem.nl
www.vervanfamilie.nl